LYMAN MACINNIS

L'ARGENT
COMMENT LE FAIRE FRUCTIFIER

LYMAN MacINNIS, EXPERT-COMPTABLE

Traduit de l'anglais par Roland Ruah

Couverture: Productions graphiques ADHOC

Composition et mise en pages: Helvetigraf, Québec

Éditions Primeur Inc.
2069, rue Saint-Denis,
Montréal, H2X 3K8
Tél.: (514) 285-1738

Distributeur: Les Presses de la Cité Ltée.
9797, rue Tolhurst,
Montréal, H3C 2Z7

Ce livre a été publié en anglais sous le titre de:
Get Smart! Make your Money Count, chez Prentice-Hall

Dépôt légal, 1er trimestre 1984
Bibliothèque nationale du Québec

ISBN 2-89286-033-4

Table des matières

CHAPITRE ONZE: INVESTIR DANS L'IMMOBILIER

DEUXIÈME PARTIE: LES PLACEMENTS

CHAPITRE TREIZE: CLUBS DE PLACEMENT

CHAPITRE QUINZE: TYPES DE «JOUEURS» EN BOURSE

CHAPITRE SEIZE: OBJECTIFS EN MATIÈRE DE PLACEMENTS

Remerciements

Je voudrais remercier tout spécialement au moins quatre personnes qui m'ont aidé à écrire cet ouvrage. Joan Schultz, ma secrétaire et mon bras droit, a excellemment tapé plus de pages que tout être humain ne devrait avoir à en taper sur un même sujet. Janice Whitford, responsable des acquisitions, et Catherine Leatherdale, directeur de publication de Prentice-Hall, ont posé les questions qu'il fallait et m'ont très bien conseillé. Je remercie très sincèrement ces trois personnes. Je tiens à remercier également mon très bon ami, David Matheson, C.R., qui a été le premier à me mettre en rapport avec les personnes compétentes de Prentice-Hall.

Avant-propos

Un jour, alors que j'étais en train de relire une première ébauche de ce livre, un collègue est entré dans mon bureau. Nous en avons, bien sûr, parlé un peu et, au cours de la conversation, il m'a demandé quelles étaient les personnes susceptibles d'acheter ce livre. Je lui ai répondu en plaisantant: «Tout le monde.» Mais après y avoir ensuite longuement réfléchi, je me suis rendu compte que cette réponse était probablement la bonne. Ce livre est susceptible d'intéresser tout le monde.

Quand on y réfléchit bien, savoir gérer son argent dépend très peu de la somme dont on dispose. Que vous ayez à gérer soigneusement votre argent uniquement pour joindre les deux bouts entre les deux payes, ou que vous ayez la chance d'avoir suffisamment d'argent et que votre seul souci soit d'investir au mieux vos ressources, de très nombreuses considérations en matière de gestion financière ne dépendent aucunement de l'emplacement de la virgule.

Certains chapitres de ce livre ne concernent, bien entendu, que les gens qui doivent prendre des décisions en matière d'investissements. Mais il y a au moins autant de chapitres destinés à ceux qui font tout leur possible pour joindre les deux bouts. Vous serez surpris de constater combien ce livre concerne ces deux types de personnes. Ainsi, il y a des chapitres vous indiquant ce qu'il faut faire si vous gagnez à la loterie, et d'autres concernant l'ouverture d'un compte bancaire suisse.

Ce livre intéressera également tous ceux qui, dans le cadre de leurs activités quotidiennes, conseillent les autres en matière de gestion financière. Les directeurs de banques, les courtiers, les agents d'assurance, les agents immobiliers, les comptables et les juristes y trouveront tous matière à réflexion. Les professeurs et les étudiants concernés par la gestion financière découvriront dans ces pages d'innombrables renseignements.

Cet ouvrage est à la portée du profane. Il renferme très peu de jargon technique, et les termes techniques que l'on n'a pas pu éviter sont clairement expliqués.

Mon collègue m'a également demandé, ce jour-là, combien de temps il m'avait fallu pour écrire ce livre. Ma réponse fut simple: plus de vingt ans. Tout ce que vous lirez dans ce bouquin repose sur plus de vingt années d'expérience en matière de conseils en gestion financière. Les erreurs que je n'ai pas commises moi-même, j'ai vu d'autres personnes les commettre. Je pense avoir été témoin durant cette période de toutes les bonnes et mauvaises décisions financières possibles, ainsi que de leurs conséquences. Ce livre ne renferme aucune suggestion qui n'ait été rigoureusement testée maintes et maintes fois. Il ne couvre pas toutes les situations, mais il traite des décisions financières les plus courantes et les plus importantes auxquelles sont confrontés les gens de toutes conditions sociales.

Ce livre ne traite pas de l'impôt sur le revenu. Il se limite plutôt à la gestion financière personnelle. Les impôts constituent indéniablement une partie importante des décisions financières, et pour les cas où les implications fiscales revêtent une importance primordiale, ce livre vous mettra en garde et vous suggérera de demander conseil. Mais l'impôt sur le revenu constitue le sujet d'autres ouvrages. Les réglementations fiscales changent tous les ans, alors que les conseils et les suggestions formulés ici sont à l'épreuve du temps. Vous pouvez y revenir encore et toujours, et être sûr que ce qui y est écrit reste valable.

PREMIÈRE PARTIE

Gestion de l'argent

Chapitre un

Établir son budget personnel

SE DÉBARRASSER DES MYTHES

Une bonne planification financière personnelle commence par l'établissement du budget et en dépend, tout autant que le bon fonctionnement d'une entreprise. Cependant, des hommes d'affaires très compétents, qui n'imagineraient jamais d'essayer de gérer leurs affaires sans établir de budget, persistent d'une année à l'autre à gérer leurs finances au hasard, en évitant d'établir un budget personnel ou familial comme si c'était la peste.

Cette attitude est due à certains mythes en matière de budgets personnels. Débarrassons-nous de ces mythes dès maintenant.

Aucune paralysie

Un budget personnel ne paralyse pas votre train de vie, bien au contraire. En vous obligeant à évaluer votre situation financière de façon réaliste et à répartir les ressources disponibles sur une base raisonnable, la préparation d'un budget personnel vous permettra de jouir d'une certaine tranquillité d'esprit durant toute l'année. Grâce au budget, vous savez exactement quel genre de vacances vous pouvez vous permettre, quand vous pouvez revendre votre voiture ou si vous pouvez faire installer une piscine.

Aucune paperasserie

Il n'y a pas lieu d'accumuler des copies encombrantes ni d'effectuer en permanence des comparaisons avec les chiffres budgétisés. En fait, le budget en lui-même est le seul document que vous devez ajouter à vos papiers personnels. Les talons de chèques, les bordereaux de cartes de crédit, les reçus ordinaires et de la mémoire (tout ce que vous avez déjà) sont les seules pièces justificatives dont vous avez besoin. Pour ce qui est des comparaisons à effectuer avec le budget, il suffit d'y procéder périodiquement: disons, tous les trois mois, quand vous désirez vérifier un poste particulier ou quand un imprévu nécessite un changement de chiffres.

Changements

Voici un autre mythe. Bien sûr que le budget peut être modifié — et il devrait même l'être. Dès qu'un changement important intervient dans le montant en argent liquide disponible, ou dès qu'il faut procéder à un changement important en matière de dépenses, le budget doit être révisé. Nombreux sont ceux qui préparent et révisent tout naturellement leur budget sur la base d'une année mobile. Voici comment cela fonctionne.

Supposons qu'un budget soit préparé pour une année donnée et qu'à la fin d'août il devienne nécessaire d'en réviser les chiffres. Ne vous contentez pas de réviser les chiffres. Ne vous contentez pas de réviser uniquement les quatre mois restants de l'année. Préparez plutôt un nouveau budget de 12 mois couvrant la période allant de septembre au mois d'août suivant. Les avantages d'une telle approche sont évidents: vous serez toujours à jour dans vos prévisions, vous aurez toujours les données financières nécessaires à portée de la main pour planifier votre train de vie plusieurs mois à l'avance (ce qui contribue à éviter les ennuis financiers), vous trouverez qu'il est ainsi plus facile et plus intéressant de préparer un budget.

Aucune compétence technique n'est requise

Nul besoin d'être expert-comptable pour établir un budget personnel. En suivant les conseils donnés dans ce chapitre, n'importe qui, même les grands enfants, peut dresser un budget. En effet, toute la famille devrait y prendre part. Cela incite non seulement toutes les personnes concernées à s'en tenir au budget — après tout, elles ont contribué à son établissement, donnant ainsi leur accord tacite quant au respect de ce même budget — mais le fait que tous participent à la mise en œuvre du budget permet également de comprendre la situation financière de la famille et crée un sentiment de responsabilité, ces deux éléments tendant à promouvoir la paix des foyers.

Le fait que chaque membre de la famille (y compris les enfants) prépare son propre budget, pour les postes dont il ou elle est responsable, constitue une procédure qui donne souvent des bons résultats. On tient ensuite une réunion budgétaire — un soir après le dîner — et on consolide les budgets individuels en un budget familial global. Dans les cas où un certain secret serait de mise, on peut adapter cette méthode en fonction de ces exigences particulières.

COMMENT S'Y PRENDRE

Un budget personnel n'est vraiment pas une chose compliquée. Nombre d'entre nous ont été intoxiqués par la complexité des budgets gouvernementaux et pensent que dresser son propre budget doit être presque aussi compliqué. Croyez-moi, il n'en est rien. Un budget personnel consiste tout simplement à dresser dans l'ordre une liste des rentrées et des sorties d'argent prévues pour l'année à venir ou pour toute autre période prise en compte pour établir ce budget. Ce n'est vraiment rien d'autre qu'un résumé indiquant à quel moment s'effectuent les entrées et les sorties d'argent et à quel propos. Voilà sur quelle base établir votre budget. Si vous achetez,

Ill. 1- Une page type de votre budget

BUDGET PERSONNEL

		19-0			19-1								
	Total	Oct.	Nov.	Déc.	Jan.	Fév.	Mars	Avr.	Mai	Juin	Juil.	Août	Sept.
Solde reporté													
Revenu d'emploi net													
Allocations familiales													
Revenu de placements													
Emprunts													
Autres													
Hypothèque/Loyer													
Prêt: intérêt & paiments													
Impôts fonciers													
Électricité													
Chauffage													
Téléphone													
Eau													
Épicerie													
Entretien & réparations													
Nettoyage & teinturerie													
Loisirs													
Habillement — papa													
— maman													
— enfants													

Frais de scolarité
Soins médicaux & dentaires
Assurance — vie
— automobile
— logement
— autre
Mobilier
Automobile — paiements
— frais
Abonnements
Allocation — papa
— maman
— enfants
Dons de charité
Vacances
Cadeaux
(Noël, anniversaires, etc.)
REER
Petite caisse (pour imprévu)
Solde

par exemple, pour 1000 $ de meubles, payables par mensualités de 100 $ pendant 10 mois, vous faites figurer les 100 $ et non pas les 1000 $.

Voici quelques conseils pratiques pour établir le budget. L'équipement nécessaire consiste en quelques crayons bien taillés et quelques feuilles de papier à 14 colonnes. Une machine à calculer ou une calculatrice de poche sont utiles mais ne sont pas nécessaires.

Dans la première colonne figure l'énoncé des postes des recettes et des dépenses prévues. L'utilisation de la deuxième colonne sera décrite brièvement. Les 12 colonnes suivantes représentent les 12 mois budgétisés.

Divisez la feuille horizontalement en deux parties. Inscrivez sur les premières lignes, quel que soit le nombre nécessaire, les recettes, et inscrivez les dépenses sur les lignes restantes (la deuxième partie). La seule exception à la règle est que l'argent liquide en caisse à la fin du mois précédent doit toujours figurer sur la première ligne de la feuille, et que sur la dernière ligne de la feuille doit toujours figurer l'argent liquide en caisse à la fin du mois concerné.

Les types de recettes et de dépenses prévues doivent figurer sur les lignes situées dans la première colonne de la partie concernée. Les totaux annuels doivent figurer dans la deuxième colonne et être ensuite répartis en fonction de chaque mois dans les colonnes 3 à 14. Dans certains cas, il vous faudra d'abord remplir les colonnes 3 à 14 pour obtenir le total de la colonne 2.

Exemple de budget

Les rentrées d'argent représentent souvent des montants fixes et doivent figurer en premier. Au moment de faire mention des dépenses, inscrivez d'abord le niveau idéal que vous devez consacrer à cet item. Toutefois, ce niveau idéal est fonction des circonstances particulières. Bien que l'on entende souvent parler de «directives conseillées», comme un certain pourcentage de revenu, il est assez dangereux de s'y fier. Une famille de six personnes dépensera, par exemple, beaucoup plus en nourriture qu'un couple marié dont les enfants sont tous adultes et indépendants. Les loyers sont beaucoup moins élevés à Charlottetown qu'à Toronto. La procédure conseillée est d'examiner vos dépenses réelles au cours des mois derniers, de tenir compte des augmentations de prix et des changements très nets de circonstances, et de partir de là. Même une bonne intuition vaut mieux qu'une absence totale de budget.

S'il s'avère que le niveau idéal de dépenses n'est pas réalisable, il vous faut alors réévaluer vos prévisions. Si vous avez l'intention d'emprunter de l'argent, le montant du prêt doit figurer dans les rentrées d'argent. Les remboursements des intérêts et du prêt doivent figurer dans les sorties d'argent.

L'erreur la plus fréquemment commise lorsque l'on commence à établir un budget personnel, c'est d'oublier l'argent en caisse (qui doit figurer en premier dans le premier mois) et les factures impayées à ce moment-là (qui doivent figurer en premier au poste des dépenses, uniquement pour le premier mois — après cela, elles apparaîtront automatiquement sur la ligne des dépenses concernées; mais en commençant, veillez bien à ne pas les inscrire deux fois).

Une autre erreur assez fréquente consiste à omettre certaines dépenses, comme les payements d'hypothèque ou de loyer, les articles d'épicerie, les billets de loterie, l'argent des repas, les tickets d'autobus, les frais de teinturier, l'entretien et la réparation du logement, l'habillement, le mobilier, les soins médicaux et dentaires, les médicaments, l'assurance (vie, voiture, domicile et autre), les livres, journaux et magazines, les dons à des associations de charité, les redevances de télévision, les naissances, anniversaires et mariages, les paiements annuels tels que les cotisations au régime enregistré d'épargne-retraite, les impôts fonciers, le chauffage, le téléphone, l'eau, les loisirs, les frais de scolarité, les équipements sportifs et les frais d'inscription pour activités sportives, les cotisations de club; l'immatriculation et les réparations d'automobile, les vacances, et, dans la mesure du possible, un petit quelque chose pour ce proverbial «au cas où».

FAITES PARTICIPER VOTRE ÉPOUSE

Malheureusement, les femmes mariées qui apportent leur contribution à la famille en restant à la maison pour s'acquitter des tâches ménagères au lieu d'aller travailler au dehors — en fait, une grande partie de celles-ci gagnent de l'argent et contribuent ainsi à entretenir la famille — souvent ne sont pas suffisamment impliquées dans la gestion des finances familiales.

Il y a une grande différence entre manier de l'argent (s'occuper par exemple du budget ménager hebdomadaire) et gérer de l'argent (établir des budgets à long terme pour les études des enfants et pour la garantie de ressources au moment de la retraite). Nombreuses sont les femmes capables d'administrer un budget hebdomadaire, mais qui, confrontées à des problèmes de gestion à long terme, seraient complètement perdues. Il ne devrait pas en être ainsi.

Comme nous l'avons déjà fait remarquer, le côté financier d'une affaire familiale est semblable à celui d'une entreprise. Il faut prendre en considération le budget des revenus et des dépenses (quelque informelles que puissent être ces considérations); il faut planifier et évaluer les dépenses d'investissement et prévoir financièrement les besoins à long terme.

Toutes ces décisions devraient être prises conjointement par le mari et la femme en tant qu'associés d'une même entreprise, et ce, dans tous les sens du terme. Outre son droit d'être pleinement au courant des finances familiales et de sa responsabilité d'y prendre part, c'est le bon sens qui veut que toute épouse soit informée de la situation financière de sa famille. Si tel n'est pas le cas, elle risque de s'égarer dans un dédale financier au moment où elle ne se trouve pas dans les meilleures dispositions d'esprit pour faire face à une telle situation — au moment du décès prématuré de son mari. Les gens mariés devraient prendre conscience du fait qu'il y a plus de chances que ce soit le mari qui décède le premier. Une épouse devrait au moins avoir une parfaite connaissance de tous les détails concernant le testament, les assurances, le compte en banque, l'actif et le passif.

Testament

Tous ceux qui possèdent quelques biens devraient rédiger un testament. C'est la seule façon d'être sûr que ce que vous possédez reviendra aux personnes de votre choix, de la manière dont vous le voulez, et au moment où vous le souhaitez. S'il n'y a pas de testament valable à votre décès, c'est le gouvernement qui décide qui doit recevoir quoi et quand. Même les personnes seules et sans parenté devraient rédiger un testament. Mais il est absolument vital que, dans le cas d'un couple marié, à la fois le mari et la femme aient des testaments récents ou remis à jour.

Tous deux devraient savoir où sont rangés les testaments et quels en sont les exécuteurs. Ils devraient connaître aussi les clauses exactes de chaque testament. Le recours aux tribunaux est une maigre consolation pour l'épouse qui découvre, à la mort de son mari, que ce dernier a tout légué à une nièce préférée. Mieux vaut s'en débarrasser tout de suite.

On fait souvent l'erreur de nommer son conjoint comme seul exécuteur testamentaire. Il est préférable de désigner son conjoint comme coexécuteur avec une seconde personne forte et bien informée, capable d'intervenir et de s'occuper de tout lors d'un décès, parce que le partenaire survivant n'est généralement pas en état émotionnel d'agir seul et de manière appropriée en tant qu'exécuteur testamentaire. ne désignez pas une personne comme exécutrice testamentaire pour la simple raison qu'elle est une amie de la famille. Cela ne rend service à personne. Il faut choisir un exécuteur testamentaire d'après des critères de fiabilité, de compétence et de bonne connaissance de la famille et de ses affaires. Ne nommez pas non plus vos exécuteurs sans avoir obtenu leur consentement au préalable ni sans leur avoir montré votre testament. Nombreux sont ceux qui refusent.

Les testaments seront évoqués plus en détail au chapitre deuxième.

Assurance

Tout conjoint devrait connaître le montant de l'assurance souscrite par son ou sa partenaire, savoir quels en sont les modes de règlement (rente, somme globale, etc.), à quelles compagnies d'assurance s'adresser, être au fait des démarches à entreprendre pour toucher le montant de l'assurance et, que vous le croyiez ou non, savoir qui en est le bénéficiaire.

Il arrive, par exemple, qu'un mari ait été parfaitement couvert par une assurance mais qu'il n'ait jamais entrepris les démarches nécessaires pour faire du bénéficiaire non plus sa mère mais sa femme. La mère peut voir d'un bon œil que l'épouse et les petits-enfants soient entretenus, mais elle peut estimer qu'il vaut mieux que ce soit elle qui continue à tenir les cordons de la bourse. Les tribunaux en décideraient, mais mieux vaut régler le problème sur-le-champ.

Le conjoint survivant devrait également savoir que les prestations ne sont pas versées automatiquement. Il faut entreprendre des démarches pour toucher cette somme. Il faut présenter un certificat de décès et effectuer une demande d'indemnisation en bonne et due forme. En effet, il peut arriver que seule une partie de l'indemnité soit versée en attendant l'entière satisfaction des conditions stipulées par la loi. Il convient d'évoquer tous ces problèmes avec votre agent d'assurance, de consigner les détails par écrit et de les garder en lieu sûr.

Banque

La plupart des gens ignorent que dès l'instant du décès les comptes bancaires de la personne décédée, y compris les comptes communs, peuvent être bloqués et les coffres mis sous scellés. La loi, qui varie d'une province à l'autre, permet de libérer des fonds pour les nécessités courantes et accorde une somme supplémentaire pour les frais d'enterrement, etc. On peut procéder à l'ouverture du coffre pour en retirer les polices d'assurance et le testament, mais il peut arriver qu'on n'ait pas accès aux autres objets tant que le testament n'est pas validé.

Tout cela implique donc que les deux époux doivent non seulement savoir de quels comptes en banque ils disposent et auprès de quelles succursales, mais connaître également l'existence et le contenu de tous leurs coffres ainsi que le nom du directeur de banque et savoir où et comment le joindre.

Vérifiez quelle est la loi en vigueur à ce sujet dans votre province.

Actif et passif

Cela semble banal de dire que les deux époux devraient connaître les avoirs et les dettes de la famille, mais en fait, ils les ignorent très souvent. Il n'est pas rare que des placements, tels que des actions et des obligations, sommeillent à l'insu de tous dans une boîte à chaussures secrète ou dans un coffre quelconque. Il arrive également très souvent que le conjoint survivant soit au courant des avoirs de la famille — maison, assurance, etc. — mais qu'il tombe de haut en découvrant une importante marge de courtier et deux autres emprunts bancaires dont seul le conjoint décédé était au courant.

Comment résoudre le problème

La meilleure solution c'est, bien sûr, que les deux époux participent à toutes les décisions financières. Une des meilleures façons de procéder en la matière serait que les deux époux prennent le temps de rédiger ensemble une liste de l'actif et du passif, un budget approximatif pour l'année à venir ainsi qu'un résumé de leur testament. Préparez également une liste de données utiles telles que les noms, adresses et numéros de téléphone de votre avocat, comptable, directeur de banque, courtier et assureur, le lieu de rangement des papiers importants ainsi qu'une description des principaux avoirs et des principales dettes.

Commencez dès ce soir.

EXAMINER LES CHOIX POSSIBLES

Bien que tous les chapitres de ce livre traitent de sujets ayant une incidence sur l'établissement du budget familial, c'est en examinant vos propres affaires que vous réaliserez vraiment des gains. Il faut évaluer chaque poste de dépense pour déterminer d'abord si tel poste est nécessaire, ensuite voir s'il existe une façon plus économique de le gérer.

Les deux considérations suivantes sont souvent négligées lorsque l'on planifie ses affaires. Primo, faut-il louer ou acheter? La réponse est primordiale et peut avoir un impact considérable sur la bonne santé financière. Secundo, faut-il recourir à l'un des forfaits bancaires proposés? C'est le cas typique d'un petit poste pouvant permettre de n'économiser que quelques dollars par an. Mais il faut profiter de tout. Trouvez dix façons d'économiser 100 $ et vous gagnerez ainsi 1000 $ par an, ce qui peut rapporter gros si vous les placez, par exemple, dans une police d'assurance ou dans votre régime d'épargne-retraite.

Louer ou acheter

Rien n'est bon marché aujourd'hui. Et comme tous les consommateurs le savent, le prix d'achat de tout objet — qu'il s'agisse d'un grille-pain ou d'une nouvelle voiture — n'est que le commencement. L'acheteur doit tenir compte des frais d'entretien et de service. Il doit également se soucier de la dépréciation. En outre, la possession implique des frais cachés tels que les coûts d'assurance et d'entreposage. À tout bien considérer, cela vaut-il vraiment le coup de dépenser 500 $ pour un appareil à nettoyer les tapis alors que vous pouvez le louer pour 20 $ le week-end? Est-ce bien raisonnable d'acheter une voiture à 12 000 $, alors que vous pouvez la louer pour environ 350 $ par mois?

Il n'y a pas qu'une seule réponse à ces questions. La décision de louer ou d'acheter repose au moins autant sur des facteurs émotionnels que sur les taux de dépréciation ou les facteurs utilitaires. En fait, presque tout ce que l'on peut acheter peut également être loué, qu'il s'agisse d'un cactus, d'un téléphone pour la voiture, d'un court de tennis gonflable ou d'une peinture à l'huile de 5000 $ pour décorer votre domicile ou votre bureau. Il faut toujours faire la comparaison entre la location et l'achat, surtout lorsqu'il s'agit d'un article assez coûteux.

Quel que soit le caractère alléchant du montant de la mensualité lorsqu'on le compare au prix d'achat, il y a toujours un risque que la location ne soit pas la solution la plus rentable. Chaque article loué comporte un renchérissement assez important. La location n'est pas faite pour les gens qui ne peuvent pas se permettre d'acheter. Quelqu'un qui ne peut pas se permettre d'acheter un article ne peut probablement pas non plus se permettre de le louer. Sauf si, bien entendu, c'est uniquement un problème d'acompte qui l'empêche de pouvoir se permettre d'acquérir un objet. En effet, pour être sûres que les locataires éventuels (c'est vous, l'entreprise auprès de laquelle vous louez s'appelle le bailleur) aient les moyens de payer leurs mensualités, les grandes compagnies de location ont établi des directives concernant le salaire minimum perçu par leurs clients.

Si vous avez les moyens de louer des articles coûteux, la location peut présenter des avantages — souvent en termes de service et, parfois, en termes de coût. Dans le cas des voitures, par exemple, le bailleur peut généralement vous faire faire des économies, car il peut éliminer le bénéfice perçu par le concessionnaire sur les voitures neuves, bénéfice qui est souvent substantiel.

Cela ne veut pas dire pour autant qu'en tant que locataire vous réalisiez automatiquement de telles économies. Contrairement à l'achat au comptant, le coût réel d'une location à long terme peut se dissimuler dans les petits caractères d'un contrat. Les locataires expérimentés savent que la plupart des contrats de location donnent l'impression d'avoir été rédigées par une équipe de juristes essayant d'impressionner le milieu juridique. Mais si l'on fait abstraction du jargon juridique, on peut distinguer deux grands types de locations.

La location d'exploitation

Le premier type, le plus onéreux, est la location d'exploitation, dont l'exemple typique est la location d'une voiture à la journée. Dans ce genre de contrat, la compagnie qui propose l'équipement à louer s'occupe de toutes les transactions et de l'entretien. Le bail est généralement à court terme, il est résiliable (ce qui entraîne normalement une pénalité) et ne prévoit aucune option d'achat à l'expiration du contrat. La plupart des locations d'outils, de bateaux et d'autres équipements pour usage à court terme, et surtout loués par des particuliers, reposent sur ce type de contrat de location.

La location financière

Si on le compare à la location d'exploitation, — la location financière propose moins de services au locataire. Les contrats de location financière sont généralement à long terme (jusqu'à 75 ou 80 pour cent de la durée de vie de l'article loué), non résiliables sans avoir à payer une pénalité assez élevée, et prévoient souvent une option d'achat ou de reconduction à l'expiration du bail. Ce type de location est généralement utilisé pour les équipements loués par des entreprises et il propose des articles allant des machines à écrire jusqu'aux avions.

Un particulier voulant louer une voiture se verra proposer une location financière. Les procédures pour louer une voiture sont aujourd'hui relativement uniformisées. La compagnie de location vous demande d'abord quel usage vous comptez faire de la voiture — usage personnel ou professionnel — et s'il s'agit d'un usage professionnel, pour quel genre d'entreprise ou de profession? Ensuite, il faut choisir la voiture — marque, modèle, style, couleur et accessoires. On établit alors un contrat.

N'acceptez pas de «contrat type». Insistez pour obtenir un contrat «personnalisé». Le facteur clé dans la détermination du coût est le nombre de kilomètres pouvant être effectués par la voiture. En tenant compte de cela, et en se basant sur le coût de la voiture pour le bailleur, on calcule le prix de gros approximatif de la voiture à l'expiration du bail et on établit un coût mensuel de location.

Pour être sûr de prendre la bonne décision, il faut absolument essayer de savoir si la location vous reviendra globalement moins chère que l'achat de la même voiture.

Examinons, par exemple, un cas de location ou d'achat. Les chiffres ne sont pas réels, ils n'ont qu'une valeur d'exemple, mais ils vous montrent ce qu'il vous faut prendre en compte. Le prix de catalogue de la voiture est de 12 000 $, plus une taxe de vente, disons de 10 %. N'oubliez pas la taxe de vente. Le total se monte donc à 13 200 $. Si vous avez contracté un emprunt à 15 % pour couvrir le prix d'achat, le coût global de la voiture sur deux ans serait d'environ 15 600 $.

Au bout de deux ans, en tenant compte de la dépréciation, la voiture vaudrait environ 6000 $. En supposant que vous puissiez revendre votre voiture à ce prix-là, la possession de la voiture vous aura coûté 9600 $ nets.

Si vous aviez loué cette même voiture, le taux de votre mensualité aurait varié en fonction des différentes compagnies de location. Rappelez-vous qu'il est important de prospecter un peu partout pour être sûr d'obtenir le taux le plus avantageux possible. Supposons que vous ayez pu louer cette voiture pour 375 $ par mois, plus une taxe de 10%. Le coût total de la location pour les deux années se serait élevé à 9900 $. Dans ce cas précis, vous auriez perdu 300 $ en recourant à la location.

Si vous disposez de l'argent pour acheter la voiture, à titre comparatif, au lieu de rajouter le montant de l'intérêt au prix d'achat de 13 200 $, rajoutez le montant de l'intérêt que vous auriez perçu après impôt si vous aviez investi cet argent au lieu d'acheter la voiture.

Tel quel, cet exemple n'a qu'une valeur d'exemple. Dans la vie, la location s'avère parfois moins coûteuse.

Si vous gardez généralement une voiture pendant trois ans ou plus avant de la revendre, le paiement comptant est certainement plus rentable que la location. La valeur d'une voiture se déprécie à un taux beaucoup plus rapide durant les deux premières années qu'au cours des années suivantes. Dans l'exemple précédent, la voiture se serait probablement dépréciée de 7000 $ durant les deux premières années mais, au cours de la troisième année, elle ne se serait normalement plus dépréciée que de 1750 $ supplémentaires. Donc, si vous parcourez au moins 24 000 kilomètres par an et si vous revendez votre voiture tous les deux ans, vous pouvez envisager la formule de location. Si vous gardez votre voiture pendant trois ans ou plus, vous y gagnerez certainement davantage à l'acheter.

Ces calculs sont basés sur un bail net. Il existe également un bail «ouvert». Avec ce type de location — en échange d'une mensualité légèrement moins élevée — vous vous engagez à payer la différence au cas ou votre voiture, en raison d'un excès de kilométrage, d'un mauvais entretien ou de toute autre raison, se vendrait à un prix inférieur à celui dont il avait été convenu au préalable au moment de l'expiration du bail. Ce type de location peut vous permettre d'être gagnant si votre voiture se vend à un prix supérieur à celui fixé auparavant.

Les options location, comme d'autres impliquant des plans d'entretien et de réparation, font partie de diverses formules qui ont fait leur apparition dans le domaine de la location de voitures, depuis que cette tendance a commencé à prendre son essort au début des années soixante.

Il n'y a pas que les voitures

Comme nous l'avons déjà souligné, presque tout ce qui peut s'acheter peut aussi se louer. Supposons, par exemple, que vous deviez quitter Montréal pour vous installer à Toronto, mais que vous ne sachiez pas encore pour combien de temps. Des compagnies de location de meubles vous en loueront à long terme et avec une option importante: le contrat est résiliable à tout moment. Il est difficile d'évaluer le coût d'un tel avantage en raison des taux d'escompte en matière de vente de mobilier. Si la formule de la location de meubles convient à vos besoins vous pouvez, bien entendu, l'envisager. Mais cette formule n'est pas — et n'est pas conçue pour être — une opération profitable.

Cependant, la location peut être avantageuse si vous démarrez dans la vie professionnelle. L'une des formules les plus récentes en la matière est la location à court terme de bureaux entièrement équipés et dotés de personnel. Il existe de telles compagnies dans toutes les grandes villes et elles proposent aux clients de très beaux bureaux entièrement équipés, avec mobilier, télex et photocopieuses, hôtesse d'accueil et secrétaire, ainsi que la mise à disposition d'une salle de réunions — le tout pour un loyer mensuel comparable au salaire et aux avantages divers d'une bonne secrétaire. Ce sont surtout les entreprises voulant explorer de nouveaux marchés qui font appel à ce genre de service, de même que les particuliers qui veulent se lancer dans une nouvelle affaire sans avoir à investir démesurément en matière de location et de services.

Si vous n'avez pas besoin d'une formule aussi complète, vous pouvez très bien louer uniquement ce qu'il vous faut. Mobilier de bureau, dictaphones, machines à écrire, répondeurs automatiques et autres équipements peuvent être loués à un coût qui, pour un contrat d'une durée de cinq ans, n'est guère plus élevé que le prix d'achat.

Vous pouvez encore louer toutes sortes d'autres équipements, tels que des perceuses à main, des scies à chaîne, des outils de jardinage, un échafaudage et des remorques, et ce, à court terme. Alors que le coût est élevé par rapport à la durée d'utilisation, les compagnies de location proposent des services bien précis. Elles fournissent des équipements que les gens n'utilisent pas souvent, pour lesquels ils ne disposent pas de lieu d'entreposage et dont ils n'ont pas envie, dans certains cas, de s'occuper. Si vous louez, par exemple, une remorque de bateau d'une valeur de 1000 $, il vous en coûtera environ de 30 à 40 $ par week-end. Cela peut, malgré tout, être plus rentable à long terme que d'en acheter une. La plupart des gens qui achètent des remorques ne les utilisent que très peu de fois par année. En fait, la remorque finit par devenir un instrument de rangement plutôt qu'un instrument de transport.

Les décisions en matière de location ou d'achat dépendent de vos besoins propres. Finalement, c'est le service que vendent la plupart des compagnies de location et de location-vente, et s'il convient à vos besoins de payer un supplément pour ces services, il est logique de recourir à la location. Mais si vous en avez les moyens, il vaut mieux acheter.

Cependant, faites toujours la comparaison entre la location et l'achat. Lorsque vous êtes confronté à des choix compliqués et coûteux en matière de location, il vaut mieux prospecter un peu partout jusqu'à ce que vous obteniez le meilleur arrangement possible. Déterminez ensuite ce qu'il vous en coûterait pour acheter cet article. Évaluez la dépréciation annuelle et les frais d'entretien qu'entraîne la possession, en fonction des termes du contrat proposé. N'oubliez pas de rajouter les frais supplémentaires de financement qui peuvent vous incomber, si vous décidez d'acheter. Une comparaison effectuée entre ces chiffres vous donnera des indications quant aux coûts réels qu'entraîne la location ou l'achat. Lorsqu'il s'agit d'un article ou d'un choix important, consultez votre comptable, par mesure de prudence; il se peut que vous ayez oublié de tenir compte de certains éléments importants en effectuant la comparaison.

Faut-il souscrire à un forfait bancaire?

Examinons maintenant un poste beaucoup moins important en termes de dollars, mais qui donne la mesure des choix quotidiens auxquels les particuliers sont confrontés. Lorsque l'on prend des décisions sans bien y avoir réfléchi, il en résulte des coûts qui auraient pu être facilement évités.

Faut-il continuer à payer une commission à chaque fois que vous utilisez les services proposés par votre banque, ou faut-il souscrire à un forfait bancaire — la gamme de services proposés en échange d'une commission forfaitaire? Eh bien! comme pour le choix à effectuer entre la location ou l'achat, cela dépend.

Si vous faites plus de 15 à 20 chèques par mois, si vous achetez des chèques de voyage au moins une fois par an et si vous avez un coffre, mieux vaut avoir un forfait bancaire que de payer chaque mois les quelques dollars que coûtent la plupart de ces services. (Dans certains cas, ce système peut également être utile si vous avez tendance à être à cours d'argent liquide durant le week-end et si vous ne craignez pas d'utiliser les centaines de distributeurs automatiques de billets implantés dans la plupart des villes canadiennes.)

Mais si vous ne correspondez pas à ce profil et que vous continuiez à payer chaque service proposé par la banque, vous financez probablement quelques-uns des autres souscripteurs.

La plupart des banques proposent à leurs clients plusieurs formules de forfaits en matière de services. Bien que les avantages de chaque formule se ressemblent beaucoup, il y a malgré tout certaines différences pouvant vous inciter à opter pour l'une ou l'autre, si vous êtes intéressé par ce système de forfait.

Pour savoir quelle formule choisir, analysez vos habitudes bancaires. Faites-vous beaucoup de chèques? etc.

Toutes les formules bancaires permettent de faire des chèques gratuitement, en nombre illimité, et la plupart des détenteurs de compte-chèque bancaire en font au moins cinq par mois. Mais les utilisateurs du forfait bancaire devraient en faire régulièrement de 15 à 20 pour en tirer avantage et pouvoir en faire gratuitement. Si tel n'est pas le cas, il vous faut compenser en recourant davantage aux autres possibilités proposées par le forfait.

Voici les autres services proposés:

1. Protection contre les découverts.
2. Exemption de frais sur les mandats ou les chèques de voyage.
3. Paiement gratuit des factures des services publics.
4. Possibilité de toucher un chèque dans n'importe quelle succursale, et ce, dans les limites d'un certain montant, qui varie suivant les banques.
5. Réduction du taux de prêt personnel (dans certains cas).
6. Réduction des frais de détention de coffre de sécurité.

Examinez attentivement votre budget

L'important, dans le cas présent, comme dans celui de tous les postes de dépense de votre budget familial, c'est d'examiner la situation et de voir s'il n'y a pas un moyen d'économiser davantage.

Ayez toujours à l'esprit qu'une augmentation de votre revenu d'un dollar est réduite par les impôts. Mais une baisse de vos dépenses personnelles d'un dollar représente un dollar entier supplémentaire dans votre poche.

IMPÔT SUR LE REVENU

Bien qu'il vaille toujours mieux établir dès maintenant un budget familial et dresser la liste des autres données financières et personnelles, les mois de décembre, janvier et février semblent être la période privilégiée de planification financière personnelle.

Cela est dû au fait que durant les mois de décembre, janvier et février on attire en permanence notre attention sur l'impôt sur le revenu. Il n'y a aucune raison de ne pas penser, toute l'année, à la fois au budget personnel et aux impôts. À ce propos, ne repoussez pas jusqu'à la dernière minute votre planification en matière d'impôts. Songez-y régulièrement, en même temps que vous procédez de façon continue à l'établissement de votre budget personnel.

Ce livre ne porte pas sur la planification en matière d'impôt sur le revenu. Il est plutôt destiné à vous aidez à mieux gérer votre argent, quel que soit le niveau de votre revenu ou le montant des impôts que vous payez. Nul besoin de remettre ce livre à jour à chaque fois que le gouvernement fédéral introduit une nouvelle modification fiscale, et vous pouvez être sûr que le conseil qui vous est donné dans ce livre reste valable, sans que vous n'ayez à vérifier s'il n'y a pas une édition plus récente.

Toutefois, cela ne veut pas dire que l'impôt sur le revenu ne constitue pas un élément majeur des affaires financières personnelles de chacun. Tel est bien le cas. Et à chaque fois que l'impôt sur le revenu constitue un facteur important en ce qui concerne les conseils donnés dans ce livre, il vous est rappelé de consulter des personnes compétentes en la matière.

Si vos problèmes fiscaux sont particulièrement complexes, mieux vaut demander conseil en permanence. Pour ceux d'entre vous dont les problèmes fiscaux sont moins complexes, mais qui veulent être sûrs de ne pas commettre d'erreurs, il existe un moyen très simple de se tenir au courant. Tous les grands cabinets d'experts-comptables, de compagnies d'assurances et autres institutions financières distribuent des brochures et des petits livrets, à jour, traitant de la plupart des cas de planification fiscale personnelle, et ces organismes se font un plaisir de vous les offrir gratuitement sur simple demande de votre part.

Chapitre deux

Quelques considérations non fiscales en matière de planification successorale

Comme l'indique le titre, ce chapitre ne traite pas de façon technique des nombreuses et diverses considérations fiscales concernant la gestion de votre patrimoine. Il est plutôt consacré à la gestion la plus efficace de vos finances, sans oublier l'aspect fiscal. Mais comme tout ce qui est d'ordre fiscal, une efficace planification successorale implique, du point de vue de l'imposition, qu'il faille appliquer les lois en matière d'impôt sur le revenu en fonction de votre situation particulière, ce qui, dans le cas d'un patrimoine assez important, ne devrait jamais être effectué sans demander conseil et assistance auprès d'un professionnel qualifié. Il y a trois raisons à cela: d'abord aucun patrimoine ne ressemble à un autre; puis les lois fiscales en la matière sont complexes et elles changent très souvent; enfin, il y a souvent d'autres considérations juridiques, dont un bon nombre varient suivant les juridictions.

Ce chapitre évoque des considérations dont chacun devrait, et peut, tenir compte dans la gestion de son patrimoine.

L'essence même de la planification successorale (compte tenu de ce qui arrive quand vous décédez) est d'assurer que ce que vous laissez derrière vous (y compris l'argent) revienne aux bonnes personnes, au bon moment et aux conditions fiscales les plus avantageuses, ou bien d'une autre manière.

LA PLANIFICATION EST UN FACTEUR-CLÉ

Une bonne planification successorale nécessite la même attention que toute autre planification réussie. Vous devez établir vos objectifs, choisir les gens qui vont vous conseiller et exécuter le plan pour vous, puis réviser ce plan de temps en temps. Si vous avez suivi le conseil donné au chapitre Un, «Établir son budget personnel», vous avez déjà fait le premier pas pour établir un plan de gestion approprié — procéder à une estimation de l'actif et du passif et considérer vos besoins budgétaires dans une optique à long et à court terme.

ASSISTANCE D'UN PROFESSIONNEL

Arrivé à ce stade, il vaut mieux demander assistance. Tout au long de cet ouvrage, le thème de l'assistance compétence et professionnelle sera largement évoqué, et l'un des choix les plus difficiles que les gens ont à effectuer de temps en temps consiste précisément à savoir qui sélectionner comme conseiller professionnel. Ce qui suit s'applique, à mon avis, aussi bien au choix d'un comptable que d'un avocat, d'un agent d'assurance ou de tout autre professionnel.

Évitez à tout prix de prendre le premier nom que vous trouvez ou que l'on vous a conseillé. Même en cas d'urgence, prenez le temps de considérer les trois critères que je m'apprête à exposer. Bien entendu, si vous n'êtes pas pressé vous pouvez être encore plus sélectif.

Soyez sûr que la personne soit dûment qualifiée et que ses compétences correspondent au domaine précis pour lequel vous avez besoin de son assistance. Il n'y a pas lieu, par exemple, de faire appel à un expert-comptable spécialisé dans la comptabilité informatique si vous avez un problème ayant trait à une imposition fiscale.

Assurez-vous ensuite que ce professionnel traite de problèmes de même envergure que les vôtres. Il y aura probablement mécontentement si vous confiez l'achat de votre maison à un avocat qui ne traite habituellement que des affaires impliquant des centres commerciaux d'une valeur de plusieurs millions de dollars.

Et ayez toujours présent à l'esprit que le meilleur critère dans le choix d'un conseiller professionnel c'est une recommandation personnelle de quelqu'un en qui vous avez confiance, qui connaît la nature de vos problèmes et le genre d'affaires traitées par ce professionnel et qui est parfaitement au courant des compétences de ce dernier.

Pour qu'un plan de gestion soit efficace, il faut qu'un conseiller financier et un avocat examinent avec vous les objectifs que vous vous êtes fixés, qu'ils vous conseillent sur la meilleure façon de les réaliser et qu'ils mettent votre plan en œuvre. Le choix d'un conseiller financier n'est pas facile à faire pour ceux qui n'ont aucune expérience dans ce domaine. Les agents d'assurance, sociétés de gestion, comptables, conseillers en planification successorale et divers autres sont tous sollicités de temps en temps pour agir en cette capacité. La seule chose qui soit certaine c'est qu'il y a des gestionnaires de patrimoine compétents et incompétents dans toutes ces catégories professionnelles. Voici sur quelle base choisir au mieux votre conseiller financier:

1. Obtenez des références; choisissez quelqu'un qui a déjà fait ce genre de travail pour une personne de votre connaissance ou qui vous ait été chaudement recommandé.
2. Évitez l'administrateur de biens qui essaie de vous vendre autre chose que ses conseils professionnels, comme une assurance, un abri fiscal ou un centre commercial, etc.
3. Choisissez quelqu'un qui a l'habitude de traiter des patrimoines ayant l'envergure du vôtre.

PLANIFIER SOIGNEUSEMENT

Vous pouvez contribuer à maintenir à un niveau raisonnable le coût des services d'un conseiller professionnel en tenant compte de ce qui suit avant de le rencontrer:

1. Préparez cette estimation de l'actif et du passif précédemment évoquée.
2. Préparez trois ébauches de budgets: un budget pour l'année en cours; un budget à long terme; et une évaluation du montant du revenu dont votre famille aurait besoin pour vivre décemment s'il vous arrivait malheur.
3. Voyez si votre conjoint est capable de gérer son avoir. Si tel est le cas, l'abord du conseiller sera tout autre que si votre conjoint n'est pas suffisamment renseigné. Il y va également de votre propre intérêt de tirer cette question au clair avant de rencontrer le conseiller. Il n'est pas avantageux de payer un conseiller à l'heure pour qu'il assiste en spectateur à une scène de ménage.
4. À quel âge voulez-vous que les enfants touchent de l'argent? Même si vous laissez tout à votre conjoint, rappelez-vous que votre conjoint devrait également avoir un testament, et que les deux testaments doivent prévoir l'éventualité selon laquelle vous péririez ensemble dans une catastrophe ou un accident.
5. Y a-t-il certains legs à prévoir, par exemple, pour des œuvres charitables, des amis, des héritiers handicapés, etc.?
6. Qui voulez-vous avoir comme exécuteurs testamentaires (vous en saurez plus à ce sujet plus loin)?
7. Ne laissez pas les impôts en imposer à votre famille.

TESTAMENTS

Nulle doute que l'élément primordial de tout plan de gestion soit le testament. En fait, tout adulte devrait rédiger un testament. Les couples mariés devraient avoir un testament par conjoint. Si seul l'un des deux a un testament et qu'ils périssent ensemble dans un accident, cela pourrait avoir le même effet que s'il n'y avait pas de testament du tout.

Voici quelques points importants qu'il faut se rappeler en matière de testaments:

1. Somme toute, les testaments ne coûtent pas cher. Dans presque tous les cas, décéder sans testament coûte beau-

coup plus cher que de rédiger son testament et de le remettre à jour de temps en temps.

2. Si vous décédez sans testament, il est peu probable que votre succession soit répartie de la façon dont vous le souhaitez. C'est la loi en vigueur dans la province concernée qui déterminera qui hérite de quoi et quand. Cette situation pourrait avoir des conséquences particulièrement pénibles pour les enfants mineurs. Un tuteur officiel nommé par le tribunal n'est pas comparable à un membre de la famille propre ou à un ami affectueux et au courant de la situation familiale.
3. Les frais fiscaux qu'entraîne un décès sans testament peuvent atteindre des sommes vertigineuses.
4. À chaque fois que vous déménagez de façon permanente d'un pays ou d'une province à l'autre, il vaut mieux revoir vos testaments. Tout simplement en raison du fait que les lois locales peuvent éventuellement annuler certaines clauses et que des modifications s'imposent alors. Vous devez au moins vous assurer que les testaments sont toujours valables et corrects.
5. Bien que vous puissiez légalement rédiger vous-même votre testament, il n'est nullement conseillé d'agir ainsi. Consultez un avocat.
6. Le fait de rédiger un testament peut éventuellement être la seule façon de déshériter quelqu'un. Même dans ce cas là, la loi peut passer outre à votre décision; mais, encore une fois, il vaut mieux savoir. (Une bonne raison de plus pour faire rédiger votre testament par un notaire).
7. Révisez votre testament avec votre notaire à chaque fois que des changements importants interviennent, et au grand minimum tous les cinq ans.
8. Dans la plupart des juridictions, le mariage a pour effet d'annuler immédiatement tout testament existant, alors qu'il n'en va pas de même pour le divorce.

Le choix des exécuteurs testamentaires

L'exécuteur testamentaire est la personne citée dans votre testament qui assume la responsabilité (et qui a légalement le droit) de faire appliquer les clauses de votre testament.

Comme l'a fait remarquer quelqu'un, l'exécuteur testamentaire idéal serait un membre de la famille faisant preuve de tact, de diplomatie et d'affection, qui serait à la fois avocat et expert-comptable ayant une solide expérience en matière d'investissements et qui vivrait éternellement. Voyons qui pourrait remplacer au mieux cet oiseau rare. Ayez toujours les conseils suivants en mémoire:

1. Choisissez quelqu'un d'honnête. Ne perdez pas de vue que votre exécuteur testamentaire exerce, du moins pendant un certain temps, un contrôle absolu sur votre succession et les avoirs qu'elle comporte.
2. Il est préférable que votre exécuteur testamentaire vous connaisse vous et votre famille et qu'il habite dans la même région. Des héritiers à Vancouver et un exécuteur à Saint-Jean, Terre-Neuve, voilà une situation qui ne fait qu'ajouter aux mauvaises nouvelles.
3. Choisissez quelqu'un qui soit très compétent en matière de gestion économique et financière ou qui soit accepté dans ces milieux.
4. Vérifiez toujours votre choix avant de désigner une personne donnée, en vous assurant qu'il ou elle accepte cette mission et surtout, c'est là le plus important, qu'ils aient le temps de la mener à bien.
5. Montrez-leur une copie de votre testament. Ce dernier contient peut-être certaines clauses qui les mettraient mal à l'aise, telles qu'une clause leur donnant entière liberté de décider si un adolescent récalcitrant doit hériter de quelque chose ou non, ou bien encore une clause ordonnant l'incinération de votre dépouille mortelle, que votre exécuteur testamentaire pourrait rejeter parce que ne cadrant pas avec ses convictions religieuses.
6. Il vaut mieux désigner une équipe d'exécuteurs testamentaires, par exemple, votre conjoint et votre avocat ou votre comptable. Il est également préférable de prévoir un exécuteur de remplacement au cas où les deux exécuteurs

désignés seraient, pour une raison ou une autre, dans l'impossibilité d'agir en tant que tels.

QUESTIONNAIRE

L'annexe A est un exemple de questionnaire que j'utilise comme point de départ pour planifier et gérer les finances d'une personne donnée. Il est reproduit à la fin de cet ouvrage et constitue un exemple des divers éléments et genres de données dont il faut scrupuleusement tenir compte lors de l'établissement de tout plan de gestion du patrimoine. Ce questionnaire est conçu pour répondre à un très large éventail de cas particuliers et il est peu probable qu'un même individu ait à répondre à toutes les questions ou à recourir à tous les plans.

Pourquoi ne pas l'utiliser dès maintenant pour y consigner les données relatives à vos affaires? C'est assez agaçant à faire, mais c'est un document très utile à conserver pour les raisons suivantes: il vous permet de rassembler toutes les données financières utiles vous concernant; vous pourrez ainsi mieux évaluer votre situation présente et cela facilitera grandement le travail de remise à jour des données. Ce document constituerait également une excellente base de départ (qui vous ferait en outre économiser de l'argent) au cas où vous décideriez d'engager un conseiller professionnel. Ce même document intéresserait également tout particulièrement votre exécuteur testamentaire. Il faut donc en prendre grand soin et le traiter avec les mêmes égards dus aux autres documents importants, tels que les testaments. Gardez-en une copie à portée de la main de manière à pouvoir la consulter facilement, mais gardez-en aussi une copie en lieu sûr, comme chez votre avocat ou dans un coffre-fort. Quand vous procédez à sa remise à jour, n'oubliez pas de reporter vos changements sur toutes les copies.

Chapitre trois

Les dix erreurs les plus fréquentes en matière de gestion financière personnelle

LA LISTE, DANS L'ORDRE

Au cours des vingt dernières années, il m'a été donné de rencontrer à peu près tous les types d'erreurs qu'une personne puisse commettre en matière de gestion financière personnelle. J'en ai moi-même commis quelques-unes — et c'est là la meilleure façon d'apprendre.

C'est pour cela que j'ai dressé une liste de ce qu'il me semble être les dix erreurs les plus fréquentes en matière de gestion financière personnelle. Par «les plus fréquentes» j'entends celles qui sont le plus souvent commises par le plus grand nombre de personnes. Et c'est dans cet ordre que je vais les énumérer maintenant — par ordre de fréquence et non par ordre de ravages provoqués.

À propos de ces erreurs, il faut également faire remarquer qu'elles sont commises par des personnes de toutes conditions, aussi bien riches que pauvres; ce sont les mêmes erreurs qui plongent le millionnaire et le travailleur dans des ennuis d'argent, la seule différence entre les deux étant le nombre de zéros dans les sommes concernées. Que vous connaissiez presque toujours des fins de mois difficiles ou que vous soyez un multimillionnaire, voici les erreurs à éviter:

Erreur numéro un

L'erreur la plus fréquente et commise par le plus grand nombre de personnes ne fait pour moi aucun doute: on achète trop souvent à crédit! J'ai rencontré énormément de gens, riches ou pauvres, qui se sont retrouvés financièrement dans l'embarras parce qu'ils avaient acheté trop souvent à crédit, et c'est là la cause première de la plupart des ennuis financiers. Les mots clés sont en l'occurrence «trop souvent». Rares sont ceux, il est vrai, qui ne sont jamais obligés d'emprunter ou d'acheter à crédit. Mais il ne faut pas en abuser. Une règle toute simple consiste à n'emprunter que pour ce dont on a besoin. Attendez d'avoir de l'argent pour acheter ce que vous désirez. Pourquoi? Tout simplement parce que le fait d'acheter à crédit double et même triple souvent le prix une fois que vous avez effectué le dernier versement.

Erreur numéro deux

L'erreur numéro deux consiste à emprunter au mauvais endroit. Je ne veux pas dire par là qu'une banque est meilleure qu'une autre. Non, mais si vous êtes obligé d'emprunter, alors empruntez là où vous obtenez le taux d'intérêt le plus avantageux. Prenons un exemple. Supposons qu'il vous faille emprunter 5000 $ pour l'achat d'une voiture et que vous ayez l'intention de rembourser cette somme en trois ans. Quelle différence cela ferait-il d'emprunter cet argent à un taux de 10%, plutôt que de l'emprunter ailleurs à un taux de 15%? Et bien! sur les trois ans cela ferait une différence de plus de 400 $ exempts d'impôts.

Erreur numéro trois

L'erreur numéro trois c'est de ne pas régler ses dettes aussi rapidement que possible, surtout les comptes et les soldes de cartes de crédit, domaine où les gens oublient souvent que si l'on ne règle pas entièrement ces soldes tous les mois, cela équivaut à emprunter de l'argent à des taux d'intérêts très élevés. À mon avis, il vaut également mieux rembourser votre hypothèque aussi rapidement que possible. Voici un autre exemple: si vous remboursez une hypothèque de 50 000 $ à 15% en quinze ans plutôt qu'en vingt-cinq ans, combien pensez-vous avoir ainsi économisé? Eh bien! vous auriez ainsi économisé environ 70 000 $!

Erreur numéro quatre

J'estime que l'erreur la plus fréquente en matière de gestion financière personnelle qui vient en quatrième position est de louer son logement plutôt que de l'acheter.

Attendez! Ne vous emballez pas tout de suite! Je sais qu'il y a beaucoup de gens qui aiment mieux louer qu'acheter, et c'est là un choix personnel que je respecte tout à fait. Étant donné les limitations de loyer et les taux d'intérêt élevés, il peut même être plus avantageux à court terme de louer que d'acheter.

Mais du point de vue rentabilité, à long terme, je pense que c'est commettre une erreur en matière de gestion financière personnelle de louer plutôt que d'acheter son logement. Plusieurs facteurs viennent étayer cette opinion. D'une part, votre logement est le seul placement que vous puissiez vendre avec un bénéfice et pour lequel vous puissiez bénéficier d'un allègement fiscal. D'autre part, c'est un des meilleurs moyens de se prémunir contre l'inflation — surtout à long terme. C'est également un des très rares placements que vous puissiez faire et qui corresponde en même temps à la satisfaction d'un besoin vital. Comme il est dit au chapitre Onze, tout le monde a besoin d'un toit, de quatre murs et d'une salle de bains. Enfin et surtout, parce que j'estime que c'est un facteur que l'on a le plus souvent tendance à oublier, votre propre logement vous permet d'avoir une plus grande régularité de jouissance que la plupart des autres placements possibles.

Erreur numéro cinq

Ne pas faire entrer dans votre budget les dépenses effectuées seulement une fois par an: l'assurance, les vacances, les cotisations, et même Noël.

Erreur numéro six

Ne pas établir de budget du tout. Voir le chapitre Un.

La plupart des gens ont une réaction de rejet à l'égard des budgets personnels: ils pensent que cela les oblige à être très formalistes et ont ainsi l'impression de restreindre et de freiner leur activité. Rien n'est plus éloigné de la vérité. Établir son budget personnel consiste tout simplement à s'asseoir à une table et à comparer les dépenses prévues avec les recettes et ce, pour l'année à venir, par exemple. Cela vous aide à savoir ce que vous pouvez vous permettre — et quand —, en réduisant ainsi les dépenses en intérêts. Tous ceux que je connais et qui ont essayé cette formule de budgétisation personnelle ont trouvé qu'au lieu de les restreindre, cela leur donnait au contraire une plus grande liberté financière.

Erreur numéro sept

L'erreur numéro sept consiste à ne pas comparer les prix. Je ne veux pas dire par là qu'il faille consommer pour deux dollars d'essence afin d'économiser trente cents sur un pot de beurre d'arachides. Je fais allusion aux articles assez coûteux, comme: voitures, meubles, bijoux, régimes enregistrés d'épargne-retraite et autres. Rappelez-vous que c'est un argument à double tranchant. En matière d'articles importants, biens d'équipement que vous prévoyez acheter et utiliser pendant longtemps, l'article de qualité apparemment le plus coûteux s'avère souvent être le moins coûteux à long terme. C'est un fait: un costume de 400 $ vous durera plus longtemps que deux costumes de 200 $ chacun.

Erreur numéro huit

Voici l'erreur numéro huit: essayer de gagner rapidement de l'argent au lieu d'opter pour un rendement plus faible mais plus sûr, en matière d'investissements. Si vous avez le choix entre deux placements et que le taux de rendement de l'un soit le double de l'autre, cela est dû au fait que les risques de perdre votre argent sont beaucoup plus grands si vous choisissez le placement proposant le taux le plus élevé que si vous optez pour le placement plus conservateur.

Erreur numéro neuf

L'erreur numéro neuf — et elle est relativement récente et beaucoup plus répandue au cours de ces dernières années qu'auparavant — consiste à effectuer des placements qu'on ne peut pas vraiment se permettre, comme emprunter pour acheter des actions. Des augmentations de taux d'intérêt, des baisses du marché et le besoin de récupérer son argent à d'autres fins peuvent conduire à une certaine précipitation, obligeant à vendre à perte, alors que si l'on avait pu vraiment se permettre ce placement on aurait pu résister à la tempête.

Erreur numéro dix

L'erreur numéro dix est de penser que l'avenir se fera bien tout seul. Il n'en a jamais été ainsi et il n'en sera jamais ainsi. Il faut prudemment planifier et prévoir les choses à long terme comme l'éducation des enfants et la retraite. Il faut également se prémunir autant que possible contre les imprévus, comme le décès du soutien de famille, l'effondrement d'une entreprise, une inflation galopante et des taux d'intérêt élevés. En fait, ce pays a peut-être précisément besoin, en guise de remontant économique, que les gens comptent un petit peu plus sur eux-mêmes.

POURQUOI CES ERREURS?

Je me suis contenté de vous communiquer la liste de ce que j'estime être les dix erreurs les plus fréquentes en matière de gestion financière personnelle. Je voudrais compléter en disant quelques mots au sujet des raisons qui poussent les gens à commettre de telles erreurs.

Je crois qu'il y a autant de raisons qu'il y a de gens, et que certaines sont inévitables. Mais je pense pouvoir classer celles que l'on peut éviter sous les rubriques suivantes:

Essayer de rivaliser avec le voisin: cette attitude conduit de très, très nombreuses personnes à vivre au-dessus de leurs moyens et les erreurs commencent à faire boule de neige.

Penser qu'on vous doit quelque chose: certaines personnes ont tendance à se reposer et à attendre que quelqu'un

— probablement le gouvernement — les tire d'affaire. Pendant ce temps-là, d'autres se débrouillent tout seuls et dépassent le traînard.

Essayer d'obtenir quelque chose pour rien ou se conformer au principe du «j'ai quelque chose pour toi, mon pote»: on n'a jamais eu, on n'a pas, et on n'aura probablement jamais rien sans rien.

Penser que l'avenir se fera bien tout seul: cette attitude est non seulement une des causes mais elle est aussi une des erreurs. Ce que nous entreprenons aujourd'hui détermine dans une large mesure ce qui nous arrivera demain.

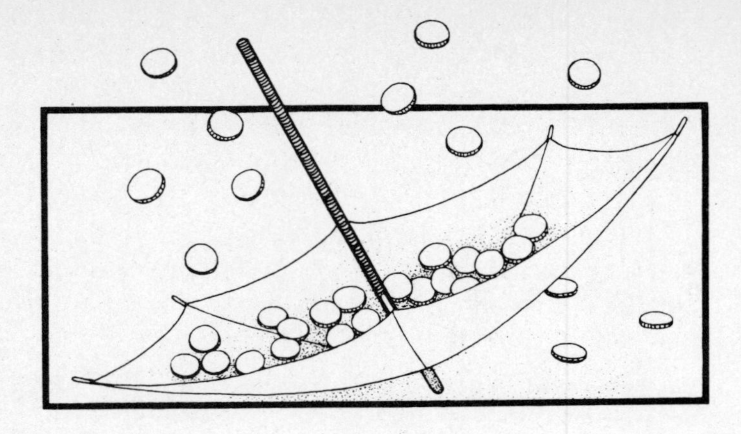

Chapitre quatre
Abris fiscaux

Il faut d'emblée souligner expressément que les abris fiscaux abordés dans ce chapitre sont ceux que constituent les films, les opérations concernant des ressources naturelles et les programmes immobiliers tels que des collectifs. Les propos tenus dans ce chapitre ne concernent ni les régimes enregistrés d'épargne-retraite (dont il sera question au chapitre suivant), ni les autres régimes dits «statutaires» (comme les plans de retraite pour salariés), qui n'entrent pas dans le cadre de ce livre.

Les abris fiscaux vont et viennent, au gré des caprices des ministres des Finances qui se succèdent. Le seul élément stable et permanent concernant les divers abris fiscaux qui se sont succédé au cours des dernières années, c'est le grand nombre de gens malheureux qu'ils ont laissés dans leur sillage — des gens ayant perdu de l'argent, même après l'abattement fiscal.

C'est précisément là que se trouve le secret en matière de placement dans les abris fiscaux. Si l'opération — qu'il s'agisse d'un programme immobilier, d'un film, d'une émission de télévision ou d'un puits de pétrole — n'est viable que grâce à l'allègement fiscal, alors renoncez-y. Par contre, si l'allègement fiscal permet d'améliorer encore la rentabilité d'un ivestissement, alors il n'y a pas à hésiter. Le fait d'obtenir un remboursement fiscal de cinquante cents pour la perte d'un dollar ne nécessite aucun commentaire supplémentaire.

N'investissez jamais dans un abri fiscal sans demander d'abord conseil auprès d'un professionnel en ce qui concerne les implications fiscales et le caractère rentable ou non de l'opération. Prenez toujours conseil auprès d'une personne indépendante et ne prenant pas part à l'affaire; ne vous fiez pas aux conseillers du promoteur.

Une question à laquelle il faut toujours obtenir une réponse acceptable et raisonnable, avant d'investir dans un abri fiscal proposé au public est la suivante: pourquoi les professionnels n'investissent-ils pas là-dedans, pourquoi est-ce proposé au public? Comme un commentateur le faisait très justement remarquer: «Personne n'a cherché à me faire investir de l'argent dans le film *E. T.*, mais on m'a très souvent proposé d'investir dans *The Day That the Sheep Stood Still.*

Un autre problème lié aux abris fiscaux qui dépendent de l'allègement fiscal pour donner un taux de rendement raisonnable, c'est que les lois fiscales changent et parfois même avec effet rétroactif. De plus, en règle générale les investissements dans des abris fiscaux sont souvent très difficiles à écouler. Dans de nombreux cas, seul le premier investisseur bénéficie de l'allègement fiscal. Dans d'autres cas, l'existence même de l'abri fiscal entraîne un phénomène de saturation sur le marché.

Ces remarques incitant à la prudence ne concernent pas certains abris fiscaux statutaires tels que les régimes enregistrés d'épargne-retraite, les régimes de retraite enregistrés, les régimes de participation différée aux bénéfices et autres. Dans presque tous les cas il faut profiter au maximum de ces abris fiscaux axés sur la retraite. Mais comme pour tout ce qui a trait à l'impôt sur le revenu, il faut être parfaitement au courant des dispositions vous concernant. Il se peut en effet que l'application générale soit intéressante, mais que votre cas particulier fasse exception à la règle. C'est pourquoi il faut toujours demander conseil et assistance auprès d'un professionnel.

Chapitre cinq

Guide du consommateur en matière de REER

REMARQUES GÉNÉRALES

Tous les ans, des milliers de Canadiens se précipitent pour souscrire à un régime enregistré d'épargne-retraite. Tout en étant parfaitement au courant des dégrèvements dont ils peuvent bénéficier grâce à un REER, ils sont désorientés par la grande diversité des régimes proposés et choisissent très souvent des régimes qui ne sont pas adaptés à leur âge ni à leur situation financière.

En effet, étant donné toutes les banques, sociétés de fiducie, maisons de courtage, sociétés de fonds mutuels, compagnies d'assurance et coopératives de crédit qui s'efforcent d'attirer les clients potentiels vers les centaines de régimes qu'ils proposent, ce n'est pas étonnant que de nombreuses personnes préféreraient s'en remettre à un expert. La plupart des gens ne sont pas suffisamment informés ou conseillés lorsqu'ils s'engagent. Cependant, même si vous n'êtes pas un expert ou si vous ne bénéficiez pas des conseils d'un expert, il y a des éléments que vous pouvez prendre en considération afin d'être sûr de choisir le régime le mieux adapté à votre situation financière.

Avec ou sans l'aide d'un professionnel, il faut tenir compte de trois questions importantes avant d'acheter:

1. Quelle devrait être la souplesse du régime permettant de répondre à vos besoins financiers en cas d'imprévu ou d'urgence?
2. Quels risques êtes-vous prêt à courir en échange d'un taux de rendement élevé?
3. Quels sont les régimes les plus compatibles avec vos économies et autres placements?

La facilité avec laquelle on peut effectuer des paiements sans avoir à se conformer à des directives assez rigides en la matière est un facteur très important dans tout régime. Il vous faut savoir si vous serez en mesure d'effectuer régulièrement des versements, annuels ou mensuels, fixes en faveur d'un REER. Cet élément joue un rôle extrêmement important en matière de régimes proposés par des compagnies d'assurance-vie pouvant nécessiter des versements réguliers pendant toute la durée d'un REER.

Il faut également savoir qu'avec de tels régimes une grande partie des premiers versements sert souvent à couvrir les commissions et les frais administratifs. Un investisseur se voyant obligé, en cas de force majeure, de retirer de l'argent dès les débuts du régime risque de constater que le versement correspondant à la première année a été englouti. La plupart des investisseurs devraient éviter de souscrire à des régimes les contraignant à se conformer à des directives rigides en matière de dépôts et opter plutôt pour un ou plusieurs autres types de REER également proposés et qui autorisent les versements à tout moment sans taux fixe ainsi que les retraits n'entraînant pas de pénalité importante.

Le second élément dont les investisseurs doivent tenir compte est le taux de risque. En matière de régimes de placement, le taux de risque détermine le montant des taux de rendement proposés par les différents types de régimes. Les régimes garantis comportent les risques les plus faibles. Avec eux vous savez à l'avance combien vous pouvez toucher pendant une période donnée, laquelle peut se situer entre quelques mois ou plusieurs années. Selon l'émetteur et la durée, les taux sont généralement inférieurs de un à deux points par rapport aux taux d'intérêt courants.

À l'opposé, on trouve les portefeuilles d'actions dont les rendements sont basés sur l'activité boursière. En théorie, ils peuvent donner un taux de rendement supérieur à ceux des autres types de REER à long terme, si la valeur des actions entrant dans la composition du portefeuille augmente.

Toutefois, tous les portefeuilles d'actions ne donnent pas les mêmes résultats. Sur une période de trois ans, par exemple, le taux de rendement composé annuel moyen des portefeuilles d'actions pouvant être choisis comme REER peut être de 12%. Plusieurs portefeuilles peuvent néanmoins rapporter plus de 20%, alors que quelques-uns peuvent rapporter moins de 5% par an. Certains risquent même de perdre. À long terme, cependant, les portefeuilles d'actions rapportent, en moyenne, probablement moins à leurs détenteurs que les régimes garantis.

Il est clair que les actions ne constituent pas toujours les meilleurs placements pour toutes les périodes économiques. En effet, les REER qui donnent les meilleurs résultats en périodes de forte inflation sont les régimes garantis.

En raison des grandes fluctuations que subissent les performances des portefeuilles d'actions, ces derniers ne sont pas conseillés aux personnes approchant de l'âge de la retraite. Il sont plutôt conseillés aux contribuables ayant encore devant eux une période de 20 ans ou plus et qui ne sont pas gênés par les fluctuations boursières. En effet, les REER sous forme de portefeuille d'actions sont fortement déconseillés aux personnes susceptibles d'avoir à liquider leur régime prématurément.

Le troisième type de fonds, appelé fonds à revenu fixe, est investi dans des obligations, des hypothèques ou les deux à la fois. Cette formule est plutôt conçue pour ceux qui sont prêts à accepter une certaine inconstance en matière de taux de rendement afin de réaliser des gains à long terme plus importants, et qui refusent d'accepter l'extrême irrégularité des portefeuilles d'actions. Les investisseurs assez expérimentés répartissent souvent leur argent sur plusieurs types de fonds, échangeant ainsi le rendement prévu contre une réduction des risques.

Ne perdez pas de vue que le taux de rendement que vous percevez sur votre REER détermine dans une large mesure le montant dont vous disposerez au moment de la retraite. Un individu versant 3500 $ par an sur un régime de 30 ans et percevant un taux moyen de 5% composé annuellement amasserait 199 317 $. Si ce même individu pouvait percevoir un rendement moyen de 7% sur les versements annuels, il disposerait de 283 382 $ au moment de la retraite. Un rendement moyen de 9% aboutirait à un total de 408 923 $ alors qu'un rendement moyen de 11% ferait bénéficier de 597 063 $. Il est ainsi facile de comprendre pourquoi de nombreuses personnes optent pour les fonds plus risqués même si ces derniers se sont avérés être de mauvais placements à certains moments.

Même les petits épargnants pouvant, par exemple, mettre 1000 $ de côté devraient répartir les risques. Ils feraient preuve de sagesse en répartissant leur cotisation sur deux régimes de même type. En diversifiant, vous évitez ainsi de tout investir dans un régime dont les résultats seraient moins performants que d'autres.

PORTEFEUILLES D'ACTIONS

Les régimes enregistrés d'épagne-retraite sous forme de portefeuilles d'actions peuvent vous donner le rendement potentiel le plus élevé en matière de placement — mais à un degré de risque plus élevé.

Le facteur de risque que comportent ces régimes a certainement culminé au début des années 80, au moment où les résultats en dents de scie de la Bourse ont poussé de nombreux investisseurs à mettre leurs œufs dans un panier plus sûr.

Mais si vous ne vous affolez pas lorsque la Bourse pique du nez et si vous pouvez investir à long terme, alors les portefeuilles d'actions peuvent vous rapporter gros. Même pendant une période où l'activité boursière était médiocre, par exemple, certains régimes sous forme de portefeuilles d'actions ont obtenu de meilleurs résultats que leurs parents plus calmes. Mais beaucoup n'y sont pas parvenus.

Les portefeuilles d'actions, en tant que groupe, donnent de meilleurs résultats que les fonds à revenu fixe ou les fonds garantis en période de faible inflation.

Pour les investisseurs misant sur ce type de scénario, il existe tout un lot de portefeuilles d'actions sur le marché. Les banques, les sociétés de fiducie et les compagnies d'assurance vendent toutes des portefeuilles d'actions. Les courtiers en Bourse et en fonds communs de placement proposent également ces possibilités de REER. Même quelques grands magasins se sont mis à proposer une série de portefeuilles à leur nom, dont certains peuvent être choisis en tant que REER. N'oubliez pas que tous les fonds communs de placement vendus au Canada ne peuvent pas être choisis comme régime de retraite; le prospectus d'émission vous indiquera si les portefeuilles peuvent faire office de REER.

Les performances des fonds varient énormément. La majorité des fonds ont eu des résultats comparables à la moyenne du marché, quelques-uns obtenant des résultats nettement supérieurs ou inférieurs à l'indice.

Si on procède à une évaluation des résultats sur une plus longue période, on constate que peu de fonds obtiennent régulièrement de meilleurs ou de moins bons résultats que le marché, et ce, à la fois pendant les périodes de hausse et pendant les périodes de baisse. En ce qui concerne les fonds dont les résultats sont moins bons, ces derniers sont généralement attribués aux décisions d'un seul individu. Il est exceptionnel de révéler aux investisseurs quels sont les gens chargés de décider quelles actions sont achetées ou vendues pour le compte du portefeuille. Dans de nombreux cas, c'est un comité qui prend les décisions en matière de placements; il est rare qu'un comité ait déjà obtenu de meilleurs résultats que le marché boursier.

En raison de cela, la plupart des portefeuilles d'actions ont, sur une longue période, des rendements comparables à ceux des indices. L'explication en est très simple: la plupart des comités de gestion de fonds essaient de déterminer quels sont les groupes industriels ou les actions qui donneront de meilleurs résultats que la moyenne et quels sont ceux qui en donneront de moins bons. Ils parviennent à un consensus et achètent et vendent des actions en fonction du modèle qu'ils ont déterminé et qui est généralement basé sur un indice boursier.

Cependant, la plupart des autres groupes de gestion de fonds agissent de la même manière, et étant donné qu'ils ont tous recours aux mêmes rapports d'agents de change et qu'ils assistent aux mêmes réunions, il n'est pas étonnant que les résultats diffèrent si peu entre les groupes. Et du fait même que les décisions de ces gestionnaires de fonds représentent un fort pourcentage des opérations boursières, les résultats des gestionnaires professionnels et du marché boursier en général sont similaires.

La plupart des gestionnaires de fonds refusent de garnir leurs portefeuilles avec des actions à haut risque en raison du fait que cette stratégie se révèle peu rentable en période de comportement boursier irrégulier. Une stratégie plus courante consiste à augmenter ou à diminuer le montant des liquidités contenues dans le portefeuille en fonction des prévisions du gestionnaire concernant la tendance du marché. Là encore, en raison du fait que la plupart des gestionnaires institutionnels utilisent les mêmes renseignements pour motiver leurs décisions, cette stratégie ne permet pas non plus d'obtenir très souvent des résultats qui soient régulièrement supérieurs aux autres.

Une poignée de gestionnaires de fonds ont réussi à surpasser leurs concurrents. Ils y sont parvenus en ne se basant pas sur les comportements boursiers pour gérer leurs portefeuilles. Plutôt, ils ont été suffisamment audacieux pour concentrer les éléments constitutifs des portefeuilles sur des actions ou des groupes industriels qu'ils estiment les plus sous-évalués. Une belle stratégie peut conduire à acheter une détention de 50% en actions pétrolières pendant une période où elles ne sont pas recherchées et à les échanger contre des liquidités ou des actions d'un autre secteur industriel au moment où la cote des actions pétrolières remonte.

Les gestionnaires suffisamment adroits pour recourir à ce type de stratégie en matière de gestion de portefeuilles obtiennent généralement des résultats positifs même lorsque le marché est en baisse. Le problème pour les investisseurs c'est que ce genre de gestionnaire est très rare. Ce que les investisseurs ont de mieux à faire c'est de faire le tri des résultats obtenus par les divers fonds et de répartir leur argent sur deux ou trois portefeuilles d'actions qui obtiennent très souvent de bons résultats.

Si vous persistez à vouloir investir dans ce domaine, il vous faut d'abord examiner attentivement les comptes rendus des résultats antérieurs. Les résultats antérieurs obtenus en matière de gestion de fonds ne peuvent servir à prévoir avec précision les futurs résultats. Cependant, le petit épargnant ne dispose guère d'autres indices. Son compte n'est pas suffisamment important pour demander des renseignements précis et détaillés concernant l'expérience des gestionnaires de portefeuilles, le nombre d'analystes ou la stratégie d'investissement. Seules les caisses de retraite de sociétés ou de syndicats et brassant des milliards peuvent avoir accès à de tels renseignements. Mais si cela peut vous consoler, ces grands investisseurs obtiennent des résultats comparables à ceux du petit investisseur.

En procédant à l'examen des antécédents, commencez par éliminer tous les fonds dont les résultats sont régulièrement inférieurs à la moyenne. Une fois que vous avez ainsi réduit le champ de vos investigations en vous concentrant sur les fonds ayant régulièrement des résultats égaux ou supérieurs aux résultats du marché, examinez la taille du fonds. Méfiez-vous des fonds très performants ne comportant qu'un actif de quelques centaines de milliers de dollars. De nombreux gestionnaires de fonds se sont révélés incapables de maintenir d'aussi bons résultats lorsque leurs fonds se chiffrent en millions; l'importance du fonds les a obligés à élargir le choix des actions, les conduisant ainsi à obtenir des résultats corrects, mais moyens. Examinez également les objectifs du fonds en matière d'investissements pour être sûr que les objectifs du fonds sont compatibles avec les vôtres.

Une fois que vous avez procédé à cette élimination et qu'il vous reste à faire votre choix parmi une poignée de fonds restants, le moment est venu de comparer les coûts comprenant les frais de souscription et de remboursement, s'il y a lieu. Les résultats chiffrés publiés ne vous donnent qu'une version partielle des faits. Méfiez-vous des fonds comportant des frais de commission élevés ou des majorations de début et de fin. Si vous placez votre argent dans ce genre de fonds, il se peut que pour chaque dollar versé il n'y ait que quatre-vingt dix cents qui soient portés à votre compte. Dans la plupart des cas, le prélèvement d'une commission ne vous garantit même pas l'obtention de meilleurs résultats. Mais si vous êtes intéressé par certains fonds spécifiques ne pouvant être achetés que par l'intermédiaire d'un vendeur, essayez de savoir si la commission est négociable. Le développement des fonds proposés par des sociétés de fiducie, qui sont généralement vendus sans frais, a incité de nombreux agents et courtiers de fonds communs de placement à être plus conciliants en matière de majorations de début et de fin. Dans certains cas, il est possible d'obtenir un taux moins élevé.

Si vous ne voulez pas ou si vous ne pouvez pas faire la prospection de tous les REER sous forme de portefeuilles d'actions qui existent sur le marché, ce que vous avez probablement de mieux à faire c'est d'opter pour certains fonds sans majoration ou avec faible majoration proposés par les sociétés de fiducie. Bien que ces fonds ne figurent généralement pas en haut du tableau d'honneur des meilleurs résultats obtenus, il semble également qu'ils n'y figurent pas non plus tout en bas.

Tout REER sous forme de portefeuille d'actions permet, presque par définition, de diversifier en répartissant votre argent sur de nombreuses actions différentes. Cependant, il vaut mieux ne pas parier qu'un seul et unique gestionnaire obtiendra régulièrement de très bons résultats. Mieux vaut répartir votre épargne-retraite dans deux ou trois fonds de placement. Vous réduisez ainsi les risques de confier tout votre argent à un seul gestionnaire qui, pour une raison ou une autre, ne pourrait pas se maintenir au niveau des autres.

RÉGIMES PERSONNELS

Les régimes enregistrés d'épargne-retraite personnels vous permettent de prendre toutes les décisions concernant vos investissements. Les régimes peuvent être taillés sur mesure pour répondre à vos caprices, à vos besoins, à vos préférences et à vos intuitions. En effet, un régime personnel peut comporter autant de risques que vous le désirez. S'il est bien géré, il peut vous rapporter plus que les REER administrés par les institutions. Toutefois, la plupart des régimes personnels sont généralement mal gérés et ne rapportent que faiblement.

Le principal avantage de ces régimes personnels, pour les investisseurs avisés, c'est qu'ils permettent de se concentrer sur certains types de placements, tels que les hypothèques à haut rendement, dont on ne peut pas bénéficier dans les fonds institutionnels. Les régimes personnels permettent également aux investisseurs en actions de jouir d'une certaine souplesse et de pouvoir ainsi rapidement changer de groupes industriels ou de convertir en liquidités.

Un régime personnel nécessite une certaine compétence en matière d'investissements et il ne devrait être envisagé comme alternative aux fonds gérés par des professionnels que par des personnes ayant une bonne connaissance de certains choix d'investissement pouvant être intégrés dans le régime.

Les investisseurs ont toujours la possibilité de faire appel à un conseiller en investissements pour gérer leurs régimes personnels, mais cela occasionne des frais supplémentaires et ne garantit en rien l'obtention de meilleurs résultats.

Constituer un régime personnel est une opération relativement simple. Il faut passer par l'intermédiaire d'une institution qui fait office d'administrateur et de curateur. Elle accepte vos dépôts et reçoit ou délivre les titres que vous avez achetés ou vendus.

Les frais de souscription à un régime personnel sont relativement élevés par rapport à d'autres types de REER en raison de l'important travail administratif nécessaire. Les frais varient sensiblement suivant les compagnies qui proposent de tels régimes.

Il peut également y avoir des frais supplémentaires pour chaque transaction suivant les dispositions particulières de chaque compagnie. Lorsque les sommes placées dans un fonds sont peu élevées — disons moins de 10 000 $ — les frais de gestion d'un REER personnel peuvent entamer les avantages qu'il y a à utiliser un tel régime.

Lorsque vous vous engagez dans un tel régime, n'oubliez pas qu'une pénalité est perçue en cas de détention d'un placement devenu incompatible. Ce peut être le cas, par exemple, pour certaines actions, si l'entreprise quitte le Canada, est privatisée ou si ses actions sont échangées contre des titres incompatibles, comme c'est le cas lors de certaines fusions. Tant qu'un tel titre est détenu (à quelques exceptions près) le régime est passible d'une pénalité fiscale assez sévère.

La plupart des personnes qui optent pour les REER personnels le font parce qu'elles pensent que cela peut leur rapporter plus que les fonds gérés institutionnellement. Elles espèrent y arriver, soit grâce à leur soi-disant meilleure connaissance du problème que les autres, ou grâce aux très bons conseils de leurs conseillers.

Certains y parviennent. Mais, nombreux sont ceux qui échouent. Ceux qui y parviennent présentent un certain nombre de points communs: ils se concentrent généralement sur certains types de titres qui ne figurent pas en grand nombre dans les fonds gérés institutionnellement; ils diversifient, mais pas trop; ils choisissent certains titres à haut risque.

Cependant, dans le cas des actions, le caractère plus risqué d'un régime personnel est partiellement compensé par sa plus grande souplesse. La petite taille de ces régimes, par rapport aux caisses en gestion commune brassant des millions, permet aux investisseurs compétents et avisés de modifier à volonté la composition du portefeuille.

Une stratégie boursière assez courante consiste à concentrer les actions détenues sur un certain secteur industriel en prévoyant que ce même secteur obtiendra de bien meilleurs résultats que l'ensemble du marché. Le succès de cette stratégie dépend de votre capacité à vendre et à vous reporter sur d'autres placements ou à détenir des liquidités. De nombreux investisseurs qui adoptent cette stratégie échouent parce qu'ils placent tout leur argent sur trop peu d'actions. Ou bien encore parce qu'ils se basent sur les mêmes renseignements des courtiers dont disposent tous les autres joueurs sur le marché.

Le montant minimum requis pour justifier un régime personnel dépend vraiment du type de combinaison de titres qu'un individu veut inclure dans un portefeuille REER. Pour ce qui est des actions, un portefeuille d'une valeur de 20 000 $ peut avoir une composition suffisamment diversifiée. Pour ce qui est des hypothèques, le montant nécessaire pour procéder à une certaine diversification est à peu près de l'ordre de 30 000 à 50 000 $; certains experts ont recours à des chiffres nettement plus élevés. Il n'est pas nécessaire que les hypothèques soient détenues par une seule personne, elles peuvent en effet être détenues par plusieurs personnes.

Alors qu'en théorie il serait possible d'inclure de petites portions en hypothèques, disons quelques milliers de dollars, dans un REER personnel, dans la pratique, la plupart des courtiers en hypothèques, comptables et juristes s'occupant d'hypothèques n'aiment pas les diviser en de tels petits montants, en raison des frais administratifs qu'implique le versement des intérêts. Nombreux sont ceux qui préfèrent limiter les intérêts à des sommes de l'ordre de 30 000 à 50 000 $ et plus.

Il vaut mieux ne pas s'aventurer dans un REER personnel sans se familiariser avec les dispositions fiscales concernant ce type de régime. Il faut surtout savoir parfaitement quels sont les placements compatibles et incompatibles. L'inconvénient majeur d'un REER personnel c'est que si vous échouez, vous n'avez qu'à vous en prendre à vous-même.

FONDS À REVENU FIXE

Les régimes enregistrés d'épargne-retraite à revenu fixe représentent une alternative à mi-chemin entre les REER garantis et les régimes sous forme de portefeuilles d'actions. En se basant sur des investissements effectués sur le marché des obligations et des hypothèques qui est plus stable que le marché des actions, les REER à revenu fixe proposent un excellent équilibre entre les régimes sous forme de portefeuilles d'actions. En se basant sur des investissements effectués sur le marché des obligations et des hypothèques qui est plus stable que le marché des actions, les REER à revenu fixe proposent un excellent équilibre entre les régimes à haut risque sous forme de portefeuilles d'actions et les fonds garantis très sûrs.

En effet, en périodes de taux d'intérêt élevés mais stables, lorsque le taux de croissance de l'inflation est relativement stable, les REER à revenu fixe peuvent donner régulièrement de bons résultats. Bien qu'ils ne donnent pas de très bons résultats en périodes de hausse de l'inflation et des taux d'intérêt, ils se comportent bien lorsque l'inflation et les taux d'intérêt diminuent conjointement.

Les fonds à revenu fixe constituent une alternative pour ceux qui n'acceptent pas les importantes fluctuations des taux de rendement que connaissent les détenteurs de régimes sous forme de portefeuilles d'actions. Ce sont des placements rentables si vous êtes prêt à accepter une certaine fluctuation de valeur en échange d'un meilleur rendement que celui des REER garantis.

En fait, les investisseurs achètent des parts dans le fonds, devenant ainsi codétenteurs des obligations et des hypothèques composant le portefeuille. L'institution financière perçoit des frais de gestion, généralement sous forme d'un pourcentage de la valeur du compte; les profits et les pertes sont comptabilisés dans le fonds. Cela diffère des REER garantis, où les investisseurs prêtent leur argent à l'institution pour une période fixe et à un taux d'intérêt fixe. Les fonds à revenu fixe sont proposés par la plupart des banques et par de nombreux courtiers en fonds communs de placement.

Les parts d'un fonds à revenu fixe sont évaluées en fonction de la valeur totale du portefeuille divisée par le nombre de parts en circulation. Le nombre de parts change à mesure que de nouveaux souscripteurs investissent dans le fonds ou que d'autres liquident leurs parts. La valeur de chaque part détenue dans un fonds d'obligations ou d'hypothèques varie en fonction des fluctuations des taux d'intérêt. Si les taux augmentent, la valeur des obligations ou des hypothèques en circulation baisse, et si les taux d'intérêt diminuent, la valeur marchande des portefeuilles augmente.

Le prix des parts dans les fonds à revenu fixe évolue de façon similaire, car chaque part dans un fonds représente une participation dans un portefeuille contenant des centaines d'obligations et d'hypothèques pouvant varier les unes par rapport aux autres quant à la qualité, aux taux d'intérêt nominal et à l'échéance. Toute modification des taux d'intérêt ou tout changement dans la demande d'obligations de qualité spécifique ou à échéance spécifique a pour effet d'augmenter ou de diminuer la valeur de l'ensemble du portefeuille et, par voie de conséquence, d'influer sur le prix d'une part dans le fonds.

Selon le type d'institution financière gérant le portefeuille, les valeurs du fonds sont calculées sur une base quotidienne, hebdomadaire ou mensuelle.

Le taux de rendement que peut rapporter un fonds à revenu fixe dépend largement de la façon dont le gestionnaire structure les différents types d'obligations et d'hypothèques du portefeuille.

En raison de ces rendements supérieurs, en période de faible inflation un portefeuille composé en grande partie d'obligations à long terme rapporterait davantage qu'un portefeuille composé de titres à échéances plus courtes. Mais, même en matière de portefeuilles en obligations et en hypothèques, les titres à haut rendement peuvent être à haut risque. Si les taux d'intérêt augmentent, la valeur du fonds composé de titres à plus longues échéances diminuera davantage que celle d'un fonds composé de titres à échéances plus courtes.

Les obligations à court terme, bien qu'elles rapportent moins, sont moins irrégulières, en raison du fait que la date de l'échéance, le moment où on peut réinvestir l'argent, est plus proche. Par conséquent, un gestionnaire d'obligations prévoyant une stabilité des taux d'intérêt pendant une période assez longue inclura dans son portefeuille une forte proportion d'obligations à long terme à taux d'intérêt nominal élevé afin de maximiser le revenu de son fonds.

Les obligations émises au moment où les taux d'intérêt étaient moins élevés qu'aujourd'hui se négocient au rabais par rapport à leur prix d'émission. Si un gestionnaire prévoit une stabilité des taux d'intérêt pendant une période assez longue, il ne détiendra généralement pas un grand nombre de ces obligations dans ses portefeuilles. Il achètera plutôt des obligations à taux d'intérêt nominal élevé qui permettent d'obtenir un revenu élevé immédiat, contrairement au faible revenu des obligations cotées à escompte, ainsi qu'un important gain forfaitaire à échéance. Il agira de la sorte, car on peut ainsi réinvestir le revenu supplémentaire et apporter des revenus supplémentaires au fonds. Mais si un gestionnaire prévoit une baisse importante des taux d'intérêt pendant une courte période, il peut se rabattre sur les obligations cotées à escompte et améliorer les résultats à court terme du fonds.

Si un gestionnaire anticipe correctement à quel moment et dans quel sens s'effectueront les fluctuations des taux d'intérêt, il peut améliorer considérablement les résultats obtenus par son fonds. Mais s'il se trompe, son erreur d'appréciation peut coûter cher aux investisseurs ayant placé leur argent dans son fonds.

Les hypothèques ont généralement un taux de rendement plus élevé que les obligations. Cependant, si on analyse le compte rendu des résultats antérieurs, on s'aperçoit qu'il y a très peu de différence entre les résultats des fonds en obligations bien gérés et ceux des fonds en hypothèques bien gérés. La flexibilité des opérations qu'un gestionnaire de fonds en obligations peut réaliser par rapport aux hypothèques difficilement négociables compense les taux d'intérêt généralement plus élevés des hypothèques.

En raison de la similitude des rendements, il faut surtout tenir compte des coûts et des résultats antérieurs du fonds au moment de choisir un REER à revenu fixe.

Voici quelle est la marche à suivre.

Réduisez d'abord votre champ d'investigation en éliminant tous les fonds dont les résultats sont toujours inférieurs à la moyenne. Alors qu'il faut procéder en tenant compte d'une période aussi étendue que possible, certains fonds n'ont encore que quelques années d'existence et il ne faut pas les éliminer en raison de ce seul critère.

Examinez ensuite la taille du fonds. Méfiez-vous des fonds très performants ne disposant que d'un avoir de quelques centaines de milliers de dollars. Les gestionnaires de tels fonds risquent de n'être pas capables de se maintenir à un niveau aussi élevé, si une certaine croissance modifie les caractéristiques du fonds.

Une fois qu'il n'en reste plus que quelques-uns ou même deux, le moment est venu de comparer les coûts. Les frais de souscription, de gestion et de retrait varient beaucoup suivant les institutions. Ces frais peuvent faire une grande différence en ce qui concerne le global.

Et avant d'acheter, souvenez-vous du vieil adage selon lequel il ne faut pas mettre tous ses œufs dans le même panier. Il vaut mieux répartir votre épargne-retraite sur plusieurs REER à revenu fixe, afin de réduire le risque de confier toute votre épargne-retraite à un gestionnaire sujet à des erreurs d'appréciation ou pour qui la chance aurait tourné.

FONDS GARANTIS

Les régimes enregistrés d'épargne-retraite garantis sont les plus sûrs. En vérité, ce sont là les seuls régimes qui devraient être envisagés par la plupart des gens approchant l'âge de la retraite. En fait, toutes les personnes âgées de 55 ans ou plus, dont le pécule destiné à la retraite est placé dans des REER, devraient avoir souscrit à ce type de régime. Ces régimes sont également adaptés pour ceux qui ne veulent pas assumer les risques que comporte la détention de parts dans des REER sous forme de portefeuilles d'actions ou à revenu fixe.

Dans le cas d'un régime garanti, une institution financière s'engage à vous verser un taux d'intérêt déterminé pendant une période précise. Après expiration de ce terme, le taux de l'intérêt versé peut être révisé à la hausse ou à la baisse et ce nouveau taux demeure applicable pendant une période supplémentaire. Selon les différents fonds, ce taux peut être garanti de un mois à cinq ans.

En fait, vous prêtez votre argent à une banque, une société de fiducie ou à tout autre institution financière pendant une période déterminée. Cette institution s'engage, en échange, à vous garantir un certain taux d'intérêt, qu'elle ait réalisé des bénéfices ou non en reprêtant votre argent. L'avantage que cela représente pour vous, c'est que vous savez à l'avance qu'à la fin de cette période, et ce, sans courir le moindre risque, la valeur de votre REER se composera du montant principal versé initialement, auquel viendront s'ajouter les intérêts à taux garantis par l'institution.

Mais cette sécurité se paie. Cela vous rapporte en général un ou deux pour cent de moins que le taux hypothécaire en vigueur; la différence est encaissée par l'institution. Néanmoins, de nombreuses personnes préfèrent renoncer à des rendements plus élevés en échange d'une certaine sécurité.

On a généralement le choix entre deux types de régimes garantis. L'un ressemble beaucoup à un compte-chèque. Ce type de régime — un compte d'épargne spécial — peut être interrompu à tout moment sans pénalité majeure. Les taux d'intérêt versés sont relativement faibles. Les taux d'intérêt versés sur les REER sous forme de comptes d'épargne sont garantis pendant des périodes assez courtes — allant de seulement un mois à six mois — qui varient selon l'émetteur.

Ces types de REER sont les plus souples en ce qui concerne les retraits, et en raison du fait que les taux d'intérêt peuvent changer souvent, ils sont les premiers à répercuter les changements en matière de taux d'intérêt. Ce sont les régimes les mieux adaptés pour les personnes se trouvant à cinq ans de la retraite ou bien pour ceux qui ne veulent pas être enfermés dans un régime pendant une période prolongée.

Les REER sous forme de comptes d'épargne sont également adoptés par des gens qui pensent que la tendance des taux d'intérêt est ascendante. Lors d'un tel scénario, ces régimes figurent parmi les REER obtenant les meilleurs résultats. Pour ceux qui pensent que les taux d'intérêt vont augmenter à court terme, il est possible de recourir à des REER sous forme de comptes d'épargne en tant que havre temporaire, et de les transformer ensuite en un régime garanti avec une période de blocage ou en un REER à revenu fixe ou sous forme de portefeuille d'actions.

Avec l'autre type de REER garanti, un REER garanti sous forme de titre de placement, il vous faut accepter de laisser votre argent en dépôt pendant une période de un à cinq ans. Cela permet à l'institution de reprêter votre argent en sachant pendant combien de temps elle pourra en disposer. Ainsi, si vous avez déposé de l'argent auprès d'une société de fiducie garantissant les taux d'intérêt pendant cinq ans, cette société peut reprêter cette même somme également pour une période de cinq ans.

Vous avez toutefois, en cas de force majeure, la possibilité de retirer votre argent de la plupart des régimes avant ce terme de cinq ans, mais attendez-vous à payer une pénalité sous forme d'une réduction sensible des intérêts perçus.

Ceux qui placent leur argent dans des régimes comportant de longues périodes de blocage lorsque l'inflation est forte bénéficient de meilleurs taux que ceux qui investissent lorsque l'inflation est en perte de vitesse. Au cours de ces dernières années, les taux d'intérêt au Canada ont été assez irréguliers, mais ils se sont maintenus près des niveaux antérieurs élevés. En fait, les fonds garantis ont enregistré de bons résultats enviables et ont attiré de nombreux investisseurs qui, au cours des années précédentes, avaient placé leur argent dans des fonds sous forme de portefeuilles d'actions.

Que vous choisissiez un REER garanti sous forme de compte d'épargne ou un REER avec une période de blocage, vous pouvez économiser de l'argent en comparant les coûts et en optant pour un régime qui soit adapté à votre cas personnel. Les taux d'intérêt, de même que les frais de souscription, de gestion et de retrait varient beaucoup suivant les différentes institutions. Ne vous contentez pas de comparer les taux d'intérêt. Les frais perçus peuvent influer de façon importante sur votre rendement global.

Un compte d'épargne proposé par une société de fiducie offrait, par exemple, un taux d'intérêt de 10,5% pendant six mois. Ce fonds ne prélevait pas de frais de gestion ou de retrait. Une autre société de fiducie garantissait 11% pendant six mois également, mais prélevait une pénalité de retrait de 1% jusqu'à 100 $ à l'expiration du régime. Le premier régime constitue une meilleure solution pour les gens ayant amassé moins de 20 000 $ au moment de la fin de leur REER. Il vaut mieux choisir le deuxième type de régime en cas de montants plus importants.

Lorsque l'on opte pour un REER garanti, il faut également tenir compte de la fréquence avec laquelle est composé l'intérêt. C'est un facteur important, car il peut influer sur le rendement que vous pouvez percevoir. Une institution offrant 8,5% composés annuellement verserait 85 $ d'intérêts sur un principal de 1000 $ à la fin d'une année. Une autre institution offrant 8,5% composés semestriellement verserait 42,50 $ d'intérêts au bout de six mois et encore 4,25% sur 1042,50 $ — environ 44,13 $ — six mois après.

Le fait de composer semestriellement a pour effet d'augmenter le rendement à environ 8,68%. Bien que cette augmentation puisse sembler minime, la différence entre une composition annuelle ou semestrielle peut être considérable sur la durée de votre REER. Quelques institutions financières composent même le taux d'intérêt tous les trimestres ou tous les mois, cela vaut donc le coup de comparer.

LE REER SOUS FORME D'ASSURANCE

En tout état de cause, les polices d'assurance-vie en argent ne constituent pas de bons régimes enregistrés d'épargne-retraite. De tels régimes ne satisfont pas aux critères les plus importants en matière de sélection des plans: souplesse et taux de rendement par rapport aux risques. Lorsqu'ils sont enregistrés comme REER, ils représentent également une façon coûteuse de souscrire à une assurance sur la vie.

Le défaut de paiement des primes de ces polices peut conduire à leur résiliation et à la perte de la couverture, qui peut éventuellement être difficile à remplacer. C'est dans de telles circonstances que les épargnants se rendent compte qu'ils ont choisi là un mauvais placement. En général, les gens apprennent à leurs dépens qu'ils ne récupèrent même pas la totalité de leur argent. En effet, dans la première phase de tels régimes, il est fréquent que la valeur de rachat soit nulle.

Ceci est dû au fait que les premiers dépôts servent à couvrir les commissions et les frais de gestion non remboursables. Par conséquent, les gens qui décident de changer de régime trouvent qu'ils ont payé très cher le fait de ne pas avoir d'abord prospecté et comparé.

Les lois fiscales permettent de faire enregistrer la portion de rachat en argent — appelée l'élément d'épargne — en tant que REER. Il en résulte que de nombreux Canadiens souscrivent à de tels régimes en croyant qu'ils assurent ainsi convenablement leur famille et qu'ils bénéficient par la même occasion d'un bon régime d'épargne-retraite. Ils oublient que ces régimes ont été conçus pour procurer une assurance-vie et non pas pour servir de plan d'épargne-retraite.

Les pires choix possibles en matière de REER sous forme d'assurance sont ceux qui impliquent la souscription à des polices d'assurance en cas de décès. Les polices ordinaires d'assurance en cas de décès exigent le paiement de primes tous les ans et à vie, afin de maintenir en vigueur les clauses du contrat concernant l'indemnité de décès. Les polices d'assurance-vie à paiement limité sont assez comparables, mis a part le fait que la période de versement de la prime prend fin à un moment donné, généralement l'âge auquel le détenteur de la police d'assurance souhaite prendre sa retraite. Dans les deux types de polices, l'assurance verse l'indemnité au moment du décès.

Toutefois, les lois fiscales exigent que les REER prennent fin lorsque vous atteignez un certain âge (71 ans au moment où ce livre est écrit), mais en faisant cela vous résiliez votre police d'assurance et risquez de perdre toute indemnité versée par l'assurance. En fait, vous avez versé des primes d'assurance fort coûteuses en cas de décès ou d'assurance-vie à paiement limité pour une couverture prenant fin dès l'âge de 71 ans — et le rendement perçu sur votre épargne aura été inférieur de moitié à celui des régimes garantis.

Un troisième type de police d'assurance, l'assurance en cas de vie, est le seul qui vienne à échéance et qui verse une indemnité du vivant du détenteur de cette police. Ces polices d'assurances, qui avaient été très populaires à une certaine époque, ont cessé de l'être à partir du moment où les épargnants se sont rendu compte que les faibles taux de rendement en font une façon assez coûteuse d'épargner de l'argent.

Les épargnants désirant souscrire à une assurance-vie et à une épargne-retraite s'en sortent probablement mieux en contractant une assurance temporaire en fonction de leurs besoins individuels et en optant ensuite pour un REER qui soit adapté à leur situation financière et à leur âge.

Une telle stratégie comporte plusieurs avantages, dont le plus important consiste en une très grande souplesse en matière de versements effectués au titre du REER. Le coût de l'assurance joue également un rôle important. L'assurance temporaire est relativement peu coûteuse pour les hommes et les femmes encore jeunes et elle leur permet d'acheter des couvertures importantes au moment où il n'y en a pas besoin. Tout comme dans le domaine des REER, les coûts en matière d'assurance varient beaucoup suivant les différentes compagnies et il vaut mieux comparer les prix des couvertures proposées par les assurances.

SI VOUS HÉSITEZ

Si vous hésitez quant au type de régime enregistré d'épargne-retraite à choisir — garanti, sous forme de portefeuille d'actions, à revenu fixe, personnel, ou sous forme d'assurance — le régime garanti est le meilleur pari et le moins risqué.

Les petits épargnants ou les gens approchant l'âge de la retraite — environ à cinq ans de la retraite — ne devraient pas envisager d'autres régime que celui-là. Ce type de régime devrait être choisi en priorité par ceux qui ne veulent pas courir les risques que comportent les REER sous forme de portefeuilles d'actions ou à revenu fixe, ou bien encore par ceux qui pensent que les perpectives du marché des actions et des obligations ne sont pas favorables.

Comme pour tout autre placement, cela vaut le coup de comparer les prix et de prospecter. Il y a de grandes différences entre les taux d'intérêt versés et les frais de souscription, de gestion et de retrait, suivant les différentes institutions.

Chapitre six
Contrats de mariage

À une époque où un mariage canadien sur quatre échoue, l'expression bien connue «ce qui est à moi est à toi» se dissout rapidement lorsque le moment est venu de partager le gâteau des avoirs de la famille.

En effet, de nombreux couples s'étant séparés au bout de dix, vingt ou même trente ans de mariage, et disposant de biens évalués à plusieurs milliers de dollars, se sont retrouvés en train de marchander dans des cabinets d'avocats à propos de sujets aussi futiles que de savoir à qui appartient le poste de télévision et qui gardera le chat.

Conscients de ces perspectives, de nombreux couples canadiens entreprennent désormais de définir clairement leurs droits de propriété. Qu'il s'agisse de très jeunes mariés ou de vétérans sceptiques en étant à leur deuxième ou à leur troisième essai, les conjoints prennent la peine de passer suffisamment de temps dans un cabinet d'avocat pour ciseler les détails d'un contrat de mariage. En rédigeant leur propre document, ils espèrent ainsi pouvoir partager leurs biens pendant le mariage, et en déterminer la répartition en cas d'échec.

Les contrats de mariage ne sont pas nouveaux. Ils sont très répandus, depuis déjà de nombreuses années, au Québec où c'est plutôt le Code civil et non le droit coutumier anglais (Common Law) qui régit les droits de propriété matrimoniaux. Ce qui est nouveau, depuis la nouvelle législation familiale adoptée dans de nombreuses provinces, c'est que des couples puissent rédiger un contrat qui prévoit la disposition des biens en cas de rupture du mariage. Jusque vers le milieu des années soixante-dix, de tels contrats n'étaient légaux que s'ils n'anticipaient pas ou n'essayaient pas de planifier l'éventualité d'une séparation ou d'un divorce.

Bien que l'idée même d'un contrat de mariage répugne à ceux d'entre nous qui ont des opinions traditionnelles, il n'en demeure pas moins vrai qu'il y a des faits indéniables dont il vaut mieux tenir compte au bon moment. Dans cette catégorie figure le fait que de nombreux mariages se brisent en mille morceaux... et les morceaux sont rarement nets et précis.

Les contrats de mariage peuvent éventuellement intéresser tout particulièrement les couples qui estiment que les lois matrimoniales actuelles vont soit trop loin, soit pas assez loin en matière de partage des biens. Ces contrats peuvent également être très utiles pour les gens qui se remarient ou qui entretiennent des relations relevant du droit coutumier.

Si vous et votre conjoint ou futur conjoint envisagez de rédiger un contrat de mariage et estimez pouvoir ainsi définir plus clairement vos droits de propriété, la première chose à faire c'est de vous asseoir à une table et d'examiner tous les biens communs et personnels en en parlant ouvertement. Il vous faut également évoquer dans quelle mesure vous souhaitez partager ces biens et de quelle façon vous répartiriez vos biens.

Vous pouvez élaborer votre contrat en y incluant:

1. *Un inventaire complet des biens.* Cette clause doit nommer toutes les sources de revenu plus les biens existants. Faites

figurer tous les biens immobiliers et mobiliers, de même que les revenus provenant de l'exercice d'une profession et de placements tels que des actions et des obligations.

2. *Les biens acquis avant le mariage.* Vous pouvez accepter que tous les biens apportés au mariage soient partagés conjointement pendant la durée du mariage. Avec un contrat, vous pouvez stipuler que chaque conjoint restera pleinement propriétaire des biens acquis avant le mariage, même après l'échange des vœux. (Mais n'oubliez pas que dans la plupart des provinces vous ne pouvez pas priver votre conjoint du domicile matrimonial, même si vous en êtes propriétaire. En cas de divorce, des lois spéciales entrent alors en jeu.)

3. *Les biens acquis pendant le mariage.* Plusieurs possibilités s'offrent à vous dans ce domaine: vous pouvez vous conformer à la législation provinciale et accepter de partager tous les biens familiaux sur une base égalitaire de 50-50. Vous pouvez également choisir de rédiger un contrat stipulant clairement que les biens immobiliers acquis pendant le mariage ne seront pas détenus sur une base égalitaire mais en tant que «colocataires», à savoir proportionnellement à la mise de départ de chacun.

4. *L'argent et les biens «économiques».* Si ce domaine n'est pas régi par la loi, alors vous pouvez vous engager par contrat à partager (ou à ne pas partager) l'argent et biens «économiques». Cette clause peut comprendre les régimes enregistrés d'épargne-retraite, les comptes d'épargne, les dépôts à terme, les actions, les obligations et les revenus d'assurance.

5. *Les comptes bancaires.* Vous pouvez décider d'avoir un compte commun pour que les opérations de la vie quotidienne se déroulent sans accrocs. Vous pouvez, par exemple, convenir de déposer, proportionnellement au revenu de chaque conjoint, suffisamment d'argent pour subvenir aux dépenses telles que l'hypothèque, la nourriture, l'essence, la télévision, le téléphone, l'entretien du logement, le mobilier et les soins des enfants. Le solde de

votre revenu net peut ensuite être mis en commun et réparti égalitairement entre vous pour usage personnel.

6. *L'entretien des enfants.* Bien que de par la loi vous ne puissiez pas vous démettre des obligations qui vous incombent en tant que parents, vous pouvez passer contrat pour limiter ces obligations. Si un conjoint gagne, par exemple, moins que l'autre, une clause figurant dans votre contrat pourrait stipuler que chaque conjoint contribuera à l'entretien des enfants en fonction de ses revenus.

Étant donné que les couples canadiens n'ont jamais eu tellement l'habitude de recourir à la formule du contrat de mariage, la plupart sont parfaitement ignorants en la matière. Et nombreux sont les avocats qui reconnaissent franchement qu'ils n'ont pas eu souvent l'occasion de rédiger de tels documents.

Il est donc utile de passer en revue certains pièges. Faites en sorte d'inclure une clause vous permettant de réviser raisonnablement le contrat. Sinon, vous risquez par la suite d'avoir des ennuis si vous voulez modifier une clause ou transformer complètement le document et que votre conjoint refuse de coopérer. Arrivé à ce stade, vous serez éventuellement obligé d'en rester là.

Assurez-vous également d'avoir prévu une clause protégeant le cadre de votre contrat. Qu'il y soit stipulé que même si une clause est invalidée, le reste du contrat demeure exécutoire.

Et parce que les gens et les temps changent, prévoyez une clause selon laquelle il vous est possible de résilier vos contrats avec votre consentement écrit et celui de votre conjoint.

Une fois que vous et votre conjoint avez mis au point ce que vous voulez inclure dans votre contrat, vous avez la possibilité, légalement, de rédiger votre propre contrat, mais ce n'est pas une bonne idée. La plupart des gens n'ont aucune connaissance en matière de droit familial, et un document mal rédigé pourrait susciter d'insurmontables problèmes juridiques par la suite. Tout comme pour les testaments, la règle d'or est de faire appel à un bon avocat.

Un bon avocat, ayant de préférence une certaine expérience en matière de droit familial, et spécifiquement dans le domaine de la rédaction de contrats de mariage, sera en mesure de signaler à votre attention des éléments que vous auriez éventuellement oubliés. Un avocat pourra également vous donner certains renseignements obscurs mais utiles. Si vous êtes, par exemple, régi par une juridiction n'autorisant pas légalement la rédaction d'un contrat prévoyant une clause de séparation, il peut éventuellement être possible de recourir au droit d'une autre juridiction prévoyant une telle clause.

Étant donné que les avocats sont en général payés à l'heure, mieux vaut se mettre d'accord sur le plus grand nombre de points possible avant de faire appel à un avocat. Les coûts qu'entraîne la rédaction d'un contrat ne sont pas fonction de la valeur des biens considérés, mais du temps qu'il a fallu pour parvenir au contrat définitif.

N'ayez pas recours à un jargon juridique ésotérique. Votre contrat doit être rédigé en termes du langage courant afin de rester compréhensible.

Même avec l'évolution du droit familial canadien tendant à donner plus de liberté aux couples pour définir leurs droits de propriété personnels, la rédaction d'un contrat de mariage ne peut pas faire de mal. Au contraire, cela peut aider les couples à mieux définir leur statut l'un vis-à-vis de l'autre et vis-à-vis de la société.

Et si l'on considère que 25% ou plus de nos mariages aboutissent à un divorce, un contrat représente peut-être une des rares façons tangibles de définir les droits et les devoirs de chacun au sein du foyer matrimonial.

Chapitre sept
Emprunter de l'argent

CE QU'IL FAUT FAIRE ET NE PAS FAIRE

Il y a très peu de personnes qui, au cours de toute leur existence, n'empruntent jamais d'argent. Et dans ce domaine il y a, bien entendu, du pour et du contre.

L'avantage qu'il y a à emprunter c'est que l'on peut souvent utiliser cet argent pour gagner de l'argent, comme c'est le cas lors de placements; cela permet également de profiter des choses ou des objets pendant que l'on travaille pour les payer, par exemple, quand on achète une maison ou une voiture.

L'inconvénient qu'il y a à emprunter c'est que cela a pour effet d'augmenter considérablement le prix des choses pour lesquelles on emprunte pour se les procurer.

Bien qu'il y ait de nombreuses théories qui circulent à propos de savoir combien une personne doit ou ne doit pas emprunter, il n'y en a vraiment qu'une qui soit universellement valable: n'empruntez pas d'argent que vous ne pourrez pas rembourser le jour de l'échéance. Même là, il y a une bonne et une mauvaise façon d'emprunter.

Un des premiers principes à respecter en matière d'emprunt, c'est de prospecter et de comparer. Une différence d'un demi pour cent peut représenter une somme considérable sur toute la durée d'un emprunt.

La plupart des Canadiens croient à tort que toutes les banques, sociétés de fiducie et autres institutions de prêt sont semblables, qu'elles proposent les mêmes services aux mêmes taux d'intérêt et qu'elles adoptent les mêmes critères lorsqu'il s'agit d'accorder un prêt. Toutefois, ceux qui comparent les différents emprunts proposés s'aperçoivent très rapidement que si les prêteurs se ressemblent, les taux, eux, diffèrent, de même que les plafonds et les critères pris en considération pour accorder les prêts. Ces éléments peuvent même varier suivant les succursales d'un même établissement.

Dans le domaine bancaire, c'est un fait notoire que la discrétion et la compétence des directeurs varient, de même que leur disposition à courir des risques. Choisissez une banque qui soit «affamée». Vous avez souvent plus de chances d'obtenir ce que vous désirez en allant trouver une nouvelle succursale de banlieue plutôt que la succursale centrale d'une banque.

Il n'en demeure pas moins vrai que votre objectif consiste à ce qu'une banque vous prête l'argent dont vous avez vraiment besoin. La première étape menant à la réalisation de cet objectif, c'est de savoir ce que vous demandera l'établissement de prêt, de façon à ne pas être pris au dépourvu.

En franchissant le seuil de tout établissement de prêt, soyez disposé à fournir des renseignements précis et détaillés concernant votre revenu, vos dettes et vos paiements mensuels. Il est également tout aussi important de connaître la valeur actuelle de votre logement, voiture, assurance, portefeuille d'actions ou autres avoirs. Dressez aussi une liste remise à jour de vos dettes.

Même si vous devez beaucoup d'argent au moment où vous sollicitez le prêt, les prêteurs sont généralement favorablement influencés lorsque les demandeurs se présentent en ayant en main un bref rapport comportant toutes sortes de renseignements personnels. Cela fait souvent la différence dans certains cas.

Tous les établissements de prêt exigent qu'un formulaire de demande de prêt soit rempli soit par vous-même, soit par la personne qui vous interroge. Cela consiste généralement en une évaluation de la situation personnelle sous forme d'une liste concernant le revenu, les dettes et les paiements mensuels, l'actif et le passif, et enfin vos antécédents professionnels. On vous demandera également de signer un formulaire autorisant le prêteur à se renseigner sur vous auprès d'une banque.

Les emprunteurs n'ont souvent pas conscience du fait qu'un emploi stable joue un rôle très important en la matière. Avoir travaillé pendant cinq à dix ans dans une même entreprise fait souvent la différence, mais pas toujours. Une personne changeant souvent d'emploi pour augmenter son salaire, avoir plus de responsabilité ou les deux à la fois, ne sera certainement pas éliminée pour cette raison. Un domicile stable constitue également un indice favorable indiquant que vous ne risquez pas de quitter subitement la ville sans rembourser un emprunt.

Les prêteurs désirent aussi connaître les revenus du conjoint et demandent généralement à ce que le conjoint se porte garant.

De nombreux prêteurs aiment bien discuter du prêt avec le mari et la femme, car c'est souvent la femme qui établit le budget familial. En outre, de nombreux créanciers estiment que les deux conjoints doivent savoir dans quelle mesure les remboursements de l'emprunt affecteront leur train de vie.

En règle générale, les directeurs de banque n'accordent pas volontiers de prêt lorsque les remboursements risquent d'entraîner une restriction des dépenses personnelles, en raison du fait que les gens ont beaucoup de mal à changer leur train de vie.

Les prêteurs exigent parfois un gage supplémentaire tel que des obligations ou des actions afin de garantir un prêt. En matière de prêts personnels, ce gage peut prendre la forme d'une hypothèque sur le domicile en guise de nantissement ou, dans le cas d'un prêt destiné à l'achat d'une voiture, d'une hypothèque mobilière sur la voiture elle-même.

Alors que la succursale locale de votre banque n'a pas pour mission de prêter un capital de risque pour de nouvelles opérations, de tels fonds sont mis à la disposition de celui qui dispose d'autres sources de revenu ou d'une valeur nette pouvant tenir lieu de gage à la banque.

Les caisses de crédit se sont beaucoup développées à travers le pays, et dans certaines provinces, surtout en Colombie-Britannique et au Québec, elles sont devenues les principales concurrentes des banques. Ne les oubliez donc pas si vous envisagez d'emprunter.

Si vos antécédents révèlent que vous ne remboursez pas vos dettes ou que vous avez l'habitude de changer souvent de travail ou de domicile sans raison apparente, attendez-vous à frapper à de nombreuses portes avant d'obtenir votre emprunt. Bien que les prêteurs désirent de nouveaux clients et de nouvelles opérations à réaliser, ils recherchent également des clients potentiels ayant une vie stable. En guise de complément à l'entretien, les prêteurs obtiennent généralement un rapport de solvabilité concernant le demandeur.

EN MATIÈRE D'INTÉRÊT, IL N'Y A PAS QUE LE TAUX

Lorsqu'ils empruntent ou qu'ils prêtent de l'argent (et rappelez-vous que vous prêtez vraiment de l'argent, à chaque fois que vous le versez sur un compte d'épargne ou un dépôt à terme), la plupart des gens ont tendance à ne tenir compte que du taux d'intérêt.

Dans cette opération financière il y a un autre facteur tout aussi important et qu'il ne faut jamais perdre de vue: avec quelle fréquence l'intérêt est-il composé? En d'autres termes: avec quelle fréquence l'intérêt est-il calculé et perçu, versé ou ajouté au prêt, suivant le cas?

Si vous empruntez de l'argent, vous recherchez un intérêt qui soit composé aussi peu souvent que possible. Optez donc pour un intérêt qui soit composé annuellement. Par contre, si vous prêtez de l'argent, vous souhaitez que l'intérêt soit composé aussi souvent que possible. L'idéal serait un intérêt composé quotidiennement.

Pour illustrer l'importance de ce facteur de composition, voici les chiffres concernant le montant annuel des intérêts dans le cas d'un prêt de 10 000 $ avec un taux d'intérêt de 20%. Si l'intérêt est composé:

annuellement cela représente	2000 $
semestriellement cela représente	2100 $
trimestriellement cela représente	2155 $
mensuellement cela représente	2194 $
hebdomadairement cela représente	2209 $
quotidiennement cela représenterait	2213 $

Si l'intérêt était composé quotidiennement, il serait donc supérieur de presque 11% par rapport à un intérêt composé annuellement. Formulé différemment, cela revient à dire qu'avec un intérêt composé quotidiennement vous payez en fait 22,13% au lieu de 20% avec un intérêt composé annuellement. Cela représente beaucoup de gros sous. N'oubliez jamais de tenir compte de la fréquence avec laquelle l'intérêt est composé, que vous accordiez le prêt ou que vous en bénéficiiez.

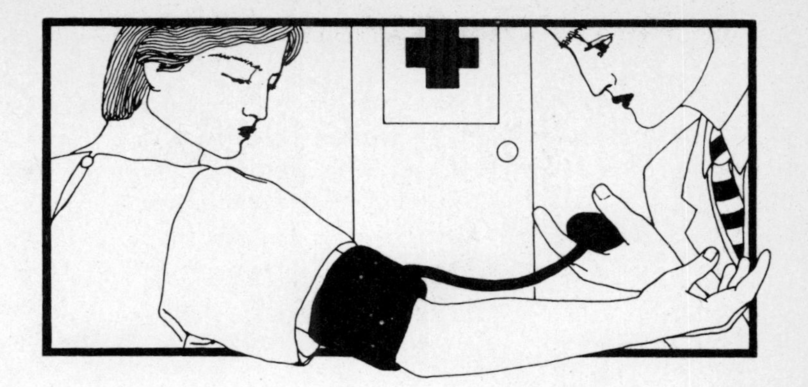

Chapitre huit
Assurance

CHOISIR UN AGENT

Avoir le bon type d'assurance est une des meilleures affaires que l'on puisse transiger. L'astuce consiste, bien sûr, à souscrire au bon type et en quantité suffisante. Cette remarque reste toujours valable, qu'il s'agisse d'assurance-vie, d'assurance-incendie ou d'une assurance aussi curieuse que celle couvrant les kidnappings. La règle d'or pour être correctement couvert en matière d'assurance, c'est de s'adresser à un agent indépendant et de bonne réputation.

Les raisons pour lesquelles il faut s'adresser à un agent d'assurance ayant une bonne réputation sont évidentes. Toutefois, celles pour lesquelles il faut s'adresser à un agent indépendant ne sont pas toujours clairement perçues. Pour pouvoir obtenir et maintenir son statut d'agent indépendant, il a dû prouver qu'il était un professionnel capable et compétent, et, ce qui est encore plus important pour vous, qu'il n'est lié à aucune compagnie particulière et qu'il peut ainsi prospecter le marché et obtenir une assurance au meilleur taux possible et dont la couverture soit adaptée à votre cas personnel.

Ne perdez pas non plus de vue qu'il est très rare que deux personnes aient les mêmes besoins en matière d'assurance. Ce qui convient à votre voisin ne vous convient pas forcément. Vos deux cas peuvent être semblables mais pas identiques. Là encore, le meilleur conseiller est un agent d'assurance. Mais n'oubliez pas que l'agent gagne de l'argent en vendant le plus d'assurances possible. Le plus sûr moyen de ne pas se faire avoir, comme nous l'avons déjà dit, c'est de s'adresser à un agent indépendant et ayant une bonne réputation. Comment en dénicher un? Comme pour tous les autres professionnels, le mieux c'est de choisir un professionnel qui vous ait été conseillé par un client satisfait.

Examinons maintenant certains types d'assurances spécifiques.

ASSURANCE-AUTOMOBILE

L'erreur la plus fréquente dans le domaine de l'assurance-automobile c'est de ne pas être suffisamment assuré. C'est un fait notoire qu'il y a encore des conducteurs de véhicules qui ne sont pas assurés du tout.

L'assurance responsabilité civile — la partie de votre police qui couvre le tiers des dommages que vous avez occasionnés — est la composante la moins coûteuse de votre police d'assurance-automobile. À notre époque, il n'en faut pas beaucoup pour qu'un accident corporel entraîne des dommages s'élevant à plusieurs centaines de milliers de dollars. Lorsqu'il y a mort d'hommes, cette somme peut rapidement atteindre le million ou plus. La responsabilité potentielle en cas d'accident ayant provoqué la mort de plusieurs personnes est vraiment effrayante. La leçon est claire. Soyez couvert au maximum en matière d'assurance responsabilité civile.

L'autre composante majeure du coût d'une assurance-automobile c'est, bien entendu, l'assurance-accident. C'est la partie de votre police qui couvre les dégâts survenus à votre voiture. Dans ce domaine, le coût est fonction du «montant déductible» (franchise) — la portion des frais de réparation que vous acceptez de payer vous-même; par exemple, les premiers 100 $, 200 $ ou autre. Une stratégie logique en matière d'assurance-accident consisterait à avoir un montant déductible relativement peu élevé sur une voiture neuve et à l'augmenter à mesure que la voiture vieillit et que la probabilité de faire réparer les dégâts mineurs diminue. En fait, vous pouvez même en arriver à ne plus avoir qu'un tas de ferraille que vous ne prendriez pas la peine de donner à réparer s'il subissait des dégâts matériels trop importants. Dans ce cas-là, vous pourriez même envisager de ne plus souscrire du tout à une assurance-accident.

Mais ne résiliez jamais votre assurance responsabilité civile.

Un autre domaine à prendre en considération, c'est celui des clauses additionnelles pouvant accompagner votre police d'assurance. Il est souvent possible de rajouter à votre police des clauses permettant de bénéficier d'une couverture supplémentaire et très intéressante, en échange d'une majoration de prix très faible, et couvrant les risques tels que les frais médicaux et le vol des effets personnels.

ASSURANCE-HABITATION

Dans ce domaine, ce dont il faut surtout se rappeler c'est que le fait de souscrire à une assurance couvrant votre logement et les biens mobiliers s'y trouvant n'est pas une considération ponctuelle et définitive. Votre formule d'assurance couvrant le logement et les biens mobiliers s'y trouvant doit être révisée tous les ans. Même si vous faites partie de ceux qui ont eu la chance de trouver du premier coup la bonne formule d'assurance, une reconduction automatique tous les ans n'est pas suffisante.

Les erreurs fréquemment commises consistent, par exemple, à ne pas informer votre agent d'assurances lorsque vous avez ajouté une annexe ou des dépendances à votre logement ou lorsque les biens mobiliers contenus dans le logement se sont enrichis d'une acquisition de valeur, comme un tableau coûteux ou un manteau de vision. Ce manque d'attention pourrait vous coûter très cher si, en cas de sinistre, votre agent d'assurance arbore un sourire compatissant et vous déclare, «désolé, ce n'est pas couvert par l'assurance».

Voici quelques points clés dont il faut discuter avec votre agent d'assurance et au sujet desquels vous devez connaître parfaitement les conditions et l'étendue de votre assurance:

1. Quels sont exactement les risques couverts? Voici le minimum de ce que votre assurance doit couvrir: incendie et autres causes accidentelles (telles que les tempêtes, la fumée, etc.) provoquant des dégâts aux bâtiments; incendie et vol concernant les biens mobiliers contenus dans le logement; responsabilité civile et frais médicaux (comme votre police d'assurance-automobile); et vol de cartes de crédit.
2. Assurez-vous de bénéficier des coûts de remplacement adéquats. Demandez à votre agent de vous communiquer tous les ans les coûts de remplacement actualisés. L'actualisation automatique en fonction de l'inflation (un pourcentage par année pour la plupart des polices de ce type) n'est peut-être pas suffisante.
3. De plus, n'assurez pas votre terrain. Il ne brûlera pas.
4. Sachez si la compagnie d'assurance exige un inventaire des biens mobiliers contenus dans le logement. C'est parfois le cas, mais pas toujours. De toute façon, c'est une bonne idée d'avoir un inventaire, même si la compagnie d'assurance ne l'exige pas. Si elle en exige un, ne le rangez pas (ni les autres pièces justificatives très précieuses en la matière) à un endroit où il brûlera aussi si le logement et les biens mobiliers s'y trouvant disparaissent dans un incendie. Si vous devez dresser un inventaire, une des meilleures façons de procéder c'est de photographier le contenu de chaque pièce. N'oubliez pas de sortir les objets des tiroirs et des armoires, ainsi que l'appareil photographique.
5. Déterminez toujours quelles sont les pièces justificatives de pertes exigées par votre police d'assurance concernant à la fois les bâtiments et leur contenu.
6. Déterminez le montant et les conditions de votre couverture, lorsque des effets personnels se trouvent hors du

domicile — par exemple dans la voiture ou dans un hôtel pendant les vacances.

7. Qu'en est-il lorsque vous êtes momentanément absent et que votre domicile n'est pas occupé, comme pendant les vacances? Faut-il que quelqu'un le surveille régulièrement? Faut-il couper l'eau? Déterminez quelle est la période d'absence concernée. Elle peut varier suivant les circonstances.

8. Il faut faire la distinction entre une maison vide et une maison inoccupée temporairement. L'abjectif vide implique l'absence de gens et de meubles. Vous n'êtes généralement couvert que pour 30 jours de «vide» et cette durée n'est peut-être pas suffisante si vous vendez, par exemple, votre maison et qu'un grand laps de temps s'écoule entre le moment où vous déménagez et le moment où le nouveau propriétaire prend possession des lieux. Une couverture plus étendue est possible en pareil cas et il vaut mieux y recourir.

9. Les biens mobiliers sont-ils couverts lors d'un déménagement? Probablement pas, et il vaut donc mieux contracter une assurance spéciale le cas échéant.

10. Si vous exercez une activité professionnelle à votre domicile, cela peut éventuellement influer sur votre couverture. Mieux vaut en parler à votre agent d'assurance.

11. Assurez-vous que les biens mobiliers contenus dans votre logement soient suffisamment couverts. Le «pourcentage de couverture-logement» automatique peut s'avérer inadéquat, surtout lorsqu'il s'agit d'objets de valeur, comme des œuvres d'art, appareils photographiques, bijoux, etc. Des polices supplémentaires ajustables peuvent vous faire bénéficier d'une couverture supplémentaire plus adéquate sans pour autant exiger que vous déboursiez beaucoup d'argent.

12. Si votre agent d'assurance vous conseille de faire procéder à une estimation du logement ou des biens mobliers s'y trouvant, assurez-vous que l'expert ait une bonne réputation. Il faut ranger les rapports d'expertise, de même que

les inventaires et autres pièces justificatives de pertes dans un lieu hors du logement, de préférence dans un coffre-fort.

13. Il est probable que la mise en place de systèmes d'alarme et de détecteurs de fumée réduira le montant de vos primes — mais seulement si votre agent d'assurance est au courant.
14. Demandez à votre agent de vous expliquer en quoi consiste l'assurance «tous risques». C'est ce dont vous avez besoin. Comme pour l'assurance-automobile, renseignez-vous en ce qui concerne les polices ajustables et les clauses additionnelles possibles. Une fois que vous avez mis au point la police d'assurance de base, il y a vraiment de très bonnes couvertures qui s'offrent à votre choix.
15. Adressez-vous au même agent pour toutes vos assurances générales (autres que sur la vie). Cela vous évitera ainsi de dépenser inutilement de l'argent pour des assurances faisant double emploi.

SOCIÉTÉ D'ASSURANCE-DÉPÔTS DU CANADA

Vous disposez peut-être d'une police d'assurance dont vous ne connaissez même pas l'existence — mais à tort, car elles pourrait influencer votre choix quant au lieu de dépôt de votre épargne. C'est la garantie accordée par la Société d'assurance-dépôts du Canada au profit des gens ayant effectué des dépôts auprès des institutions financières qui en sont «membres».

La Société d'assurance-dépôts du Canada (SADC) est une institution de la Couronne fondée en 1967 par une loi spéciale. Elle a pour mission, comme nous l'avons déjà vu, d'assurer, dans des limites clairement définies, les personnes ayant effectué des dépôts auprès d'établissements membres, en couvrant la perte de ces dépôts en cas d'insolvabilité de l'un desdits établissements.

Seules les banques, sociétés de fiducie et sociétés de prêts hypothécaires peuvent être membres de la SADC. Tout établissement de ce type constitué conformément à la loi fédérale est obligé d'être membre. Les établissements constitués conformément à la loi provinciale ne deviennent membres qu'après avoir formulé une demande officielle qui ne sera acceptée par la SADC que si le gouvernement de la province concernée a approuvé la demande de candidature et si les normes et les conditions prescrites sont respectées.

Si vous ne savez pas que vous avez affaire à un établissement fédéral, il n'y a vraiment que trois moyens de savoir si l'établissement en question est membre ou non. Il peut arborer éventuellement un signe officiel indiquant sa qualité de membre; vous pouvez vous renseigner directement auprès de l'établissement; ou bien, et c'est là le moyen le plus sûr de trouver une réponse, vous pouvez vous renseigner directement auprès de la SADC. Cet organisme se trouve à Ottawa et vous pouvez le contacter en effectuant votre demande auprès du gouvernement fédéral.

La SADC assure les comptes d'épargne et les comptes-chèques, les mandats, les récépissés de dépôt, les titres de placement garantis, les obligations sans garantie et autres obligations émanant d'établissements membres.

Le montant maximum de la garantie de dépôt, en vigueur au moment où ce livre est écrit, est de 60 000 $ par personne, c'est-à-dire par déposant, et cette limite concerne le total cumulé du principal et des intérêts. Il faut néanmoins noter que, pour être couvert par cette assurance, un dépôt à terme doit être remboursable au plus tard cinq ans après la date du dépôt.

Le montant maximum concerne le total cumulé de tous les comptes de dépôt distincts qu'une personne possède dans un même établissement. Cela comprend le total cumulé de tous les dépôts auprès de toutes les succursales d'un même établissement. La seule façon d'augmenter la couverture de l'assurance c'est de répartir vos fonds sur plusieurs établissements. Répartir vos fonds sur plusieurs succursales d'un même établissement n'est pas valable. Pour simplifier, les dépôts d'une personne sont séparément assurés au maximum dans chaque établissement membres de l'organisme. Cependant, les dépôts effectués en commun sont assurés séparément en fonction des dépôts versés à titre individuel sur le compte commun. Le compte de dépôt commun est considéré, dans ce domaine, comme une personne distincte.

La plus grande confusion règne en matière de garantie de dépôt lorsqu'il s'agit de savoir si cette dernière concerne ou non les régimes enregistrés d'épargne-retraite et les régimes enregistrés d'épargne-logement auprès des établissements membres.

Si l'on veut répondre brièvement, il faut le faire par la négative. Mais, comme c'est le cas pour presque tout aujourd'hui, une réponse aussi claire et nette n'est pas complète. Essayons donc d'éclaircir quelque peu le mystère.

Ni un REEL ni un REER ne sont en soi couverts par la garantie de dépôt. Pas plus que ne le sont les cotisations versées au titre de ces régimes. Mais n'oubliez pas qu'à chaque fois que vous effectuez un tel versement vous confiez vraiment votre argent à un curateur qui l'investit en votre nom. Ce curateur, en sa capacité d'agir en votre nom, est considéré comme une personne indépendante et distincte en ce qui concerne la garantie de dépôt. Par conséquent, si l'établissement financier place cet argent dans un type de compte de dépôt pouvant bénéficier de la garantie de dépôt — comme les dépôts à terme n'excédant pas cinq ans — il est possible de bénéficier de cette protection, dans les limites du maximum par curateur et par établissement financier.

N'oubliez pas toutefois que dans de telles circonstances c'est le curateur qui est assuré et non le bénéficiaire du régime. Si la Société d'assurance-dépôts du Canada devait intervenir pour remplir les obligations de l'établissement membre, cet organisme paierait le curateur et non le cotisant. Le cotisant devrait alors s'adresser au curateur pour être remboursé.

Cet aspect du problème soulève la question de savoir en quoi consiste la couverture de cette garantie de dépôt pour ce qui est d'un dépôt commun effectué par un curateur agissant pour plusieurs bénéficiaires. Si l'établissement membre est informé du montant des capitaux détenus par chaque bénéficiaire, alors les capitaux de chaque bénéficiaire seront assurés séparément dans les limites du maximum.

Cette question soulève un autre point important. Si vous êtes l'exécuteur testamentaire, l'administrateur ou le curateur d'une succession avec deux ou plusieurs bénéficiaires, la garantie maximale s'applique à la totalité de la succession, à moins que vous n'informiez l'établissement financier du montant revenant à chaque bénéficiaire. Si tel est le cas, chaque bénéficiaire sera assuré dans les limites du maximum.

Comme c'est souvent le cas, les choses sont légèrement différentes au Québec mais les effets restent absolument identiques en ce qui concerne les déposants.

Les dépôts effectués auprès de sociétés fédérales sont assurés par la Société d'assurance-dépôts du Canada quel que soit le lieu où ces dépôts sont effectués. Le Québec possède son propre régime de garantie de dépôt (la Commission d'assurance-dépôts du Québec). Conformément à un accord passé entre la SADC et le CADQ, les dépôts effectués au Québec auprès d'établissements provinciaux sont garantis par la CADQ, alors que les dépôts effectués hors du Québec auprès de tels établissements sont garantis par la SADC.

N'oubliez jamais que la SADC assure contre les pertes résultant uniquement de l'insolvabilité d'un établissement membre. Les autres pertes, comme le vol, ne sont pas couvertes.

ASSURANCE-VIE

Les Canadiens dépensent tous les ans des milliards de dollars en prime d'assurance-vie, mais beaucoup ne savent pas à quel type d'assurance souscrire, auprès de qui ou pour quel montant.

Lorsqu'il s'agit d'acheter une nouvelle voiture, la plupart d'entre nous passent tout naturellement des journées entières à lire attentivement des brochures, à visiter des salons d'exposition, à tester des modèles et à comparer avec des amis. Mais dès lors qu'il s'agit de souscrire à une assurance-vie — un produit plus important et souvent plus coûteux qu'une voiture — la plupart des Canadiens ne savent pas faire la différence entre un bon et un mauvais filon.

Malheureusement, seuls leurs survivants apprennent à faire cette différence.

Les Canadiens sont déjà les gens les plus assurés du monde par tête d'habitant.

Malgré cette préoccupation presque morbide, quoique nécessaire, de la préparation à la mort, de nombreux Canadiens sont sous-assurés, paient beaucoup trop pour leur assurance-vie et ne souscrivent souvent pas au bon type d'assurance.

À qui la faute? Eh bien! à tout le monde. C'est la faute des individus qui font preuve d'une telle insouciance en ce qui concerne un produit qui leur coûtera plusieurs milliers de dollars au fil des années. C'est la faute de la société qui fait preuve d'un excès de zèle en faisant de la mort une affaire commerciale. Bien que nous dépensions beaucoup d'argent en matière de protection, la plupart d'entre nous n'aiment pas penser à une mort prématurée et à l'épreuve que cela infligerait à leurs survivants. C'est la faute du secteur professionnel de l'assurance-vie qui ne facilite pas assez les choses aux consommateurs. Ce secteur s'entoure de tout un réseau déroutant de technicités actuarielles, de termes complexes n'étant absolument pas indispensables et de chiffres fastidieux. Il en résulte que la plupart des gens souscrivant à une assurance-vie sont complètement désorientés.

Vous pouvez économiser entre quelques dollars et quelques milliers de dollars en matière d'assurance-vie si vous respectez les quelques principes de base suivants:

1. Posez des questions et comparez les prix. Cela peut sembler difficile, car il existe des centaines de sociétés proposant des assurances-vie au Canada et chacune d'entre elles utilise ses propres termes pour désigner différents types d'assurance. Mais, il existe des guides et il n'est pas

nécessaire d'examiner la structure de tarification de chaque compagnie. Cependant, il faut faire quelques comparaisons, car les prix d'un même produit varient souvent beaucoup.

2. Sachez ce que vous voulez acheter — en d'autres termes, ce que vous voulez protéger. C'est là l'aspect le plus complexe, mais aussi le plus déterminant, en matière de souscription à une assurance-vie.

La plupart des gens souscrivent à une assurance-vie pour remplacer une source de revenu qui disparaîtrait à la suite d'un décès.

Voici un exemple. Un homme de trente ans avec une hypothèque, un emprunt lié à l'achat d'une voiture et deux jeunes enfants remplit généralement ses obligations grâce à un chèque de paie mensuel. S'il décède, sa famille aura toujours besoin d'un chèque de paie quelconque pour régler les factures.

Chaque individu a des besoins différents mais, en règle générale, un salarié sans avoirs substantiels et ayant des personnes à charge devrait envisager de souscrire à une assurance-vie équivalant à environ dix ou douze fois son salaire annuel.

Le montant peut varier suivant l'âge que vous avez (plus vous êtes jeune, si vous avez des personnes à charge, plus le montant de l'assurance dont vous avez besoin est élevé), les autres avoirs dont vous disposez et le nombre de personnes à charge.

Si vous achetez pour 200 000 $ d'assurance, elle rapporterait, à un taux d'intérêt de 10%, 20 000 $ de revenu par an à vos survivants. Mais au fil des années, l'inflation peut largement entamer le pouvoir d'achat de cet argent, et vos survivants peuvent éventuellement se voir obligés de toucher le capital pour maintenir un niveau de vie décent.

C'est indubitablement l'AVA (assureur-vie agréé) qui est le plus compétent en matière d'assurance-vie. Si l'agent auquel vous avez affaire n'est pas un AVA, il vaut mieux également demander son avis à un AVA. De nombreuses personnes pensent aussi que c'est une bonne idée de faire contrôler les conseils donnés par tout agent d'assurance (AVA ou non) par un conseiller indépendant, tel qu'un comptable, un avocat, un banquier ou toute autre personne compétente en qui on a confiance. En effet, jusqu'à ce que vous ayez trouvé un agent d'assurance-vie indépendant (un agent qui n'est pas obligé de vendre le produit d'une compagnie particulière, mais qui peut librement vous proposer la meilleure solution — ce qui pourrait être le cas, même s'il travaille au siège ou dans une succursale d'une compagnie particulière) en qui vous ayez entière confiance, il n'est pas superflu de demander avis auprès d'une deuxième personne. Cependant, si vous choisissez cette solution, il est préférable que vous, l'agent d'assurance et votre autre conseiller vous réunissiez tous ensemble avant de prendre une décision définitive. Cela vous fera gagner du temps en permettant ainsi à vos deux conseillers de confronter directement leurs désaccords sans que vous ayez besoin de faire la navette entre eux. Mais n'oubliez jamais que l'agent d'assurance est le plus compétent en matière d'assurances.

Il serait faux de prétendre qu'on ne peut pas faire confiance au secteur de l'assurance — on le peut. Le problème qui se pose, c'est que les agents d'assurance sont des êtres humains et que certains d'entre eux essaient parfois de vendre un produit qui correspond plus à leurs intérêts en matière de commission qu'à vos besoins en matière d'assurance. Mais, comme nous l'avons déjà souligné, un agent d'assurance indépendant ayant de l'expérience et jouissant d'une bonne réputation dans ce secteur d'activité en sait plus sur l'assurance-vie que n'importe quel comptable, avocat ou banquier. Il vous faut donc marcher sur une corde raide. La marche à suivre suggérée au paragraphe précédent est probablement la meilleure. Reportez-vous à la page 99 pour savoir comment traiter avec un agent d'assurance. Si vous comprenez mieux le problème, vous éprouverez moins de difficultés à l'aborder.

ASSURANCE PERMANENTE «EN CAS DE DÉCÈS» OU ASSURANCE TEMPORAIRE

Il existe deux types d'assurance-vie, aussi valables l'un que l'autre, mais chacun conçu pour répondre à des besoins tout à fait différents: permanente «en cas de décès» et «temporaire». Le type d'assurance-vie dont la plupart des gens ont besoin c'est l'assurance-vie temporaire.

L'assurance temporaire est moins coûteuse car elle protège des personnes appartenant à des tranches d'âge où le taux de mortalité est faible. Même à l'âge de 60 ans il n'y a que relativement peu d'assurés qui décèdent. Par conséquent, les primes annuelles sont relativement peu élevées. Les primes temporaires sont généralement beaucoup moins élevées que les primes permanentes pour les gens jeunes.

Alors que l'assurance temporaire fournit une protection temporaire, disons, pendant un an, cinq ans, ou jusqu'à un certain âge, l'assurance «en cas de décès» fournit une protection en permanence, toute votre vie durant. Les primes sont plus élevées, car il y a plus de risques que la société d'assurance ait à verser une indemnité de décès. Le cas échéant, elle devra payer, à moins que la police ait été interrompue pour défaut de paiement des primes ou résiliée.

L'assurance «en cas de décès» peut être utile pour ceux qui ont un patrimoine imposable, des associés, des problèmes particuliers de personne à charge (par exemple, un héritier handicapé), qui sont susceptibles de traverser une période temporaire pendant laquelle ils ne pourraient pas être en mesure de payer les primes, qui ont de bonnes raisons de croire qu'ils pourraient un jour être inassurables, ou si l'assurance sera toujours nécessaire.

Mais trop de gens se retrouvent avec des assurances permanentes «en cas de décès» très coûteuses pour la simple raison qu'ils ne sont pas bien informés. Et les sociétés d'assurance-vie ne sont pas enclines à décourager ce flux de primes supplémentaires — surtout que de nombreuses polices d'assurance «en cas de décès» ne versent jamais d'indemnité de décès. Elles sont souvent interrompues pour défaut de paiement ou sont rachetées avant le décès de l'assuré, par exemple lorsque l'assuré s'aperçoit que sa police d'assurance ne correspond pas à ses besoins ou qu'il n'en a plus les moyens.

Nombreux sont ceux qui n'ont pas besoin d'assurance pendant leurs vieux jours et qui ne devraient donc pas payer d'assurance. La plupart des gens envisagent de prendre leur retraite à 65 ans, et espèrent avoir une indépendance financière d'ici là. S'ils ne sont pas indépendants financièrement d'ici là, les primes d'assurance-vie payées à cet âge ne feraient qu'entamer encore plus leurs revenus.

Si vous êtes pratiquement sûr de ne pas avoir besoin d'assurance lorsque vous serez âgé, pourquoi essayez de payer des primes «en cas de décès» très coûteuses lorsque vous êtes encore jeune?

Cela ne veut pas dire que l'assurance «en cas de décès» soit une mauvaise chose. Non. Mais ses usages sont limités, et il vaut mieux que vous les connaissiez avant d'apposer votre signature sur la ligne en pointillé.

Une dernière recommandation: méfiez-vous des agents d'assurance-vie qui essaient de vendre des polices d'assurance «en cas de décès» en prétextant qu'elles constituent un bon placement pour votre épargne.

En effet, l'assurance «en cas de décès» n'implique pas la notion d'épargne, bien que les sommes d'argent entraînées par de telles polices d'assurance fassent parfois penser à des économies accumulées.

La valeur en espèces d'une police d'assurance «en cas de décès» appartient à la compagnie d'assurance-vie et non à l'assuré. Si vous désirez retirer une partie de vos «économies», la compagnie d'assurance-vie percevra un intérêt sur ce qu'elle appelle un «prêt». Le montant de votre «prêt» sera en même temps déduit du montant de votre couverture, sans pour autant entraîner une réduction du montant de la prime.

Mais cela soulève un point intéressant. Si vous avez une police d'assurance «en cas de décès» avec une valeur de rachat en espèces (ce que l'on appelle l'élément «d'épargne»), il est probable que vous puissiez «emprunter» en échange à un taux d'intérêt très raisonnable. Vous pourrez ainsi éventuellement gagner de l'argent en empruntant tout simplement le plus possible et en versant les gains réalisés sur des dépôts à terme. Mais réfléchissez bien avant d'effectuer une telle opération. Et n'oubliez pas que votre «prêt» réduit la couverture de votre assurance.

Examinons maintenant les situations où l'assurance «en cas de décès» peut être souhaitable.

On dit souvent qu'il y a deux choses dont on peut être sûr: la mort et les impôts. Cependant, l'assurance «en cas de décès» peut faciliter le paiement de ces derniers pour les personnes qui étaient à votre charge ou vos associés, lorsque la première éventualité se produit. Cette remarque concerne très peu de Canadiens, la plupart n'ayant ni successions imposables ni associés — mais si tel n'est pas le cas, ou si vous entrez dans l'une des catégories évoquées précédemment, examinez attentivement l'assurance «en cas de décès».

La raison principale qui préside à la souscription à une assurance «en cas de décès», c'est que l'on peut ainsi disposer immédiatement d'une somme d'argent au moment du décès. Cet argent peut être utilisé pour payer les impôts survenant à la suite du décès (comme les impôts sur les gains en capital présumés), ou pour régler les frais de funérailles et d'inhumation, ou bien encore, dans le cas d'une entreprise, pour disposer de fonds permettant de faciliter une transition pouvant s'avérer quelque peu difficile, à la suite de la disparition d'un responsable important. L'assurance temporaire ne correspond pas à un tel besoin car elle atteint des coûts prohibitifs — pour devenir finalement impossible à financer — à mesure que l'on avance en âge.

Mais pour la majorité des gens, de telles considérations restent purement théoriques, pour la bonne et simple raison qu'ils n'auront pas besoin de cette somme d'argent disponible que procure l'assurance «en cas de décès» au moment de la vieillesse, et ils ne devraient donc pas souscrire à une telle assurance.

La plupart d'entre nous n'ont pas à se préoccuper des frais de succession. Pour ce qui est des frais d'enterrement, de nombreux Canadiens peuvent y subvenir par le biais d'un petit compte d'épargne. Sinon, une petite police d'assurance «en cas de décès» d'un montant de 5000 à 10 000 $ peut éventuellement être rentable.

Dans le milieu des affaires il est très fréquent de souscrire à une assurance «en cas de décès». Des associés peuvent, par exemple, s'assurer l'un l'autre pour une somme importante, de telle sorte que si l'un décède, l'autre disposera des fonds nécessaires pour racheter les parts de son associé décédé, payer les dettes importantes de la compagnie et survivre à la première année.

Si, par exemple, un associé avait besoin d'emprunter pour racheter les parts détenues par un associé décédé, cet emprunt pourrait engloutir la plus grande partie des bénéfices avant impôts d'une société, alors qu'une police d'assurance «en cas de décès» à prime unique ne coûterait qu'une fraction de cette somme. Dans un tel cas, l'assurance «en cas de décès» correspond aux besoins.

Même après que vous avez pris votre décision en ce qui concerne le type d'assurance-vie vous convenant le mieux — temporaire ou «en cas de décès», et pour la plupart des gens cela devrait être l'assurance temporaire — il vous faudra encore faire votre choix parmi un certain nombre d'options aux désignations toutes plus fascinantes les unes que les autres. C'est ainsi qu'on se voit proposer des régimes à prime unique, des régimes mixtes et dernier survivant, des régimes à primes de niveau, des régimes à terme dégressif, des régimes convertibles et ainsi de suite.

On pourrait écrire des livres entiers au sujet de ces diverses options. Je me permettrai ici simplement de vous conseiller d'être absolument sûr de comprendre parfaitement ce à quoi vous souscrivez. Le meilleur moyen d'y parvenir, c'est encore de traiter de façon ferme, objective et appropriée avec l'agent d'assurance.

Une fois que vous avez déterminé le montant et le type d'assurance-vie dont vous avez besoin, essayez donc d'obtenir autant d'assurance temporaire de groupe qu'il est possible d'obtenir dans votre cas. C'est généralement le type de couverture le moins coûteux que vous puissiez trouver en matière d'assurance-vie. La plupart des employeurs proposent des régimes d'assurance-vie de groupe, et vous pouvez souvent obtenir davantage que la couverture minimale proposée en payant une modique prime supplémentaire. Renseignez-vous à ce sujet.

Si vous faites partie d'une organisation professionnelle, d'une fraternité ou d'un syndicat, ces organismes proposent souvent une assurance temporaire de groupe à des prix défiant toute concurrence. Renseignez-vous également à ce sujet.

COMMENT TRAITER AVEC UN AGENT D'ASSURANCE-VIE

Que pouvez-vous faire pour vous protéger lorsque vous avez à faire à des agents d'assurance-vie? Il y a de fortes chances pour que vous ayez affaire à quelqu'un de compétent et d'honnête, mais à moins de connaître parfaitement ce domaine — ou l'agent d'assurance personnellement —, vous ne pouvez être sûr de rien.

L'assureur en saura plus que vous en matière d'assurance-vie. Il parlera à tout le moins avec un ton de voix très étudié et vous ne disposerez d'aucun argument pour rétorquer.

Mais il y a plusieurs choses très simples que vous pouvez faire, par exemple:

1. Insistez pour que l'assureur simplifie les choses. N'ayez pas honte de votre manque de connaissance. Posez toutes les questions de toute nature qui vous viennent à l'esprit, même si elles vous semblent idiotes.
2. Parlez avec plusieurs assureurs. Faites-en venir deux ou trois chez vous et veillez à ce qu'il y en ait au moins un qui vous propose une assurance temporaire. De cette façon, vous n'aborderez pas le problème de l'assurance-vie que sous un seul aspect (et il y en a de nombreux).

3. Faites savoir à chaque assureur ce que les autres vous ont proposé. Il y a deux éléments principaux dont il faut tenir compte — le coût et l'indemnité. Enfin, téléphonez à plusieurs autres compagnies pour obtenir des indications de prix quant à la police et à l'importance de la couverture que vous estimez les mieux adaptées à vos besoins. Vous encouragez ainsi la concurrence parmi les agents d'assurance-vie et leurs compagnies, et vous aurez au moins le choix.

ASSURANCE-INVALIDITÉ

La plupart des jeunes soutiens de famille courent davantage le risque de devenir invalides avant l'âge de 65 ans que de décéder. Cependant, nombreux sont ceux qui n'imagineraient pas un instant ne pas avoir d'assurance-vie et qui poursuivent joyeusement le cours de leur vie sans être couvert d'une quelconque façon contre l'invalidité.

Il faut être sûr de bénéficier d'une forme quelconque d'assurance-invalidité au cas où vous seriez dans l'incapacité de travailler. De nombreux employeurs proposent une assurance-invalidité de groupe et de nombreux syndicats et organisations professionnelles proposent également de tels régimes. Il en va de même pour les confréries ou les clubs. Enfin, il y a, bien sûr, les compagnies d'assurances.

Les détails techniques de l'assurance-invalidité sont encore plus complexes et déroutants que les réglementations en matière d'assurance-vie. Voici donc quelques conseils à suivre lorsque vous souscrivez à une telle assurance:

1. Comme toujours, adressez-vous uniquement à un agent ou à une compagnie d'assurance ayant une bonne réputation.
2. Soyez sûr d'avoir bien compris toutes les clauses de votre contrat. Pour toucher une indemnité, faut-il, par exemple, que vous soyez complètement invalide, ou bien suffit-il d'avoir une invalidité vous permettant quand même de continuer à exercer votre occupation normale?

3. Si vous bénéficiez de plusieurs types de couvertures, comme un régime de groupe sur votre lieu de travail ainsi qu'un régime proposé par une organisation privée ou professionnelle, soyez sûr que l'un n'annule pas l'autre. Si tel est le cas, vous payez toute une série de primes sans espoir d'obtenir quelque chose en retour.

Ce qu'il ne faut surtout pas oublier, c'est que si vous n'avez pas d'assurance-invalidité, vous faites courir autant de risques aux personnes à votre charge que si vous n'aviez pas d'assurance-vie.

Chapitre neuf
Les banques suisses

Le simple fait de mentionner le terme de banques suisses évoque des visions de mafia, d'argent lié à la drogue, de jet set et de milliardaires. De telles visions sont assez éloignées de la vérité à propos des banques suisses.

Cependant, il y a toujours une part de vérité dans les mythes. Les banques suisses ont acquis une réputation de liberté financière, de secret et de stabilité. Les Suisses ont connu une liberté monétaire sans commune mesure dans d'autres pays du monde. Lorsque les conditions économiques mondiales se détériorent, les gouvernements ont tendance à imposer des réglementations telles que le contrôle des changes, le contrôle des prix et des salaires et l'interdiction de détention d'or. Les Suisses ont tendance à éviter un tel excès de réglementation.

La stabilité politique et économique de la Suisse, incarnée par sa neutralité dans les conflits mondiaux et par l'absence de réglementation gouvernementale inattendue et imprévue, a permis aux banquiers suisses d'acquérir une réputation basée sur des notions de fiabilité, de compétence et d'efficacité.

Les clients des banques suisses peuvent être sûrs que leurs opérations bancaires resteront confidentielles, exceptions faites de quelques cas qui seront évoqués ultérieurement. Le concept du secret a été ancré dans les lois bancaires suisses dès 1934 et il a été révisé et réaffirmé pas plus tard qu'en 1971. Ces lois s'appliquent aux banques et à leurs directeurs et employés.

Quiconque divulguerait des renseignements obtenus en sa qualité de directeur ou d'employé de banque pourrait être passible d'une peine de prison ou d'une amende très élevée. La mise en place de ces mesures remonte à l'époque du régime nazi où la Gestapo avait recours à la corruption, au chantage et à d'autres moyens détournés pour obtenir des informations concernant les avoirs à l'étranger des citoyens allemands.

Cependant, l'obligation du secret est rompue lorsqu'un intérêt public important se heurte à l'intérêt personnel du client de la banque quant au respect de l'anonymat. La législation du secret bancaire ne protège pas les activités illicites de détenteurs de comptes. En cas d'incendie volontaire, de faillite, de chantage, de fraude fiscale, de falsification de documents, de crime de droit commun et de crime organisé, de meurtre, de trafic de drogue et d'armes, conformément au jugement rendu par un tribunal suisse, les banques divulgueront des renseignements aux autorités attitrées. Toutefois, en cas de délits politiques, militaires, de délits en matière de contrôle des changes ou d'évasion fiscale, qui sont répréhensibles dans d'autres pays, la Suisse décline toute coopération sur le plan juridique.

Au cours de ces dernières années, les médias ont largement évoqué les lois du secret bancaire suisse, à la suite des critiques sévères dont a fait l'objet cette tradition bancaire de la part d'autres pays, et surtout des États-Unis. La Suisse a signé plusieurs traités avec d'autres pays, afin de coopérer sur le plan juridique pour poursuivre les cas délictueux lorsque le délit dont il s'agit est également considéré comme délit par le droit suisse. Dans les cas d'évasion fiscale au Canada et aux États-Unis, consistant à ne pas déclarer ou à ne pas payer tout ou partie des impôts, ce qui est considéré comme un délit dans ces pays, le fisc n'a pas pu obtenir d'informations au sujet de comptes bancaires suisses des suspects, car la simple évasion fiscale n'est pas considérée comme un délit en Suisse, d'où le refus de divulguer des renseignements; cette attitude a alimenté l'accusation de complicité de délit. La Suisse exige que ses lois soient respectées, de même qu'elle n'essaie nullement d'appliquer ses propres lois ailleurs.

Grâce à sa réputation de liberté, de secret et à la stabilité de son système politique et de sa monnaie, la Suisse a attiré un important afflux de capitaux venus du monde entier. Les divers services proposés par les banques suisses comprennent les opérations bancaires commerciales, la gestion de portefeuille, les hypothèques, le financement du marché des capitaux, et des services de dépôt et de garde. L'aspect le plus largement évoqué du système bancaire suisse, le compte numéroté, est la pratique bancaire suisse la plus mal comprise. Essayons de tirer au clair certains malentendus concernant le fonctionnement de ce type de compte.

Qu'a donc le compte suisse numéroté de si particulier? Tous les comptes en banque sont numérotés. La différence c'est que l'identité du détenteur d'un compte suisse ne figure pas sur la carte de compte et qu'elle n'est connue que de quelques hauts responsables de la banque. Toutes les instructions concernant les transactions s'effectuent par le biais de ce seul numéro de compte.

Voici comment ouvrir un compte suisse numéroté. En premier lieu, le compte doit généralement être ouvert personnellement et, selon la banque choisie, cela pourrait nécessiter un petit voyage en Suisse. Rude pénalité à payer. Toutefois, quelques grandes banques suisses ont ouvert des succursales à Toronto et à Montréal, et il serait donc certainement possible d'ouvrir un compte ici. Le directeur de banque vous demandera certainement une lettre de références, des renseignements concernant votre activité professionnelle, vos avoirs et votre situation de famille. Une carte avec signature, représentant votre «signature» codée, est fichée. Si d'autres membres de la famille sont autorisés à avoir accès au compte, leurs signatures codées seront elles aussi fichées. Cette signature codée constitue le fameux numéro, qui peut très bien être un simple numéro ou un nom de code et un numéro.

La plupart des banques ne prescrivent pas de soldes minimums, mais pourraient éventuellement refuser d'ouvrir un compte pour un faible montant. On a vu des gens ouvrir un compte avec quelques centaines de dollars, mais il vaudrait mieux avoir pour cela quelques milliers de dollars à sa disposition. La raison invoquée par certaines banques qui refusent d'ouvrir de petits comptes, réside dans les frais de gestion et la paperasserie que cela entraîne. Les frais de service sont minimes.

Sous réserve de votre admission comme client par la banque, vous détenez maintenant un compte numéroté. Si vous le désirez, il peut consister en sous-comptes pour devises étrangères et titres, ou en services de dépôt et de garde de métaux précieux et d'œuvres d'art. Les instructions écrites concernant tous ces comptes doivent porter votre signature codée. Elles ne sont jamais signées du vrai nom. Les transactions peuvent être effectuées par institution écrite, par téléphone ou en personne. Dans ce dernier cas, la transaction a lieu dans une pièce privée avec la seule présence du directeur ou d'autres hauts responsables de la banque. Conformément à la loi suisse, les chèques doivent être signés du vrai nom. Si vous désirez préserver votre anonymat, la banque peut émettre un chèque pour vous, en échange d'une somme insignifiante.

Il y a plusieurs avantages à avoir un compte numéroté. En premier lieu, la position géographique centrale de la Suisse en Europe facilite les communications avec d'autres pays industrialisés. La neutralité de la Suisse au cours des guerres mondiales, de même qu'une très longue période de paix ininterrompue ont contribué à la stabilité et au développement économique du pays. Ce sont là des facteurs qui jouent un rôle important en matière de placements, et ces avantages ont attiré vers la Suisse un afflux très important de capitaux, à mesure que les conditions économiques, politiques et sociales se détérioraient dans d'autres pays. Historiquement, les Suisses ont accordé la liberté de change aux résidents et aux non-résidents, ce qui permet à chacun de convertir ses devises en d'autres devises. Cependant, certaines directives restrictives ont été adoptées en 1975 et en 1976 concernant les placements des non-résidents en devise suisse.

La libre détention d'or et d'autres métaux est également autorisée. Cela renforce l'attrait du compte numéroté, étant donné que le transfert d'une devise menacée en francs suisses protège la valeur de l'avoir et que l'anonymat du compte numéroté est une garantie de sécurité.

Le compte numéroté permet également de n'encourir aucune poursuite. Dans les pays où se pratique, par exemple, le contrôle des changes, un individu peut transférer des fonds sur un compte numéroté sans laisser de traces. Lorsque cet individu et les avoirs qu'il possède se trouvent en dehors du pays de résidence, les avoirs peuvent être utilisés sans aucun risque. Pour éviter que le gouvernement du pays de résidence n'ait vent de l'existence d'un tel compte, vous pouvez demander à ce que toute la correspondance ne sorte pas du cadre de la banque.

En Amérique du Sud, et dans les pays d'Europe de l'Est et du Moyen-Orient, la nationalisation de mines, de puits de pétrole et d'usines a laissé derrière elle de nombreux propriétaires mécontents et sans aucune récompense pour les efforts fournis auparavant. Dans l'éventualité d'une menace de nationalisation, les bénéfices des participants étrangers pourraient être transférés sur des comptes numérotés pour éviter de tout perdre lorsque intervient la nationalisation.

Les lois ayant institué le secret bancaire assurent protection et discrétion aux détenteurs de comptes. De nombreux personnages publics, tels des hommes politiques, des gens du spectacle et des vedettes de cinéma apprécient l'anonymat du compte numéroté et en possèdent pour cette raison. Tous les comptes suisses sont concernés par le secret bancaire et c'est cette caractéristique supplémentaire des comptes numérotés que de nombreux individus considèrent comme une nécessité. Les avantages qu'il y a à détenir un compte numéroté sont évidents en ce qui concerne certaines personnes, telles celles évoquées ci-dessus, mais il faut également tenir compte des inconvénients avant de prendre sa décision.

Certains inconvénients sont purement psychologiques. Beaucoup se sentent sécurisés par le fait de garder leurs économies et leurs placements près de chez eux et éprouvent un certain désagrément à détenir des avoirs à des milliers de kilomètres de distance, et ce, malgré les excellentes références de la Suisse. Les comptes numérotés constituent une offense à la légalité et à la moralité dans de nombreux pays, et il y a toujours cette appréhension que l'on éprouve en pensant aux ennuis qui vous attendent si jamais les autorités découvrent la vérité.

Les résidents canadiens et les personnes résidant aux États-Unis ont parfaitement le droit d'avoir des comptes numérotés. Cependant, dans le cas des États-Unis, une réglementation oblige à mentionner tous les avoirs détenus à l'étranger sur la déclaration d'impôts annuelle. Tant que le compte ne rapporte rien, il ne peut y avoir d'évasion fiscale. Au Canada, on perçoit un impôt sur le revenu mondial des résidents et si le compte vous rapportait des intérêts ou des dividendes, il faudrait le mentionner. De plus, lorsque des comptes en devises étrangères sont fermés et que les fonds sont rapatriés, toute plus-value de la devise étrangère par rapport au dollar canadien peut être imposable.

Pour en revenir aux États-Unis, bien que les pénalités infligées en cas de non-déclaration d'avoirs détenus à l'étranger puissent ne pas être élevées, il n'en reste pas moins que la découverte faite par les autorités supprime tout anonymat. Après avoir soupesé les avantages du secret et les conséquences potentielles en cas de découverte de la vérité, chacun pourra prendre une décision ne l'empêchant pas de dormir la nuit.

Le virement de fonds sur un compte suisse sans laisser de traces rencontre un obstacle. Les banques canadiennes gardent la trace de tous les chèques encaissés sur microfilm. Toutefois il est possible de virer de petites sommes par mandats ne nécessitant pas la signature de l'expéditeur et vous pouvez en envoyer plusieurs à la fois. L'utilisation de traites bancaires est également possible. Vous pouvez toujours, bien entendu, bourrer un sac avec de l'argent et faire un petit voyage.

Dans les pays qui appliquent le contrôle des changes, le virement de fonds peut être une opération coûteuse. Il faut d'abord, illégalement, acheter des devises fortes au marché noir dans le pays de résidence. Une prime assez élevée sera perçue sur les devises, selon le montant de la transaction et les cotations de la devise à l'échelle locale et internationale. Le courtier qui s'occupe du virement de fonds perçoit également une commission.

Le problème des impôts suisses se pose également. En ce qui concerne les dépôts et les titres suisses détenus par les non-résidents et qui rapportent des intérêts ou des dividendes, les banques retiennent un impôt à la source lorsque ce revenu est versé sur le compte. À l'heure actuelle, il existe une convention fiscale entre le Canada et la Suisse allégeant quelque peu le fardeau fiscal.

La Suisse, comme je l'ai dit précédemment, impose de temps en temps certaines restrictions limitant l'afflux de fonds étrangers. Il vaut mieux vous tenir toujours informé de l'évolution de la situation en la matière.

Maintenant que les avantages et les inconvénients du compte numéroté ont été passés en revue, c'est à vous de prendre votre décision. Même si ce n'est pas toujours rentable, beaucoup ne peuvent résister à un certain snobisme.

Chapitre dix
Gains de loterie

Ce chapitre ne concerne pas les gens riches qui ont l'habitude de brasser de fortes sommes d'argent. Nous allons vous donner quelques conseils vous indiquant la marche à suivre au cas où vous tireriez le gros lot à un jeu de hasard ou à la loterie. Il n'existe, bien sûr, pas de réponse générale pouvant s'appliquer indifféremment à toutes les circonstances, et il est bien évident que le fait de gagner à la loterie ne changerait pas énormément la façon de vivre de certains. Mais voici en quelques mots ce que les gagnants devraient logiquement faire.

Examinons tout d'abord le cas d'un gros gagnant — si votre numéro correspond au gros lot d'un million de dollars. Ce que vous ferez ce soir-là et le lendemain peut éventuellement déterminer le cours de toute votre vie à venir. Il est donc bon d'y réfléchir.

D'abord, refrénez votre envie de sortir dans la rue et de crier cette bonne nouvelle sur les toits. Ensuite, même si vous vous trouvez à Tobermory, Charlottetown ou Moose Jaw, sautez dans le premier avion et rendez-vous au siège de la loterie pour y être le matin dès l'ouverture. Le million de dollars pourrait vous rapporter quelques centaines de dollars d'intérêt par jour et tout retard mis à retirer votre gain signifie une perte d'argent.

Mais il y a d'autres sujets de préoccupation que celui de l'argent dans le cas d'un gros lot d'un million de dollars. Il se peut que vous ne puissiez pas échapper à une certaine publicité, étant donné que les loteries insistent presque toujours pour que vous acceptiez que votre nom soit rendu public lorsqu'il s'agit de très gros gains. Cela signifie qu'une horde de «chasseurs» d'argent à temps plein, y compris des parents et des amis moins chanceux, seront ainsi au courant de la bonne nouvelle. Vous serez inondé de demandes d'argent; vous serez non seulement sollicité par des mendiants et des détraqués, mais aussi par des œuvres de bienfaisances, des représentants, des consultants, des conseillers en matière de placements et des gens désireux de se lancer dans une nouvelle affaire en espérant bien, cette fois, réussir. N'oubliez pas non plus les maîtres-chanteurs. Des gens ont été déjà enlevé pour bien moins qu'un million.

L'autre personne dont il faut également vous méfier n'est autre que vous-même. Refrénez votre envie de sortir et d'acheter des voitures de luxe et des bijoux clinquants. Ne prenez en effet aucune décision précipitée. Après avoir touché votre gain et placé l'argent pour qu'il vous rapporte des intérêts, remboursez toutes vos dettes et surtout votre hypothèque. Versez ensuite tout l'argent, excepté 10 000 $, sur un compte de dépôt à terme garanti sur trois mois auprès de votre banque. Vous me suivez jusque-là? Emportez maintenant vos 10 000 $, votre petite famille et votre crème à bronzer, disparaissez vers un lieu enchanteur et secret et prenez environ un mois de vacances.

Pourquoi disparaître? Pour échapper à la notoriété avec toutes les tentations et les dangers possibles qu'elle comporte, et pour prendre le temps de vous habituer à votre soudaine richesse. Votre argent est bloqué sur un compte auquel vous ne pouvez pas toucher, et les intérêts qui s'accumulent suffiront largement à payer vos vacances. Une fois la première euphorie passée, vous serez bien plus à même de décider exactement quoi faire de votre argent — quoi acheter, comment le placer et combien dépenser. Vous aurez certainement besoin de l'assistance d'un professionnel pour gérer vos opérations financières. Adressez-vous à un professionnel compétent et de bonne réputation.

La chose de loin la plus importante c'est de ne pas perdre la tête le premier soir ou le lendemain matin. Un million changera certainement votre façon de vivre, mais cela devra se faire d'une façon et à un rythme que vous pourrez contrôler.

Une autre chose à ne pas faire c'est de mener immédiatement une vie de millionnaire. Si vous déménagez pour aller vous installer dans un quartier de riches et essayez de vous introduire dans leur milieu, il y a de fortes chances pour que vos amis de longue date (sans parler des parents) n'entretiennent plus de relations avec vous et que vos nouveaux collègues ne vous acceptent pas non plus. Changez lentement et prudemment de train de vie.

Que faire maintenant si vous gagnez 100 000 $? Cela représente une belle petite somme d'argent. Un tel magot ne vous permettra pas de réaliser vos rêves les plus fous de richesse et de luxe, mais il peut satisfaire vos besoins immédiats d'argent et vous apporter un certain confort et une certaine sécurité. Il y a plusieurs choses à faire et à ne surtout pas faire avec vos cent billets de mille dollars.

Ne donnez pas tout de suite votre démission à votre employeur. Une somme de 100 000 $ n'est pas suffisante pour cesser de travailler, à moins d'approcher de l'âge de la retraite et de disposer de bien d'autres éléments assurant une sécurité financière. Le revenu annuel provenant de placements tout à fait sûrs ne suffirait pas, et de loin, à vous faire vivre confortablement.

Ne vendez pas votre maison valant 60 000 $ pour ajouter le montant de cette vente aux 100 000 $ et acheter avec tout cet argent une maison de 160 000 $ dans les quartiers résidentiels. Vous aurez toujours votre hypothèque et d'autres dettes, et vous vous apercevrez éventuellement que les impôts et autres dépenses qu'implique une maison plus vaste sont au-dessus de vos moyens.

Cent mille dollars permettent, disons, de bien démarrer dans la course de la vie, mais n'autorisent pas à changer complètement de train de vie et de courir indéfiniment.

Voici maintenant ce que vous devriez faire. Touchez d'abord immédiatement votre argent et déposez-le à la banque pour qu'il vous rapporte des intérêts. Remboursez ensuite toutes vos dettes et surtout votre hypothèque, ce qui vous permettra d'avoir ainsi 15 à 20 ans d'avance sur vos amis et voisins moins chanceux. Vous pourriez, par exemple, laisser l'argent à la banque pendant environ vingt ans, en doublant ainsi presque la somme, mais l'intérêt serait imposable, alors que l'intérêt de l'hypothèque, à un taux plus élevé, n'est probablement pas déductible, ce qui signifie que le coût réel en intérêts risque d'être presque le double du taux que vous connaissez. Mieux vaut liquider le plus vite possible le problème de l'intérêt de l'hypothèque, d'autant plus que la valeur de votre logement continuera d'augmenter.

Ensuite, mais pas avant, vous pouvez acheter certaines choses dont vous avez besoin ou que vous désirez, comme une nouvelle voiture, des meubles, une petite maison de campagne ou vous payer des vacances extraordinaires.

Voici une possibilité que de nombreuses personnes pourraient envisager. Si vous êtes déjà propriétaire de votre logement, ou si vous ne souhaitez pas l'être, utilisez les 100 000 $ pour améliorer votre vie. Si votre travail vous déplaît, ou s'il y a quelque chose que vous auriez toujours voulu faire, par exemple, passer un diplôme, apprendre un métier ou écrire des romans, votre aubaine vous permet d'essayer de réaliser ce rêve. En vivant sur les intérêts et en consommant prudemment le principal, vous pouvez vous accorder au moins trois ans, et peut-être plus, au cours desquels vous aurez toute liberté de poursuivre votre ambition personnelle — c'est là une chance, il faut bien l'admettre, qui s'offre à très peu de personnes.

Le plus important, toutefois, c'est de ne pas perdre la tête à la suite d'un gain de 100 000 $. Ne donnez pas immédiatement votre démission et ne spéculez pas avec l'argent. Remboursez toutes vos dettes — le facteur clé en matière de prospérité financière à long terme —, accordez-vous un peu de bon temps, faites-vous plaisir et placez ensuite sagement ce qui vous reste, éventuellement dans des titres de placements garantis, des obligations d'épargne du Canada et autres valeurs sûres.

Chapitre onze

Investir dans l'immobilier

Il y a plusieurs façons d'investir dans l'immobilier: être propriétaire de son logement, posséder une résidence secondaire, posséder une maison que l'on loue à d'autres, être propriétaire de terrains non bâtis, détenir des actions dans des sociétés immobilières et enfin placer son argent dans des hypothèques. Les deux premières possibilités mentionnées — être propriétaire de son logement ou d'une résidence secondaire — constituent probablement les placements les plus fréquents et certainement les plus importants qu'effectuent les gens. Il est toutefois curieux de constater que de nombreuses personnes ne les considèrent pas comme des placements: elles mettent surtout l'accent sur le fait qu'ils permettent de combler un besoin ou de réaliser un souhait. Ces types de placements sont également les plus familiers à la plupart des gens. Cependant, certains éléments y ayant trait ne sont pas bien compris par tous: d'où certaines idées fausses.

Ce chapitre vous rappellera des choses que vous avez oubliées en matière de placement immobilier, en clarifiera d'autres et révélera peut-être certaines considérations auxquelles vous n'aviez absolument pas pensé.

VOTRE MEILLEUR PLACEMENT

Votre résidence représente probablement le meilleur placement que vous puissiez faire. Bien que le logement ne constitue pas un moyen tout à fait parfait de se prémunir à long terme contre l'inflation — mais, à ce moment-là, il n'en existe aucun —, c'est lui qui s'approche le plus de la perfection dans ce domaine. Ajoutez à cela qu'aucun impôt sur les gains en capital n'est perçu sur l'augmentation de la valeur tant que ce logement constitue votre résidence principale, et vous vous rendrez compte qu'il est difficile de trouver meilleur placement à long terme.

En outre, aucun autre placement ne renferme une telle valeur utilitaire. Nous avons tous besoin d'avoir quatre murs autour de nous, un toit au-dessus de nos têtes et un endroit tenant de salle de bains.

De plus, il n'existe probablement aucun autre placement dont nous puissions aussi régulièrement profiter quotidiennement. Et avec l'apparition des ordinateurs domestiques, des jeux vidéo, de la télévision payante et autres, cette tendance ira vraisemblablement en s'accentuant.

La leçon est claire. Si vous avez les moyens d'acheter, ne louez pas. Même si vous êtes obligé de choisir un logement moins agréable ou un quartier moins plaisant, il vaut bien mieux être propriétaire que d'être dans la rue et de voir les prix des propriétés continuer à grimper hors de votre portée.

Bien que la plupart des gens achètent leur maison (et surtout leur première) en fonction des moyens financiers dont ils disposent, il y a un certain nombre de points qu'il ne faut pas oublier. Le prix de la maison en elle-même ne représente qu'une partie de son coût total. Il faut également tenir compte du coût des intérêts dans le financement de cet achat. Vous allez aussi devoir payer un certain nombre de frais supplémentaires lesquels étaient précédemment compris dans le montant de votre loyer, comme les réparations, l'assurance, les taxes foncières et l'eau; et, dans certains cas, l'électricité et le chauffage.

Lorsque l'on achète une maison, il faut également tenir compte de certains frais uniques. Ce sont les frais d'actes, de déménagement, les impôts de cession de propriété foncière dans certaines juridictions, et d'autres «règlements de liquidation» comme le remplissage du réservoir à mazout et les impôts fonciers déjà payés par le vendeur pour la période de l'année en cours où vous serez propriétaire.

Il est rare de trouver une maison dans laquelle vous puissiez emménager sans avoir à faire de menues réparations. En général, il vous faudra effectuer quelques petits travaux de décoration et d'améliorations, et vous aurez besoin aussi de tentures, de rideaux, de meubles et d'outils supplémentaires. Si vous habitez dans un appartement, vous n'avez sûrement pas de tondeuse à gazon, de râteau et de pelle à neige.

Tous ces frais doivent être pris en compte.

Un autre élément à prendre en considération c'est de savoir si vous voulez acheter une maison ancienne ou neuve? Voici certains points à ne pas oublier au moment de faire votre choix. Avec une maison ancienne, vous êtes généralement en position de négocier des objets comme les tentures, les installations fixes et les appareils ménagers. Si vous préférez acheter une maison neuve, n'oubliez pas que vous partez vraiment de zéro. Une maison neuve est habituellement complètement vide — pas d'appareils ménagers, pas de tapis, pas d'installations fixes et pas de tentures. Ces articles vous coûteront très cher si vous êtes obligé de les acheter à l'état de neuf.

Et comment trouver une maison qui vous convienne? Il existe deux façons de procéder: soit que vous vous inscriviez auprès d'une agence immobilière qui entreprend les recherches pour vous, soit que vous regardiez vous-même dans le journal.

Si vous vous inscrivez auprès d'une agence immobilière, il vous suffit de dire à l'agent de combien d'argent vous disposez et de lui faire part du quartier où vous voulez habiter. L'agent vous téléphonera dès qu'il y aura quelque chose de disponible. Il ne vous en coûtera rien.

C'est le moment d'acheter une brochure des *Tableaux d'Amortissement des Intérêts.* C'est ce qu'il y a de plus utile et qu'il faut garder à portée de la main, lorsque vous voulez acheter une maison. Cette brochure vous indique le montant des remboursements mensuels d'hypothèque et le taux d'intérêt que vous paierez durant la période d'amortissement choisie. Elle est très facile à obtenir. La plupart des librairies la vendent et si elles ne l'ont pas en rayon, elles vous la commanderont.

Lorsque l'agent immobilier vous fait visiter des maisons, n'ayez pas peur de regarder dans les armoires et les placards. Si les personnes qui vendent leur maison sont présentes, posez-leur des questions et demandez-leur, par exemple, le montant mensuel des factures de chauffage. La maison est-elle isolée? Pendant combien de temps l'ont-ils habitée? Quels sont les moyens de transport à proximité? Quand vous avez trouvé une maison qui vous intéresse vraiment, revenez une autre fois et visitez-la de nouveau avant de faire une offre.

Si vous avez visité cette maison au moins deux fois et êtes sûr de pouvoir payer les factures mensuelles et rembourser l'hypothèque, faites une offre d'achat.

Demandez à l'agent immobilier de rédiger cette offre. Assurez-vous d'avoir dressé une liste de tous les éléments devant rester dans le logement, comme les installations fixes, la télévision, la cuisinière, le réfrigérateur, la machine à laver et la sécheuse — ne vous contentez pas d'inscrire le terme appareils ménagers. Si vous le désirez, vous pouvez y joindre certaines clauses indiquant entre autres que «ce logement n'a jamais été isolé avec de la mousse d'uréeformol (MIOUF). Une autre clause pourrait stipuler que les propriétaires actuels du logement doivent tout emporter avec eux au moment du déménagement, exception faite des éléments figurant sur votre liste. Vous n'avez certes pas envie d'emménager et de constater que les anciens propriétaires ont laissé tous les vieux meubles et les vieilleries qu'ils n'estimaient pas utile d'emporter avec eux dans leur nouveau logement.

Maintenant que votre offre d'achat est prête, quoi qu'en dise l'agent immobilier, ne signez rien! Consultez un avocat.

Une offre d'achat est un document juridique qui engage et qui doit être soigneusement examiné par un avocat compétent en matière d'affaires immobilières. Il est également important de consulter un avocat de votre choix. Ne vous adressez pas au même avocat que celui du vendeur ou de l'agent. Dépenser un peu de temps et d'argent sur le moment peut vous faire économiser une fortune en dollars et en déceptions ultérieurement.

Lorsque vous envisagez d'acheter une maison, n'oubliez pas qu'au cours des dernières années les gouvernements fédéral et provinciaux ont instauré de nombreux régimes divers permettant de faciliter l'accession à la propriété et destinés surtout à aider ceux qui achètent pour la première fois. Le Régime enregistré d'épargne-logement en est un bon exemple. De temps en temps, les deux échelons gouvernementaux ont également instauré des aides financières temporaires pour l'accession à la propriété. Étant donné que ces régimes vont et viennent et qu'ils changent presque à l'occasion de chaque nouveau budget fédéral et provincial, il n'est pas souhaitable de les examiner ici en détail, car cela pourrait semer une certaine confusion dans les esprits. Mais si vous envisagez d'acheter une maison, et surtout si c'est votre premier achat du genre, renseignez-vous en ce qui concerne les aides gouvernementales ou les allègements fiscaux dont vous pouvez éventuellement bénéficier. Votre comptable, votre avocat, votre directeur de banque ou un responsable de société de gestion devrait pouvoir vous renseigner.

De nombreuses remarques figurant sous la rubrique «Acheter une maison de campagne» concernent également votre résidence principale. Poursuivez votre lecture.

MAISONS DE VACANCES

Vous devriez peut-être envisager l'achat d'une petite villa, une ferme, un chalet ou tout autre maison de vacances pour vous protéger des méfaits de l'inflation.

On associe généralement ce genre de résidence aux vacances familiales ou à une retraite de campagne où on peut profiter de la vie au grand air. Toutes les maisons de vacances bien situées offrent de tels avantages, mais elles peuvent en outre représenter un investissement judicieux.

Il convient de citer un exemple. Supposons que vous disposiez de 35 000 $ que vous avez l'intention de placer, en replaçant les intérêts tous les ans afin de vous constituer un petit pécule de retraite. La première chose dont il vous faut tenir compte c'est que les intérêts sont imposables — et pour de nombreuses personnes, cela représente une perte de 40 à 50 pour cent des gains.

Supposons que vous placiez cet argent à un taux de 10 pour cent. Cela vous rapporterait 3500 $ au cours de la première année, mais avec un taux d'imposition de 50 pour cent, vous paieriez 1750 $ d'impôt sur le revenu. Votre investissement s'élèverait à un total de 36 750 $. Au bout de cinq ans, vous disposeriez environ de 45 000 $.

Cela semble intéressant, n'est-ce pas? Eh bien non, car l'inflation aura probablement bien entamé la valeur de votre argent. Au cours de ces dernières années, l'inflation a atteint au Canada une moyenne de plus de 10 pour cent. Si on répercute tous les ans et pendant cinq ans une perte de 10 pour cent due à l'inflation sur ces 45 000 $, il s'avère que cette somme d'argent ne représentera plus qu'environ 25 000 $.

Votre pécule diminue rapidement.

Supposons maintenant qu'au lieu de mettre de côté, à perte, vos 35 000 $, vous ayez acheté une petite maison au bord d'un lac. On est en droit de penser que la valeur de la maison et du terrain augmentera au fil du temps. De toute façon, vous pouvez être sûr qu'à long terme votre maison se maintiendra au même niveau que l'inflation.

Au bout de cinq ans — si on prend toujours un taux d'inflation annuel de 10 pour cent —, la maison aura au moins atteint une valeur de 56 000 $. Cette somme représente tout simplement l'équivalent, en dollars «gonflés» par l'inflation, de vos 35 000 $ actuels.

Cependant, il vous aura fallu payer certains frais sur la maison: impôts fonciers, électricité, entretien, etc., que l'on peut chiffrer à 700 $. Si on répercute un taux d'inflation de 10 pour cent, ces frais s'élèveront environ à 1000 $ d'ici cinq ans, ce qui fait un total d'environ 4200 $ pour les cinq ans. Retranchez cette somme de la valeur de la maison «gonflée» par l'inflation, et vous ne pouvez plus compter que sur 51 800 $.

Mais il faut tenir compte des immobilisations incorporelles.

On peut tout d'abord supposer que vous et votre famille aurez contribué, au fil des années, à augmenter la valeur de la maison grâce à vos propres efforts. Défricher le terrain, améliorer le rivage, disposer des plates-bandes de fleurs, planter des arbustes, etc., sont des tâches que vous et votre famille accomplirez de toute façon, et des améliorations augmentent sensiblement la valeur de revente de la maison.

Vous pouvez également apporter vous-même des améliorations au bâtiment, par exemple, redécorer, construire des meubles encastrés et même peut-être agrandir ou construire une annexe servant à loger les hôtes. À la revente, vous obtiendrez bien plus qu'un simple remboursement.

De plus, vous n'aurez aucun mal à louer votre maison pendant les périodes où vous n'y habiterez pas, afin de compenser les frais divers.

Vous économiserez également sur les frais de vacances, à chaque fois que vous passerez vos vacances dans votre propre maison.

Enfin et surtout, il faut savoir que la valeur des belles maisons très bien situées a toujours augmenté plus rapidement à long terme que l'inflation moyenne. Les fortes densités de population ainsi que la relative pénurie des lieux de villégiature contribueront à augmenter la valeur de revente de votre maison au fil des années. Le tout c'est de bien choisir — avec accès direct à un plan d'eau connu et recherché, et situé à trois ou quatre heures de voiture, pas plus, d'une grande agglomération.

Personne ne peut prévoir l'avenir et vous ne pouvez donc jamais être parfaitement sûr que toute décision d'ordre financier que vous prendrez aujourd'hui s'avérera la meilleure qui soit d'ici cinq ans. Si l'inflation diminuait de façon considérable, les choses pourraient prendre une toute autre tournure, mais c'est une hypothèse assez improbable.

L'hypothèse la plus vraisemblable, confirmée par l'expérience, c'est que vous pourrez à la fois profiter agréablement de votre maison et vous constituer un petit pécule pour la retraite.

ACHETER UNE MAISON À LA CAMPAGNE

Une vieille maison, de l'air pur, un jardin, le calme et la tranquillité, la promesse d'une vie agréable loin des rues de la ville, voilà le rêve qui pousse les gens à se ruer vers la campagne en quête d'un lieu enchanté. Réussir à découvrir son paradis ou à le reconnaître dès le premier regard, c'est une autre histoire.

Trouver une maison à la campagne et acheter une maison en ville sont deux choses totalement différentes. À Champêtreville, les affaires se traitent à un rythme plus paisible et beaucoup moins effréné.

Si vous voulez vous lancer dans une telle aventure, voici quelques conseils qui pourront vous faciliter un peu la vie:

1. Choisissez une région qui vous intéresse et prenez le temps d'apprendre à bien la connaître. Parcourez les routes, arrêtez-vous dans les boutiques et aux stations-service et faites parler le propriétaire au sujet de maisons qui pourraient être à vendre au cas où il y aurait un acheteur. Surveillez les journaux locaux et visitez les maisons qui sont à vendre. Demandez à des courtiers immobiliers locaux de vous montrer tout ce qui pourrait correspondre, ne serait-ce que vaguement, à ce que vous recherchez. Il n'y a pas meilleur moyen de savoir ce qu'on aime et ce qu'on n'aime pas.
2. Documentez-vous sur les vieilles maisons et lisez surtout les articles énumérant les problèmes posés par leur remise en état. Il est utile de savoir qu'un bâtiment dont la façade paraît en assez piteux état mais dont les fondations sont

solides vous durera éventuellement plus longtemps qu'un genre de ranch peint impeccablement mais dont le sous-sol n'est pas étanche et présente des infiltrations.

3. Soyez sceptique lorsque l'on vous vante les mérites d'une maison et rappelez-vous que si on vous fait part de quelques imperfections, vous pouvez parier qu'elles seront de taille.
4. Posez des questions embarrassantes, du genre: «Il n'est pas possible de chauffer l'étage en février, n'est-ce pas?»
5. N'achetez jamais de maison à la campagne en été. Il faut bien sûr regarder, mais il faut surtout examiner à fond, montrez que vous êtes intéressé si besoin est, mais ne faites pas d'offre. Le mois d'octobre ou encore mieux une journée pluvieuse de novembre sont tout indiqués pour parler argent. En été, la campagne présente un aspect suffisamment agréable pour vous jeter de la poudre aux yeux. Les vendeurs et les agents immobiliers le savent et modifient leurs prix en conséquence. Vers la fin de l'automne par contre, votre manoir du mois de juillet risque fort de ressembler à la maison du film *Psychose*.
6. Évitez à tout prix de vous laisser séduire par une caractéristique particulière de la maison. L'étang au bas de la colline ne vous tiendra pas chaud en janvier. On profite mieux d'une vieille grange sur un tableau accroché au mur que par une ébauche de fenêtre. Posséder une maison «bien à l'écart de la route» vous permet d'être tranquille en été, mais cela devient une vraie malédiction en hiver et au printemps.
7. Examinez le terrain. Parcourez-le en compagnie du courtier ou du vendeur et déterminez approximativement où se trouvent les limites. Le fait de parcourir le terrain à pied constitue également le meilleur moyen de détecter d'éventuels marécages. Essayez de savoir si quelqu'un jouit d'un droit de passage à travers la propriété.
8. Examinez le puits et le système d'égout. Si le puits est peu profond, il vous faudra certainement en forer un autre un jour ou l'autre, et c'est une opération coûteuse. S'il n'y a

pas de fosse septique, il vous en faudra probablement une.

9. Examinez la maison. Il vaut mieux inspecter la maison que vous envisagez d'acheter en compagnie d'un entrepreneur, mais vous pouvez très bien voir vous-même si les travaux nécessaires feront la joie d'un bricoleur ou s'ils seront plus importants, et ce, grâce à quelques petits outils, comme une lampe, un pique à glace, un mètre à ruban, des jumelles, du papier et un crayon. Commencez par le sous-sol. S'il est sec, c'est un bon début. Si les fondations semblent nécessiter de gros travaux, remerciez le propriétaire et partez. Utilisez la lampe pour examiner les coins et les poutres. Si les poutres ont l'air molles, plantez la pique à glace dedans. Si vous sentez du bois solide sans pour cela aller trop en profondeur, c'est qu'elles sont probablement bonnes. Examinez les fils électriques. Il y a de fortes chances pour qu'il faille les remplacer. Vérifiez la plomberie. Si elle n'est pas en cuivre, il faudra certainement la remplacer également. Localisez la chaudière — s'il y en a une. À moins qu'elle ne soit à eau chaude ou à air pulsé, il vous en faudra probablement une nouvelle. Examinez attentivement les murs des chambres et des pièces où on séjourne. Si le plâtrage est gondolé ou s'il présente des taches d'humidité, il faut le remplacer par des panneaux de revêtement. Faites un plan à l'aide d'un mètre de ruban et notez tous les murs de soutènement (ils forment généralement un angle droit par rapport à la poutre de soutènement, mais pas toujours). Leur suppression entraîne des frais exorbitants. Il faut que les fenêtres s'ouvrent et se ferment facilement. S'il y a une cheminée, éclairez-en le conduit. Il faut qu'il soit dégagé. Demandez ce qu'il en est de l'isolation thermique: quoi qu'on vous dise, il faudra sûrement la renforcer.
10. À l'extérieur, observez le toit à la jumelle. À moins qu'il ne semble en parfaite condition, il aura certainement besoin d'être réparé.
11. Arrivé au bout de toutes ces opérations, dressez une liste de toutes les transformations nécessaires pour rendre la

maison habitable — nouveau toit, fils électriques, plomberie, chaudière, isolation thermique, etc. Évaluez approximativement ce qu'il en vous coûtera pour réparer ou remplacer chaque élément. Additionnez les montants, doublez le résultat, ajoutez 20% de ce total au prix demandé, et vous aurez une idée de ce que vous coûtera le paradis.

12. Si la vie à la campagne vous attire toujours, faites une offre.

IMPÔTS FONCIERS

De nombreux Canadiens continuent d'une année à l'autre à payer trop d'impôts fonciers. Les différentes municipalités évaluent les maisons situées sur leur territoire et perçoivent les impôts de manière différente. Il y a très peu d'uniformité dans ce domaine à travers le pays, et ce qui est encore plus important, c'est que chaque méthode d'évaluation et d'imposition dépend en grande partie du jugement personnel du contrôleur des contributions.

Il en résulte que de nombreux contribuables paient soit trop, soit trop peu d'impôts fonciers, et la municipalité se fera un plaisir d'en corriger le montant si les faits réels lui sont présentés en temps voulu et si une rectification est justifiée.

Si vous estimez que vous avez été victime d'une imposition foncière injuste, cela peut valoir le coup d'attaquer l'hôtel de ville en justice. Vous avez autant de chances d'obtenir une réduction de votre imposition en interjetant appel. Mais l'avantage de cette deuxième solution c'est qu'elle est gratuite; il ne vous en coûtera que du temps et des démarches.

Si vous êtes trop occupé pour avoir le temps de rechercher la valeur marchande de votre logement et de documenter un recours, votre conjoint ou même vos grands enfants peuvent éventuellement le faire à votre place. Obtenir une réduction de l'imposition est en effet une procédure relativement simple et vous n'êtes généralement pas obligé de consulter un professionnel. Il y a des démarches très précises que vous pouvez effectuer vous-même afin d'obtenir une réduction en cas d'imposition injuste.

Assurez-vous d'abord que cette imposition concerne effectivement votre résidence. Aussi étrange que cela puisse paraître, les avis d'imposition sont parfois mal adressés ou ne concernent pas la bonne résidence.

S'il s'agit bien du bon avis d'imposition, la première démarche à effectuer c'est de comparer la valeur de votre résidence avec celle des autres situées dans le voisinage. Cela vous demandera pas mal de travail, mais la comparaison entre la valeur des différentes résidences du quartier constitue l'élément principal d'un recours et vos efforts s'en trouvent souvent récompensés.

Voici quelques démarches que vous pouvez entreprendre pour savoir si vous avez été victime d'une erreur d'imposition:

1. Dressez une liste de quelques résidences se trouvant dans votre quartier et ressemblant beaucoup à la vôtre. Faites figurer sur cette liste celles qui présentent les mêmes caractéristiques que la vôtre, comme garage, piscine, similitude de taille, etc. Si des résidences comparables sont à vendre dans votre quartier, c'est encore mieux. Vous pouvez ainsi faire établir la valeur marchande par votre agent immobilier.

2. Rendez-vous auprès du bureau local d'inscription et vérifiez si les renseignements se rapportant à votre résidence ont été correctement transcrits.

3. Demandez au bureau local d'imposition l'autorisation de consulter les listes sur lesquelles figurent des résidences de votre voisinage. Sur ces listes, vous pouvez contrôler les évaluations figurant en face des résidences inscrites sur votre propre liste. Il vous suffit d'inscrire en face de chacune d'elles les valeurs de vente.

4. Grâce à ces renseignements, vous devriez pouvoir établir des taux d'imposition en fonction des valeurs marchandes pouvant être comparés au taux qui a été calculé pour votre résidence. Une fois que vous connaissez ces taux, vous pouvez savoir si vous avez de bonnes raisons ou non

d'introduire un recours. Si votre imposition diffère de celle des autres, votre cause est défendable.

5. Essayez de savoir si le contrôleur a respecté les direcvtives de l'acte d'évaluation concerné. Pour cela, il vous faudra éventuellement vous adresser à un spécialiste, comme un conseiller en matière d'impôts fonciers ou un ancien contrôleur travaillant à son compte, et de tels services sont fort coûteux. Ce n'est valable que dans des cas exceptionnels.
6. Téléphonez au bureau d'imposition du district et prenez rendez-vous de façon informelle avec le contrôleur. S'il a commis une erreur, accordez-lui la possibilité de la rectifier. Si l'évaluation est fausse, le contrôleur prendra généralement immédiatement note de l'évaluation rectifiée.

En abordant ainsi le problème, vous évitez de perdre davantage de temps à maintenir votre appel. Mais si la tentative de négociation échoue, introduisez officiellement un recours.

Prévoyez de prendre un jour de congé pour assister à une séance de la commission d'appel avant votre audience pour voir comment cela se passe; accordez-vous un autre jour de congé pour réunir des données supplémentaires et assister au recours.

N'oubliez pas que la commission d'appel peut diminuer vos impôts mais qu'elle peut aussi les augmenter; il faut donc être sûr de votre cause avant de vous rendre à une telle convocation. Rappelez-vous également que les dates limites pour interjeter appel ne sont pas «élastiques»; la commission n'acceptera votre recours que pour les impôts fonciers de l'année en cours. C'est un point très important dont il faut tenir compte, car les périodes d'appel sont relativement courtes. Vérifiez soigneusement sur votre avis d'imposition la date limite du recours ainsi que l'organisme ou la personne à qui il faut adresser ce recours.

Le processus de l'appel en lui-même est en général assez simple. Commencez par inscrire les raisons de votre recours au dos de votre avis d'imposition et adressez-le aux autorités compétentes.

Lorsque la date de l'appel a été fixée, vous pourrez défendre efficacement votre cause si vous procédez de la façon suivante:

1. Prenez le temps de préparer plusieurs copies de votre recours, de façon à ce que tous les membres de la commission puisse suivre votre raisonnement.
2. Limitez votre argumentation aux points pertinents. Vous retiendrez ainsi l'attention de la commission.
3. Défendez votre cause avec pièces à conviction à l'appui, telles que des diagrammes indiquant les valeurs comparables de résidences semblables dans votre quartier. Des photos peuvent également avoir une certaine utilité, mais n'en abusez pas.
4. Résumez votre intervention en indiquant à la commission quel devrait être le montant de l'imposition et pourquoi.

Même si vous êtes débouté à ce niveau du recours, vous avez ensuite la possibilité d'interjeter appel auprès de la commission provinciale. Mais réfléchissez bien avant de prendre une telle décision. À ce stade, vous devenez un demandeur officiel et vous aurez besoin d'un avocat. Ce qui a commencé comme une simple procédure gratuite pourrait finir par vous coûter très cher en frais de justice.

Néanmoins, les probabilités d'obtenir gain de cause sont telles que cela vaut le coup d'essayer et d'interjeter appel. Au moins la moitié des propriétaires de logement qui introduisent un recours obtiennent effectivement une réduction du montant de leurs impôts fonciers. Enfin et surtout, n'oubliez pas qu'il y a un principe en jeu: pourquoi donner au percepteur plus d'argent que ce que vous devez déjà lui donner? N'oubliez pas qu'économiser un dollar en impôts c'est avoir un dollar entier dans sa poche.

VENDRE SA MAISON SANS COURTIER

Quand on sait que les frais de courtage engloutissent jusqu'à 6% du produit de la vente, on comprend d'autant mieux l'irrésistible tentation qu'il y a à vendre sa maison de particulier à particulier, sans recourir à un courtier ou à un agent immobilier. Mais, dans ces conditions, pourquoi plus de 90 % des centaines de milliers de maisons vendues chaque année au Canada continuent-elles à transiter par un agent immobilier? Pour la simple raison que vendre une maison n'est pas aussi simple qu'on pourrait le penser à première vue. Examinons de plus près cette affirmation.

Si vous faites vous-même office de courtier, sans recourir à un professionnel, n'oubliez pas qu'il vous faudra faire preuve de patience. Vendre sa maison tout seul prend généralement plus de temps que lorsqu'on s'adresse à un agent immobilier, car ce dernier peut contacter davantage d'acheteurs éventuels grâce à des systèmes assez étendus de publicité et d'inscription.

N'oubliez pas non plus qu'il vous faudra vraisemblablement dépenser entre plusieurs centaines et plusieurs milliers de dollars pour attirer les acheteurs vers votre maison.

Si vous décidez de vendre par vous-même, commencez par arranger le mieux possible votre maison. Rien ne fait fuir plus rapidement d'éventuels acheteurs que de la peinture qui s'écaille ou les ordures de la veille entassées dans un coin. Il faut replâtrer ou repeindre les murs sales ou fissurés; de même que la façade, si besoin est. Si les arbustes ou le gazon entourant votre maison ne sont pas beaux, ne craignez pas d'engager un jardinier pour les remettre en forme.

Une fois que votre maison est propre et nette, il y a quelques opérations à entreprendre qui vous permettront de mener à bien votre vente.

1. Fixer votre prix en fonction de la valeur marchande du moment. Que ce prix ne soit pas trop élevé. La plupart des vendeurs déterminent le juste prix en tenant compte du prix de vente d'autres maisons situées dans le même quartier ou en téléphonant à des agents immobiliers pour obtenir des renseignements concernant les inscriptions annoncées. Certains vont même jusqu'à faire venir chez eux des agents immobiliers en prétextant se renseigner sur une inscription. Mieux vaux faire appel à un expert

professionnel. Pour quelques centaines de dollars, un expert prendra en considération toutes les maisons vendues dans votre quartier et tiendra compte des différences entre votre maison et celles ayant été vendues récemment. L'expert rédigera un rapport détaillant le mode de calcul du prix, et vous le communiquera. N'ayez pas peur d'utiliser cette expertise comme instrument de vente. Il s'agit d'une évaluation indépendante. C'est également une pièce justificative de la valeur de votre maison acceptée par la plupart des établissements financiers octroyant des hypothèques, et ce document constitue également un élément important dont d'éventuels acheteurs peuvent tenir compte.

2. Après avoir fixé le prix, informez le détenteur de l'hypothèque et voyez s'il est disposé à prêter de l'argent à un acheteur et, si oui, quelle somme et à quelles conditions — ce sont là des renseignements utiles et nécessaires à d'éventuels acheteurs.

3. Apposez une affiche. Celle-ci doit être claire et simple. Si vous n'avez pas envie que des étrangers fassent irruption chez vous à n'importe quelle heure, mentionnez «sur rendez-vous». Sinon, il suffit d'indiquer «À vendre» et votre numéro de téléphone.

4. Votre mise en vente aura plus d'audience si vous faites paraître une petite annonce dans le journal. Prévoyez de dépenser quelques centaines de dollars si vous devez maintenir l'annonce assez longtemps. Renseignez-vous toujours en matière de tarifs hebdomadaires ou mensuels avant de faire paraître une annonce. Celle-ci doit mentionner l'emplacement, le type de logement, les caractéristiques marquantes, le prix demandé (augmentez-le, si vous voulez disposer d'une marge de manœuvre pour marchander) ainsi que votre numéro de téléphone ou casier postal.

5. Demandez à votre avocat de revoir toute offre que vous envisagez d'accepter. Informez-le également des droits

de rétention concernant votre maison, de manière à prendre les dispositions nécessaires pour les suspendre avant que votre maison ne soit vendue. Un bon avocat vous fera également part des vices de forme éventuels concernant l'offre que vous envisagez d'accepter. Les honoraires perçus par l'avocat varient d'une transaction à l'autre, mais les honoraires perçus dans le cas d'une vente relativement simple sont très raisonnables si on considère le coût possible d'une mauvaise vente.

6. Une fois que vous avez examiné une offre sérieuse avec votre avocat, consultez le détenteur de l'hypothèque pour vous assurer que tout soit bien en ordre.
7. Demandez à l'acheteur d'accompagner son offre d'un dépôt d'arrhes (généralement la moitié de l'acompte). Votre avocat gardera cet argent jusqu'à ce que la vente soit conclue. Si l'acheteur ne paie pas le restant de l'acompte, les arrhes sont généralement confisquées.
8. Votre avocat doit préparer l'état de l'hypothèque, s'assurer que les taxes ont été payées, s'occuper des transferts d'assurance et répondre aux questions posées par l'acheteur. Après que vous avez vendu votre logement, votre avocat doit également vous fournir un rapport écrit indiquant comment le problème des hypothèques a été réglé, ainsi que d'autres détails.

Lorsque votre affiche est apposée et que votre campagne de publicité est en cours, attendez-vous à être contacté par des courtiers immobiliers. Ils essaieront de vous convaincre qu'ils sont en mesure de vendre votre logement plus rapidement que vous et d'obtenir un meilleur prix. Certains vous diront même qu'ils ont un acheteur «recherchant exactement le même type de logement que le vôtre et prêt à payer le prix que vous demandez. Signez juste cette déclaration d'inscription». Avant de changer d'avis, consultez votre avocat.

Si vous décidez de vendre par vos propres moyens, vous éprouverez non seulement la satisfaction de savoir que vous y êtes arrivé tout seul, mais vous aurez peut-être aussi économisé ainsi quelques milliers de dollars.

S'ADRESSER À UN AGENT IMMOBILIER

D'un autre côté, la plupart des agents immobiliers sont formés pour faire exactement ce que vous essayez de faire, à savoir vendre votre maison.

Un agent immobilier dispose de moyens permettant de faire connaître votre mise en vente auprès du plus grand nombre de personnes, et ce, soit en inscrivant votre logement uniquement auprès de son agence pendant une certaine période, soit en recourant à un service d'inscriptions multiples (SIM). Ce service consiste à envoyer une description de votre logement avec photo à l'appui à tous les membres de votre comité immobilier local. Avec une inscription exclusive, vous acceptez de n'être inscrit qu'auprès d'un seul agent immobilier pendant une période déterminée et à un taux de commission déterminé.

Que vous optiez pour une inscription exclusive ou le SIM, prenez le temps de lire et d'examiner ce qui est imprimé en petits caractères sur votre contrat. D'après certains contrats, par exemple, il vous faudra payer la commission de l'agent immobilier, même si l'acheteur se désiste à la dernière minute et que la vente ne se fait pas. Le mieux, c'est de vous en tenir à un contrat vous permettant de verser la commission de l'agent immobilier uniquement lorsque la vente est conclue.

Que pouvez-vous attendre de votre agent immobilier en échange de cette commission? Voici quelques-unes de démarches qu'un agent compétent devrait entreprendre pour vendre votre maison:

1. *Procéder à une estimation globale.* Après avoir examiné votre maison, un bon agent devrait être capable de vous conseiller un prix et d'expliquer pourquoi et comment il en est arrivé à ce prix. Mais n'oubliez jamais que c'est à vous de fixer le prix.
2. *Établir une stratégie de marketing* pour vendre votre logement. Votre agent immobilier doit déterminer quels sont les moyens susceptibles d'obtenir les meilleurs résultats — soit une inscription exclusive, soit le SIM. Il faut qu'il

vous expose ces plans en détail. Il doit également faire passer des petites annonces dans des journaux quotidiens, aux frais de l'agence.

3. *S'entretenir en votre nom avec les acheteurs éventuels.* Les acheteurs potentiels contactent directement votre agent immobilier. Ce dernier doit les accompagner lors de la visite de votre logement, et cette visite des lieux doit s'effectuer avec votre accord et à un moment qui vous convient. Votre agent est tenu par la loi de vous faire part de toutes les offres, même si certaines sont très en dessous du prix que vous demandez. Bien qu'on ne procède pas à un contrôle de solvabilité au sujet d'un acheteur éventuel, votre agent doit se porter garant des acheteurs éventuels en se renseignant au préalable sur les moyens dont ils disposent pour acheter votre logement. Cette simple démarche peut vous éviter pertes de temps et frustrations inutiles.
4. *Négociez votre vente.* Bien que votre avocat s'occupe de la majeure partie de la transaction, votre agent immobilier peut accepter des arrhes de la part d'un acheteur et les garder en dépôt jusqu'à ce que cet acheteur verse le restant de l'acompte et que la vente soit conclue.

ACHETER DES PROPRIÉTÉS IMMOBILIÈRES À L'ÉTRANGER

Les gens achètent souvent des propriétés immobilières en dehors du Canada soit en guise de simple placement, soit pour s'y réfugier de temps à autre et se changer ainsi les idées. Même si vous savez tout ce qu'il faut savoir en matière de propriétés immobilières canadiennes, à la minute même où vous franchissez la frontières les règles du jeu changent complètement. Les lois diffèrent, les habitudes changent et il y a toujours des problèmes et des solutions propres à chaque pays, même dans le cas d'un pays dont le type de société ressemble fort au nôtre. Les États-Unis ne font pas exception à la règle.

Voici quelques conseils utiles si vous envisagez d'acheter des propriétés immobilières à l'étranger:

1. *Enquêtez sur le promoteur.* L'intégrité et la stabilité d'un promoteur constituent souvent les facteurs les plus importants. Parlez avec d'anciens clients et jetez si possible un coup d'œil sur les précédents du promoteur. Renseignez-vous également auprès des autorités de l'État et de la US Federal Trade Commission (FTC) au sujet d'éventuelles plaintes, si vous achetez des propriétés immobilières aux États-Unis. S'il n'existe pas de brochure canadienne, examinez une copie du rapport concernant le projet immobilier déposé auprès de l'Office of Interstate Land Sales Registration dépendant de l'US Department of Housing and Urban Development (ministère du Logement et de l'Urbanisme).
2. *Inspectez personnellement votre achat.* Mieux vaut se rendre compte de visu. Les superbes photos d'un projet immobilier ne vous montreront pas le dépotoir ou l'autoroute se trouvant derrière l'appareil photographique. Renseignez-vous également au sujet des équipements tels que centres de loisirs, centres commerciaux ou centres de soins médicaux.
3. *Achetez quelque chose qui soit déjà achevé.* Procéder ainsi vous évite d'avoir des surprises quant à la qualité de la construction, à la disposition générale et à l'apparence. Il en va de même pour les équipements tels que terrains de golf, pavillons, marinas et courts de tennis. Dans le cas de projets immobiliers de grande envergure, ces installations de loisirs peuvent éventuellement n'être achevées qu'au bout d'un an ou plus.
4. *Méfiez-vous des noms qui induisent en erreur.* Le nom ou les initiales d'une entreprise multinationale peuvent figurer sur la brochure, mais cela ne veut pas dire pour autant que cette entreprise s'engage à cautionner le projet. La compagnie International Telephone and Telegraph (ITT) a, par exemple, dû signer un acte de consentement FTC dans lequel elle consentait à mettre fin à la pratique déloyale laissant accroire qu'elle était légalement responsable des dettes et de l'achèvement des projets entrepris par la ITT Community Development Corp.

5. *Consultez un conseiller juridique.* Bien que certaines personnes croient que le fait de souscrire à une assurance de titres de propriété, ce qui se fait couramment aux États-Unis, permet de se passer des services d'un avocat, une telle façon de procéder revient parfois à économiser les cents et à prodiguer les dollars. Il est préférable et plus sage de consulter un avocat pour tout achat. Les avocats ont l'habitude de lire entre les lignes et de dépister des contradictions ayant pu vous échapper.

Les mêmes recommandations de prudence, ainsi que quelques autres, sont de mise lorsque vous achetez des propriétés immobilières en dehors des États-Unis. Il faut évaluer la situation politique du pays où vous souhaitez acheter. Cela peut être parfois délicat et difficile, mais c'est icontestablement nécessaire. Devises bloquées, nationalisation, violence et révolution sont les effets secondaires désagréables qui se manifestent lorsque l'on achète des propriétés immobilières dans le mauvais pays.

Dans tous les pays étrangers, y compris les États-Unis, il faut soigneusement examiner les éventuelles implications fiscales. Il faut souvent se conformer à des procédures coûteuses de rapport et de déclaration, lorsque l'on possède des propriétés immobilières, sans même parler de ce qu'entraînent l'achat et la vente des propriétés immobilières.

LOGEMENTS LOUÉS

Nombreux sont ceux qui croient qu'acheter une maison pour la louer est un bon moyen de gagner de l'argent; mais la vie d'un propriétaire ne consiste pas seulement à toucher les chèques des locations.

Avant de vous précipiter pour acheter une maison que vous relouerez ou de louer une partie de celle dont vous êtes déjà propriétaire, il faut tenir compte d'un certain nombre de points.

Il vous faudra d'abord assumer les responsabilités et les ennuis d'un propriétaire. Vos locataires aiment peut-être écouter du «hard rock» à pleine puissance ou bien alors ils ont l'habitude d'organiser de folles soirées dansantes se prolongeant fort tard dans la nuit — choses qui sont difficiles à déceler lorsqu'ils se présentent sur le pas de votre porte et qu'ils se renseignent à propos du logement que vous louez. Que feriez-vous si leurs chèques étaient sans provision? Est-ce que vous les expulseriez? Pourriez-vous les expulser? Il vous faut savoir quels sont vos droits et quels sont les droits de votre locataire. Vous constaterez probablement que les propriétaires n'ont presque pas de droits par rapport aux locataires.

Et qu'en est-il du contrôle des loyers? S'il vous est imposé, abandonnez toute idée de devenir propriétaire. Dans une juridiction prévoyant un contrôle des loyers, les propriétaires se trouvent rapidement dans une situation où ils ne peuvent pas augmenter suffisamment leurs loyers pour couvrir l'augmentation des frais occasionnés par la détention et l'entretien de leurs bâtiments. Il en résulte une dépréciation du bâtiment et la location elle-même n'est souvent pas rentable et entraîne même une perte d'argent.

Vous pouvez désarmorcez plusieurs de ces problèmes potentiels en faisant figurer certaines dispositions dans le bail — si vous en avez un — et vous devriez en avoir un. Mais demandez à votre avocat de rédiger le bail, pour être sûr qu'il n'enfreint aucune législation protégeant les locataires.

Vous pouvez aussi avoir éventuellement des problèmes si trop de logements sont à louer dans votre entourage. Il se peut que vos logements ne soient pas tous occupés. Si la transformation d'une partie de votre maison en un appartement entraîne des dépenses considérables, cela pourrait vous donner à réfléchir. Si vous voulez réutiliser plus tard cet appartement à des fins personnelles, il faut également tenir compte des frais supplémentaires qu'entraînera cette nouvelle transformation.

Pour être sûr de connaître le produit de votre activité locative, ouvrez un compte bancaire distinct. Ce compte servira à effectuer toutes les dépenses et à recevoir tous les montants des loyers. En établissant une comptabilité spéciale, vous pourrez garder la trace, en un seul endroit, de toutes vos dépenses de l'année. Cela vous facilitera la tâche, et vous évitera d'essayer de vous rappeler en décembre quelles dépenses vous aurez effectuées au cours du mois de janvier précédent.

HYPOTHÈQUES

Une autre manière d'investir dans l'immobilier c'est de détenir des hypothèques. Mais, là aussi, ce n'est pas le type de placement à envisager par un épargnant «amateur». À moins d'avoir beaucoup d'expérience dans ce domaine, ou de n'agir que sur les conseils d'un professionnel compétent au sujet de tous les aspects des hypothèques, mieux vaut laisser faire les professionnels. Il existe des volumes juridiques entiers traitant uniquement des hypothèques. Les hypothèques font partie des documents juridiques les plus complexes et les droits et devoirs qu'entraîne la détention d'hypothèque sont souvent un vrai cauchemar.

DEUXIÈME PARTIE

Les placements

Chapitre douze

Introduction aux placements

Vous venez juste de terminer la lecture de la première partie de ce livre consacrée plus particulièrement à la gestion de l'argent. Vous allez maintenant commencer la deuxième partie qui aborde surtout le problème des placements. Avant de dire que cette deuxième partie ne vous concerne pas, parce que vous ne vous considérez pas comme un investisseur, ni même comme un investisseur potentiel, il vous faut prendre en compte certaines considérations. Quiconque possédant des biens immobiliers, y compris sa maison, est un investisseur, et si vous avez été intéressé par le chapitre précédant intitulé «Investir dans l'immobilier», vous trouverez d'autres renseignements du même genre au fil des pages suivantes (à la seule différence près que ces renseignements ont trait à la Bourse des valeurs). Le chapitre suivant intitulé «Clubs de placement» décrit un moyen très simple et relativement sûr de permettre à des joueurs inexpérimentés en Bourse de se lancer dans la bataille.

Une autre raison pour laquelle il vaut mieux vous familiariser avec la deuxième partie de cet ouvrage est la suivante:

même si vous n'avez pas placé directement de l'argent à la Bourse des valeurs, vous êtes probablement concerné malgré tout par l'activité boursière. Si vous bénéficiez d'un REER, d'un régime de retraite ou d'une police d'assurance, il y a de fortes chances pour qu'une partie de l'actif détenu par l'établissement auprès duquel vous avez contracté vos polices ou vos régimes soit placée en Bourse, et l'activité de la Bourse des valeurs influe soit sur la valeur, soit sur le coût de votre régime ou de votre police et même peut-être sur les deux. Cette deuxième partie vous aidera à comprendre le fonctionnement de la Bourse des valeurs et influencera ainsi par la même occasion vos finances, ne serait-ce que de manière indirecte.

Enfin et surtout, vous devriez peut-être placer de l'argent en Bourse. Cette deuxième partie vous aidera à prendre une telle décision. Si vous décidez de prendre part à l'activité boursière, vous aurez beaucoup plus de chances de protéger votre capital et d'accroître le rendement de vos placements si vous poursuivez votre lecture.

Chapitre treize
Clubs de placement

QUOI, POURQUOI ET COMMENT

Des groupes d'individus intéressés se réunissent souvent pour mettre en commun leurs fonds et investir en Bourse. C'est là le club de placement de base.

Les gens forment de tels clubs de placement pour plusieurs raisons. Peut-être parce que les membres d'un tel club n'ont pas suffisamment d'argent personnel à leur disposition pour pouvoir investir eux-mêmes. Étant donné qu'il faut avoir au moins des centaines, si ce n'est des milliers, de dollars à sa disposition pour profiter des rendements proposés par certains titres (de même que pour réduire les frais de courtage), les membres d'un club peuvent décider de mettre en commun leur argent avec celui de quelques amis afin de pouvoir participer au jeu. C'est également un bon moyen de placer son argent dans un portefeuille d'investissements diversifié lorsque l'on n'a pas beaucoup d'argent. Individuellement, il se peut qu'ils ne soient pas en mesure de réunir suffisamment d'argent pour acheter des actions dans plusieurs entreprises ou secteurs industriels. En constituant un groupe, cela ne pose pas trop de problèmes de répartir un peu les risques.

Peut-être veulent-ils tout simplement acquérir une certaine expérience boursière sans pour autant risquer beaucoup d'argent propre. En investissant périodiquement de petites sommes, ils peuvent discuter au sujet des placements avec un groupe d'autres personnes intéressées et apprendre ainsi à évaluer les possibilités en matière de placements.

Les membres de tels clubs n'ont peut-être pas eu beaucoup d'expérience en matière de gestion de l'argent. Une mère de famille dont le mari gère toutes les finances familiales apprendrait par exemple, en tant que membre d'un club de placement, à prendre des décisions d'ordre financier. Cela lui permettrait de se débrouiller si elle était soudain obligée de gérer elle-même les finances familiales.

Un club de placement permet également de prendre conscience du système économique et des nombreux facteurs qui exercent une influence sur lui. En cette période d'instabilité économique, il est réconfortant d'avoir au moins conscience du fait que quelque chose se passe, même si on ne comprend pas toujours tout ce qui se passe.

Il se peut enfin qu'un individu veuille gagner de l'argent. Il ne faut pas minimiser cet aspect du problème. En investissant avec prudence et soin, il est possible de gagner de l'argent au sein d'un club de placement, soit en détenant des titres produisant un revenu, soit en négociant ces titres pour réaliser des plus-values. Après tout, participer à un club de placement reviendrait assez cher s'il ne s'agissait que d'acquérir de l'expérience.

Quelle que soit la raison qui ait présidé à la création d'un club de placement, le concept d'un tel club est très simple. Chaque membre verse une somme forfaitaire au début, des sommes régulières périodiquement ou bien une combinaison des deux. Lorsqu'il y a suffisamment d'argent accumulé, le comité de placement, comprenant un seul membre, l'ensemble du club ou un nombre de personnes intermédiaires, étudie le marché des valeurs pour trouver les titres s'adaptant le mieux aux objectifs et à la philosophie du club. Une fois que les titres sont choisis, le comité, ou son délégué, contacte un courtier qui effectuera la transaction. Les transactions sont consignées à mesure qu'un rendement est perçu ou que des plus - ou des moins - values sont réalisées. Tous les ans, des déclarations d'impôts sur lesquelles figurent les gains ou les pertes des membres sont adressées à Revenu Canada. Les gains ou les pertes sont, bien sûr, alloués aux membres et versés ou absorbés suivant les règlements du club.

Tout cela a l'air très simple. Mais avant de vous précipiter et de former un club, il faut prendre en considération un certain nombre de points importants.

IMPÔT SUR LE REVENU

Il existe un certain nombre de règlements fiscaux régissant les clubs de placement et il faut toujours consulter un professionnel avant de se lancer dans une telle opération et, une fois que votre club fonctionne, il faut toujours vous tenir informé des dernières nouveautés en matière de règlements fiscaux.

ÉTABLIR DES RÈGLES

En tant qu'investisseurs, il faut examiner avec soin quelles seront les règles de base présidant au fonctionnement du club. Si vous décidez qu'une seule personne prendra les décisions en matière de placement, il faudra alors qu'elle rende compte de chaque opération effectuée; si un comité est désigné pour remplir cette fonction, il faut prévoir une procédure déterminée de vote afin d'éviter les querelles.

Il est essentiel de déterminer au préalable le montant et la périodicité des contributions financières. Sinon, on ne sait plus quel est le montant des nouveaux placements pouvant être effectués régulièrement.

Dans le même ordre d'idées, il faut également déterminer si les gains réalisés au sein du club peuvent être retirés ou s'ils doivent être réinvestis.

La règle de base qui est peut-être la plus importante consiste à déterminer la procédure d'admission des nouveaux membres et à préciser comment les membres qui veulent se retirer peuvent également retirer leur argent.

PHILOSOPHIE

Se pose ensuite la question de la philosophie du club. C'est probablement le domaine dans lequel il est le plus difficile de prendre une décision, car chaque membre aura sa propre opinion. Cependant, il est capital que chacun ait les mêmes objectifs et adopte les mêmes taux de risque/rendement en matière de placements. Il y aura inévitablement des conflits si certains membres veulent acheter des actions sur provision ou emprunter à la banque, alors que d'autres veulent au contraire réduire les risques et investir uniquement l'argent versé ou gagné au sein du club. Il se peut aussi que certains veuillent investir dans des titres spéculatifs à haut risque afin d'obtenir rapidement des plus-values, et que d'autres se contentent d'acheter des titres de premier ordre afin de protéger leur argent et d'en gagner en même temps.

Si ces questions ne sont ni évoquées ni résolues avant même la formation du club et le versement des contributions, vous pouvez être sûr qu'elles se poseront dans un proche avenir, et lorsque leur propre argent est en jeu, il se peut que vos amis de longue date ne soient plus d'un commerce agréable.

ÉVALUER LA PARTICIPATION

Le problème de la valeur d'une participation dans un club de placement joue généralement un rôle très important lors de deux circonstances. Tout d'abord, lors de l'admission d'un nouveau membre et ensuite lorsqu'un membre actif veut se retirer. Dans les deux cas, il faut en arriver à déterminer la juste valeur marchande de l'actif du club.

Bien que ce calcul puisse être fait à tout moment, il est plus facile d'y procéder à la fin d'un exercice comptable classique, par exemple, à la fin du mois.

Il faut préparer régulièrement des états financiers. Si les membres versent de l'argent sur une base hebdomadaire ou mensuelle et que le montant des contributions soit variable, alors il vaut mieux préparer des états financiers mensuels pour prendre en compte les fluctuations de la valeur des titres détenus. Si chaque membre verse à chaque fois le même montant et si personne ne se joint au club ou n'en sort, alors on peut se contenter d'états financiers trimestriels ou annuels. La périodicité des états financiers dépend vraiment du niveau d'activité et des désirs personnels des membres.

Voici les étapes nécessaires pour déterminer la valeur de la participation de chaque membre dans le club:

— Consigner la mise de fonds initiale effectuée par chaque membre.
— Déterminer la part proportionnée de la contribution initiale versée par chaque membre.
— Investir cet argent dans des titres.
— Ajouter les nouvelles contributions versées par chaque individu à leur part respective de la contribution initiale globale.
— Investir ces nouvelles contributions.
— Consigner les profits ou les pertes.
— Consigner tous les montants versés aux membres.
— À la fin de l'exercice comptable, calculer la valeur marchande de l'actif net détenu au sein du club.
— Déterminer la part de cette valeur revenant à chaque individu en se basant sur sa part de la valeur à la fin de l'exercice précédent et en rajoutant les contributions financières versées depuis, moins les montants retirés.

Ce calcul détermine la valeur de la part détenue par chaque membre individuellement. Cela peut paraître compliqué, mais pour prendre en compte les différentes parts proportionnées détenues dans le club, les modifications de la valeur des titres détenus, les retraits et les contributions variables versées au cours d'un exercice, il est nécessaire de procéder à un tel calcul pour aboutir à une juste valeur marchande pour chaque part détenue par les membres.

Avant qu'un individu puisse faire partie ou se retirer du club, il faut d'abord procéder à un tel calcul. Pour faire partie du club, l'individu doit verser une contribution financière et la proportion que représente cette contribution par rapport à la nouvelle valeur marchande du club représentera sa part proportionnée de la valeur du club. Un membre peut éventuellement estimer qu'il devrait bénéficier d'une part plus importante dans le club, et ce, pour prendre en considération le fait que certains titres détenus peuvent ne pas comporter de plus-values étant donné l'assujettissement fiscal sous-jacent de chaque membre et dont il faudrait tenir compte. C'est une autre règle concernant le club qu'il vous appartient de déterminer. Au lieu d'en tenir compte, vous pouvez également estimer que c'est là une sorte de droit d'entrée. S'il y a par ailleurs des moins-values, ceux qui sont déjà membres peuvent éventuellement estimer que les nouveaux membres devraient payer plus pour pouvoir faire figurer leur proportion des pertes sur leur déclaration d'impôt personnelle concernant l'année au cours de laquelle les titres sont vendus. On peut tenir le même type de raisonnement en ce qui concerne d'éventuels ajustements dus à des intérêts courus ou bien à des dividendes déclarés mais non versés au moment où quelqu'un se retire ou devient membre. C'est à l'ensemble du club de régler ces questions à l'avance.

La situation est légèrement différente lorsqu'il faut liquider une partie de l'actif du club pour rembourser un membre qui se retire. Faut-il allouer au membre qui se retire une proportion (calculée avant le remboursement de la part) de toutes les plus-values réalisées au cours de la liquidation d'une partie de l'actif du club afin de partager le poids de l'impôt? Étant donné que le membre qui se retire est à l'origine du problème, vous pouvez estimer qu'il devrait contribuer à en supporter les conséquences financières. Si vous décidez que ce membre doit en supporter les conséquences financièrement, alors il paiera sa part en ce qui concerne les revenus des capitaux. Si, par contre, la liquidation d'une partie de l'actif entraîne des pertes, il faudra probablement allouer également cette part.

Une autre façon de négocier les parts détenues dans un club de placement c'est de recourir à l'achat et à la vente entre les individus. Le club n'est ainsi en rien affecté. Le nouveau membre rachète tout simplement la part proportionnée que l'ancien membre détenait dans le club. Tout profit ou toute perte réalisé par le vendeur lors de la vente n'est pas calculé sur la base de sa part de la valeur marchande. On se base sur le coût du placement au moment de la vente.

La détermination de la méthode de répartition du revenu parmi les membres constitue également une règle fondamentale très importante. Cette règle découle principalement de la détermination de la valeur de la participation de chaque membre au sein du club. Les profits ou les pertes peuvent être alloués à la fin de chaque exercice comptable sur la base de la part proportionnée de chaque membre dans la valeur courante du club. Si quelqu'un détient par exemple une part de 10% dans le club, il se verrait allouer 10% de tous les intérêts, 10% de tous les dividendes et 10% de tous les gains ou pertes en capital.

Comme vous pouvez le constater, les règles fondamentales qui régissent un club de placement ne sont pas simples. Cependant, il faut concocter un système viable et efficace. Étant donné que la réussite du club en dépend, cela vaut le coup de faire un petit effort supplémentaire.

DAVANTAGE DE PHILOSOPHIE

D'autres questions importantes d'ordre philosophique doivent être examinées avant même qu'un Club de placement ne commence à fonctionner. Il s'agit de questions jouant un rôle majeur en ce qui concerne la réussite ultérieure du club, et ce, aussi bien du point de vue économique qu'à celui des relations humaines.

Ces questions sont d'ailleurs souvent les plus difficiles à résoudre. Parce qu'elles ont trait à des valeurs et à des objectifs personnels, il est très difficile de les quantifier, de les mesurer ou de les transformer en règles de fonctionnement écrites présentant un caractère assez rigide et ferme. Par contre, il y a certaines questions que l'on peut quantifier, mais la quantité considérée comme correcte est généralement fixée arbitrairement.

Pour éviter que certains conflits potentiels ne surgissent durant la durée d'existence du club, il est également important de résoudre la plupart de ces questions avant même que le club ne commence vraiment à fonctionner. De cette façon, si des désaccords se produisent, tous les membres désirant se retirer peuvent le faire sans donner lieu à certains des problèmes évoqués précédemment concernant les évaluations, etc.

L'une des premières questions qu'il faut résoudre, c'est celle de l'atmosphère dans laquelle le club fonctionnera. Si ce club est destiné à être essentiellement un club mondain où les gens sont parties prenantes parce qu'ils ont un intérêt général en matière de placements mais aussi parce qu'ils veulent rencontrer leurs amis régulièrement, alors il se peut que certaines décisions concernant les placements ne soient pas aussi mûrement réfléchies qu'elles devraient l'être. Mais ces gens-là n'y attachent peut-être pas trop d'importance. Par contre, si le club est destiné à fonctionner comme un véritable club d'affaires, les décisions concernant les placements seront saines mais il n'y aura alors éventuellement pas suffisamment de mondanités pour satisfaire certains membres.

Pour qu'un club fonctionne bien à long terme, il faut que les membres fassent le point sur eux-mêmes ainsi que sur le reste du groupe afin de voir s'il y a convergence de vues. Il n'est pas nécessaire que tous aient exactement les mêmes opinions. En fait, l'idéal c'est qu'ils n'aient pas tous la même façon de penser. Ceux qui s'intéressent plus particulièrement à l'aspect économique peuvent former le noyau du comité de placement et veiller à ce que de bonnes et saines décisions soient prises. Ceux qui se sont joint au club pour avoir du bon temps et pour placer en même temps des capitaux, peuvent organiser les réunions, s'occuper de l'administration et maintenir le moral des troupes. Le danger c'est de choisir les extrêmes — que le travail ou que le jeu — car cela risque d'entraîner très rapidement des conflits ou des phénomènes de mécontentement.

Une fois que le choix concernant l'atmosphère a été fait, il faut prendre une décision quant au montant et à la périodicité des contributions financières. On peut opter pour le versement d'une seule somme assez importante, de petites sommes régulièrement ou pour une combinaison des deux. Dans une certaine mesure, la décision dépendra de l'orientation du club: entre un club purement mondain et un club d'affaires. Si le club est uniquement mondain et que les membres témoignent un intérêt général en matière de placements, on peut alors maintenir les contributions financières à un niveau assez bas pour réduire les sommes d'argent courant des risques. Si le club est uniquement un club d'affaires et de travail, alors on peut fixer des montants élevés pour accumuler le plus rapidement possible beaucoup de capitaux. Il n'est pas nécessaire que chaque membre verse la même somme, mais cela facilite la comptabilité.

L'une des décisions les plus importantes que doit prendre votre groupe consiste à déterminer les objectifs en matière de placements. D'une manière ou d'une autre, il vous faut déterminer si vous allez investir à court ou à long terme et combien de risques vous êtes prêt à prendre. C'est là qu'on commence à s'amuser. Pour investir en vue de réaliser des gains à court terme, vous rechercherez l'obtention rapide de plus-values en vous basant sur des renseignements spécifiques ou sur un raisonnement sain, ou bien vous rechercherez les titres ayant des rendements supérieurs à la normale. Dans les deux cas, ce type d'activité comporte normalement plus de risques, surtout si votre groupe manque d'expérience. En recherchant des placements à long terme, soit pour accroître le capital, soit pour bénéficier d'un rendement intéressant, vous n'éliminez pas pour autant les risques. De nombreuses actions, même à long terme, s'avèrent être perdantes. En investissant dans des titres de premier ordre, vous pouvez réduire les risques courus, mais cela risque également de diminuer l'intérêt témoigné par les membres à l'égard du club.

Quelle que soit la décision prise, long ou court terme, il est important d'apprendre ses leçons avant d'investir. Parlez avec votre courtier en Bourse, lisez la presse financière, écoutez les prévisions économiques et faites tout ce qui peut vous venir à l'esprit afin d'en savoir plus au sujet de vos placements éventuels, avant de débourser votre argent.

À propos d'argent, il vous faut également déterminer si vous allez recourir ou non à de l'argent emprunté, sous quelque forme que ce soit, pour investir. Là encore, cette décision dépend du nombre de risques que votre groupe est prêt à courir. En période de hausse des prix, l'effet de levier (utiliser l'argent des autres) vous fera bénéficier de gains supérieurs à ceux dont vous auriez bénéficié normalement. Cependant, en période de baisse des prix, ce même effet vous fera subir des pertes plus importantes que celle que vous auriez subies autrement. De plus, étant donné l'instabilité actuelle des taux d'intérêt, il faut vous assurer qu'il y a suffisamment d'argent en caisse au sein du club pour faire face au paiement mensuel des intérêts. Par conséquent, il faut toujours que quelqu'un surveille de très près le flux de liquidités pour éviter de ne pas pouvoir faire face à un paiement d'intérêts.

Un autre problème qu'il faut débattre dès le début, c'est celui de la taille du club. Certains peuvent vouloir le limiter à un groupe de bons amis, disons dix personnes, alors que d'autres peuvent éventuellement vouloir l'élargir à trente ou quarante membres afin d'accumuler une réserve de capitaux dans laquelle on puisse puiser pour effectuer des placements. En prenant une telle décision il faut tenir compte de la comptabilité et de la paperasserie supplémentaires que cela implique. Il se peut également que vous vous trouviez confronté au problème de savoir où tenir les réunions.

En outre, lorsque l'on accepte de nouveaux membres, il faut s'assurer qu'ils ont les mêmes buts et objectifs que le groupe initial. Sinon, ils pourraient passer outre à vos décisions précédentes concernant les règles fondamentales et la philosophie. La question du nombre revêt une importance accrue dès que vous avez affaire à des gens qui ne sont pas des amis très proches. À ce moment-là, mieux vaut contacter votre commission provinciale des titres pour savoir si on considère ou non que vous procédez à une émission publique de titres. Comme vous pouvez le constater, grand n'est pas forcément synonyme de meilleur, surtout que votre part du revenu restera la même en termes de dollars constants.

La solution de ces problèmes ne garantira pas la réussite ultérieure de votre club. Cependant, en les traitant dès le début, vous serez au moins débarrassé des questions concernant le mode de fonctionnement du club. Vous pouvez alors vous concentrer sur la réalisation de l'objectif qui vous a poussé à faire partie du club.

Chapitre quatorze

Investir dans des titres

Pas besoin d'être un Rockefeller ou d'habiter Bay Street pour investir en Bourse. Comme vous le constaterez au fur et à mesure que vous progresserez dans votre lecture, à la Bourse des valeurs il y a de la place pour des investisseurs de toute taille et de tous genres. En vérité, comme il en est fait mention au chapitre Douze, la Bourse des valeurs influence les finances de la plupart d'entre nous, et ce, même si nous ne détenons pas directement des actions ou des obligations. Cela est dû au fait que presque tous les établissements avec lesquels nous sommes en relation — banques, sociétés de fiducie, compagnies d'assurance — de même que leurs régimes et leurs polices ont en grande partie recours à des placements en Bourse afin d'obtenir un revenu, soit sous forme de gains en capital, soit sous forme de dividendes.

En fait, vous n'investissez pas du tout dans la Bourse des valeurs. Quand vous achetez une action ou une obligation, vous investissez dans l'entreprise ayant émis l'action ou l'obligation. La Bourse des valeurs ne représente que la boutique où vous achetez les titres et où vous les revendez plus tard.

Nous connaissons tous, bien sûr, des gens qui se sont fait fortement échaudés à la Bourse des valeurs et personne ne peut le nier. Mais je ne connais pas de tentatives ou d'opérations dont la réussite soit assurée d'avance. L'autre jour, une très bonne amie à moi s'est cassé le col du fémur en allant à l'église.

Le fait de comprendre comment la Bourse des valeurs influe sur la valeur de votre placement (ce qui sera le cas après avoir lu cette partie du livre), et de faire preuve de beaucoup de bon sens, vous aidera beaucoup à gagner de l'argent en investissant dans des titres.

Le mot «titres» désigne ici les actions et les obligations négociées en Bourse. Bien qu'au cours de ces dernières années les placements se soient beaucoup orientés vers quantité de choses allant des biens immobiliers aux métaux précieux et aux œuvres d'art, il ne faut pas oublier pour autant que la Bourse des valeurs offre toujours des possibilités de placements.

Rappelez-vous que la tendance de la Bourse n'est pas importante, ce qui compte c'est la performance de vos placements. Comme une société de placement l'a fait remarquer à juste titre dans ses annonces publicitaires il y a déjà quelques années: «Demander comment se porte la Bourse revient au même que de demander quel temps il fait en Amérique du Nord.»

Des titres sélectionnés avec soin offrent autant de protection du capital que la plupart des possibilités de placements immobiliers proposées au grand public. Vous ne devez jamais oublier qu'il y a de très nombreuses entreprises et autant de particuliers qui investissent activement dans l'immobilier. Ils s'approprient généralement la grande majorité des possibilités de placements immobiliers importants et directs. Ce qui reste donc proposé au grand public ce sont généralement des opérations comportant beaucoup de risques et qui, du point de vue placement, ne sont probablement pas aussi sûres que des actions de premier ordre. Étant donné que la plupart des gens ont remarqué que des propriétés immobilières, résidentielles et commerciales, connaissent dans certains secteurs en pleine expansion une hausse de valeur vertigineuse, on a tendance à considérer tout l'immobilier comme un placement tout à fair sûr. Ce n'est absolument pas le cas. Vous pouvez très bien perdre de l'argent en investissant dans l'immobilier, surtout, comme nous l'avons déjà souligné, si vous placez votre argent dans les laissés-pour-compte que les investisseurs immobiliers professionnels considèrent comme trop risqués pour les financer entièrement eux-mêmes. D'autre part, la continuité d'un revenu raisonnable provenant de placements sous forme de nombreux titres constitue un avantage dont on ne bénéficie pas toujours lorsque l'on investit dans l'immobilier.

La Banque de Montréal, par exemple, a versé des dividendes sur ses actions ordinaires tous les ans depuis 1828. La Banque de Nouvelle-Ecosse a versé tous les ans des dividendes sur ses actions ordinaires depuis 1833. On peut obtenir un taux de rendement annuel raisonnable en investissant dans des titres de très bonne qualité. Par contre, des terrains à construire vides ne produiront pas de revenu annuel, ce qui est éventuellement plus important en ce qui vous concerne que les futures plus-values.

Étant donné le traitement fiscal de faveur réservé au revenu provenant de titres canadiens (surtout aux dividendes), les hausses insidieuses et apparemment sans fin des impôts fonciers et la mentalité de contrôle des loyers de nombreux gouvernements provinciaux, il n'est pas toujours aisé de trouver un rendement après impôts provenant de propriétés immobilières en location qui soit comparable à celui dont on peut bénéficier avec des actions et des obligations de très bonne qualité.

Bien que les obligations ne représentent pas vraiment un moyen de se prémunir contre l'inflation, il n'en va souvent pas de même pour les actions de bonne qualité. Ceux qui croient que seul l'immobilier constitue un bon moyen de se prémunir contre les baisses du pouvoir d'achat du dollar pourraient demander à leurs courtiers de leur fournir une liste d'actions dont les valeurs ont fait plus que de se maintenir au niveau de l'inflation. Or, il en existe bel et bien.

Un des grands avantages qu'il y a à investir dans des titres c'est que l'on peut investir autant ou aussi peu que l'on veut. Il n'y a littéralement aucun plafond et on peut même n'investir que quelques centaines de dollars dans des actions ou des obligations.

Il ne faut pas oublier non plus la négociabilité presque instantanée de tout ou partie de vos titres pour faire face à des imprévus ou à d'importantes dépenses. Cette négociabilité permet une grande souplesse dans la mesure où on peut ainsi ajuster ses avoirs en fonction de nouveaux objectifs de placement, des fluctuations boursières concernant certains titres ou de leur attrait sous-jacent.

Les placements sous forme de titres sont faciles à gérer et on peut évaluer immédiatement les titres négociés publiquement sauf dans certaines circonstances très exceptionnelles, en consultant la presse financière.

Comparez cette caractéristique des placements sous forme de titres négociés publiquement avec la difficulté, le coût et la gamme de résultats des estimations immobilières.

Il faut souligner que ces commentaires ne visent absolument pas à détourner les gens des attraits très nombreux et très réels de l'immobilier en tant que placement. Ils sont plutôt destinés à attirer l'attention sur les avantages que présentent les placements sous forme de titres — avantages que de nombreux investisseurs oublient ou auxquels ils ne prêtent pas assez d'attention. Le chapitre Douze traite des placements immobiliers.

Il y a toujours la possibilité de faire croître son placement par le biais de droits préférentiels de souscription que l'on peut vendre pour réaliser un véritable bénéfice ou bien mettre à profit pour obtenir des actions supplémentaires à un prix plus avantageux. Il est également possible de fractionner les actions. Cela entraîne généralement une croissance de l'investissement initial.

Il peut enfin se faire qu'une entreprise veuille prendre le contrôle d'une autre, situation dans laquelle un prix assez avantageux est proposé aux actionnaires de l'entreprise rachetée. De temps en temps, on assiste à de véritables épidémies de tentatives de prise de contrôle, pour le malheur des uns, mais néanmoins pour le bonheur et l'avantage de nombreux actionnaires.

Outre ce qui vient d'être évoqué, de nombreux investisseurs tirent une grande satisfaction de leur participation active à la croissance d'une entreprise. Il ne faut pas oublier non plus que les investissements dans les actions et les dettes des entreprises sont absolument indispensables et recherchés avec frénésie pour pouvoir poursuivre le développement approprié de notre pays et de ses ressources impressionnantes.

Il y aurait beaucoup à dire en faveur des placements sous forme de titres. D'un point de vue nationaliste, le problème qui se pose en permanence c'est que notre pays a besoin davantage d'investissements. D'un point de vue économique, il y a une pénurie de fonds de placement. Et enfin d'un point de vue strictement personnel et égoïste, il y a en permanence la possibilité de gagner de l'argent en Bourse. Je le répète, la tendance de la Bourse n'est pas vraiment importante; ce qui est important c'est le comportement de vos actions et de vos obligations.

Les prochains chapitres sont destinés à vous aider à mieux comprendre le fonctionnement de la Bourse des valeurs. Ils évoqueront et expliqueront également certains des éléments les plus importants qu'il vous faut connaître avant d'engager des fonds en Bourse. Je vous renvoie dès maintenant au *Glossaire des placements* figurant à la fin de ce livre. Certains de ces termes, surtout ceux employés dans les milieux juridiques et comptables, ont des sens généraux bien distincts et souvent différents du sens spécifique qu'ils revêtent dans le contexte des placements, c'est pourquoi il est important de lire dès maintenant ce glossaire et de s'y reporter dès que cela s'avère utile.

Chapitre quinze

Types de «joueurs» en Bourse

LES TROIS TYPES

Une fois que vous êtes convaincu que la Bourse représente un bon moyen de placement, la première chose à faire, avant même de contacter un courtier en Bourse, c'est de déterminer quel genre de «joueurs» vous voulez être. Même l'Institut canadien des valeurs mobilières, l'organisation pédagogique de l'Association canadienne des courtiers en valeurs mobilières, et les principales Bourses des valeurs répertorient les «joueurs» en Bourse en trois catégories: l'investisseur, le spéculateur et le joueur proprement dit. Il faut savoir à quel type de «joueur» vous appartenez pour pouvoir déterminer le type de placements qui formeront l'essentiel de votre activité.

Voici un aperçu des caractéristiques propres à chacun des trois types.

Le véritable investisseur

Le temps joue un rôle important pour le véritable investisseur. En règle générale, le véritable investisseur adopte une vue des choses à plus long terme que le spéculateur qui, à son tour, adopte une vue des choses à plus long terme que le joueur proprement dit. Le signe distinctif de l'investisseur c'est la patience. Le véritable investisseur place des capitaux pour qu'ils produisent un revenu régulier et qu'ils réalisent un gain en capital au fil de quelques années. La préoccupation principale du véritable investisseur c'est la sécurité du capital suivie de près par la régularité du revenu. Il sélectionne uniquement les opérations financières fiables et achète de préférence les titres émis par une entreprise ayant de bons antécédents, jouissant d'une bonne réputation et ayant devant elle un avenir solide et prometteur. Quand il souscrit à une émission industrielle, il s'agit toujours d'une entreprise bien établie et ayant de bons antécédents.

Le véritable investisseur attache beaucoup d'importance à la rentabilité et à la valeur de l'actif, et il recherche toujours une marge de sécurité raisonnable en ce qui concerne ces deux éléments.

Il n'achète jamais de titres au hasard, n'investit pas avec de l'argent emprunté (à moins d'être assuré de bénéficier d'un rendement plus élevé que le coût de l'emprunt après impôts), et il travaille à la réalisation d'objectifs bien précis en suivant un plan de placement à long terme choisi après mûre réflexion.

Le spéculateur

Le spéculateur appartient à une race tout à fait différente. Il est impatient et adopte une vue des choses à beaucoup plus court terme que l'investisseur. Il est constamment à la recherche de titres qui sont sous-évalués par rapport aux perspectives à court terme. Il prend des risques calculés et cherche à réaliser des gains rapides plutôt que de bénéficier d'un revenu régulier ou d'une augmentation de la valeur à long terme. Il est prêt à accepter de perdre de l'argent lorsque son intuition s'avère avoir été mauvaise.

Mais il faut bien admettre que le spéculateur ne doit pas nécessairement être considéré comme un indésirable. Les spéculateurs rendent deux services très utiles. Ils ont tendance à niveler ce qui se traduirait autrement par de grandes fluctuations de prix en achetant lorsque les prix sont à la baisse et en vendant lorsque les prix remontent et, d'autre part, ils représentent également une source de capital de risque. Une spéculation intelligente peut très bien faire partie du programme de placement de certains investisseurs.

Le principal c'est de connaître la différence entre investir et spéculer et de savoir quand vous investissez et quand vous spéculez. Penser que vous investissez alors qu'en fait vous spéculez pourrait avoir des effets désastreux.

Le joueur

C'est un genre d'oiseau complètement différent. Le joueur parie sur l'inconnu et agit en se basant sur des impulsions et des tuyaux plutôt que sur des données soigneusement étudiées. Sa caractéristique principale c'est d'acheter en prenant de grands risques, dans l'espoir de réaliser un profit soudain et considérable.

Le joueur fait généralement son entrée en scène lorsque la Bourse des valeurs a connu une période de hausse des prix et de grande activité. Il entend parler de gens qui gagnent de l'argent en Bourse et il veut aussi avoir sa part du gâteau et gagner un argent facile. Toutefois, le joueur ne prend généralement pas la peine de réunir des données relatives à ses «placements». Normalement, il ne connaît que ce qu'il entend, et ce qu'il entend ce sont généralement des rumeurs et des tuyaux provenant de gens aussi peu informés que lui. Il est possible d'imaginer un joueur agissant sur une rumeur dont il a été lui-même à l'origine.

Voici d'autres caractéristiques du joueur: il agit avec des capitaux limités; il ne prospère généralement que lorsque la Bourse connaît une activité soutenue; il est complètement pris au dépourvu lorsque l'inévitable repli se produit; il vend à perte; enfin, il rend les autres responsable de ses déboires.

Le joueur devrait se contenter d'acheter des billets de loterie.

INVESTISSEMENT OU SPÉCULATION

N'oubliez pas que la différence entre l'investissement et la spéculation est d'ordre purement qualitatif plutôt que d'ordre formel. Les obligations ou les actions peuvent se prêter soit au placement, soit à la spéculation. La définition consiste en la détermination de la qualité des titres avant de les acheter, et ce, réunissant des données s'y rapportant. Quelques conseils vous seront donnés ultérieurement pour vous indiquer comment procéder dans ce domaine.

Tous les titres proposés forment un large éventail s'étendant des placements de premier ordre et de qualité supérieure jusqu'aux véritables jeux de hasard. Il n'existe pas de ligne de partage nette et précise entre les titres de placements et les titres spéculatifs; il n'y a que des degrés de chaque type.

Cependant, il existe certaines règles d'ordre général.

Les obligations fédérales, provinciales et municipales sont rarement, si tant est qu'elles le sont, spéculatives. Si elles ne sont pas défaillantes et si elles n'ont jamais donné lieu à des non-paiements d'intérêts ou de principal, elles sont généralement considérées comme étant des placements de qualité.

Dans le domaine des obligations émises par des entreprises, un certain nombre de tests ont été mis au point pour mesurer leur qualité de placement, et comme il en a déjà été fait mention, ces tests seront abordés ultérieurement. Pour l'instant, il suffit de savoir que ces tests consistent surtout à mesurer la sécurité du principal et la certitude du revenu. En résumé, on peut dire qu'une rentabilité régulière et un actif approprié sous-jacent constituent les signes distinctifs des obligations d'entreprise représentant des placements de qualité.

Un certain nombre de tests ont également été mis au point pour mesurer la qualité de placement des actions. On les considère comme placements et non comme titres spéculatifs si elles ont l'habitude de rapporter de gros gains, si elles ont donné lieu au paiement de dividendes réguliers pendant un certain nombre d'années et si tout semble porter à croire qu'elles continueront dans cette bonne voie.

Il nous faut examiner un peu plus en profondeur les objectifs en matière de placements avant de passer à d'autres aspects détaillés des placements sous forme de titres.

Chapitre seize

Objectifs en matière de placements

FIXER DES OBJECTIFS

À moins d'avoir des objectifs spécifiques en tête, il est très difficile de constituer un portefeuille efficace et approprié.

Les objectifs en matière de placements varient suivant les personnes. Un individu peut s'attacher surtout à protéger son capital, alors qu'une autre cherchera à gagner un revenu pour pouvoir en vivre; quelqu'un d'autre attachera plus d'importance à un accroissement du capital pour s'assurer ainsi un revenu lui permettant de mieux vivre lorsqu'il sera à la retraite. L'important c'est de déterminer ses objectifs avant même de choisir un courtier.

Sécurité du capital

Ceux dont les revenus dépendent entièrement ou en grande partie de placements ont besoin d'une grande sécurité et d'une forte stabilité des prix. Il en va de même pour ceux qui constituent un fonds pour répondre à des besoins futurs, tels que les études des enfants, l'entretien d'une personne à charge handicapée ou la retraite.

Les titres comme les obligations d'épargne du Canada et les actions privilégiées de grande qualité offrent le maximum de sécurité. Les actions ordinaires de premier ordre peuvent éventuellement avoir une place dans ce type de portefeuille, mais probablement pas si la stabilité des prix à court terme représente un critère important.

Revenu

Tout le monde sait que plus le rendement est élevé, plus les risques sont grands. Si on attache surtout de l'importance au revenu — ou si le revenu est considéré comme aussi important que la sécurité du capital, ce qui est souvent le cas —, il vaut mieux opter pour un portefeuille équilibré. Un tel portefeuille comporte surtout des obligations d'état à court terme, des actions privilégiées de grande qualité et des actions ordinaires de premier ordre donnant lieu au paiement de bons dividendes.

Gain en capital

Si l'objectif principal consiste à accroître le capital sous forme d'une augmentation de la valeur du portefeuille, alors il faut opter pour des actions ordinaires. C'est généralement l'objectif de l'investisseur qui dispose d'un revenu annuel suffisant pour faire face au coût de la vie, mais qui désire accroître son capital pour pouvoir faire face à des besoins futurs, tels que la retraite ou les études des enfants. Les investisseurs qui préfèrent payer plus tard un impôt sur les gains en capital plutôt que de le payer maintenant sur les intérêts ou les dividendes, doivent également rechercher des situations de croissance. Plus vous pouvez retarder le paiement d'un impôt, moins il vous en coûte en termes réels; en outre, votre barème d'imposition sera probablement moins élevé durant la retraite que durant la période de travail à temps plein. Mais n'importe quelles actions ordinaires ne font pas l'affaire. Il faut trouver le juste milieu: ce placement insaisissable que l'on appelle l'entreprise en expansion.

Dans ce contexte, l'entreprise en expansion est celle dont les actions ordinaires ont pu conserver un taux de croissance supérieur à la moyenne pendant une période de cinq ans ou plus et qui ont toutes les chances de continuer dans cette bonne voie. L'augmentation du prix doit être due à des facteurs permanents tels que de bons bénéfices, une valeur croissante de l'actif, un fonds de roulement adéquat et un rendement supérieur à la moyenne des capitaux propres. Tout le reste n'est que spéculation et n'a rien à voir avec un placement de croissance.

Les entreprises en expansion se caractérisent généralement par des bénéfices élevés sur le capital investi, un niveau élevé de réserve et de réinvestissement des bénéfices contrairement à un versement important de dividendes (bien que certaines entreprises en expansion versent des dividendes nominaux), des dirigeants compétents et dynamiques, et une potentialité supérieure à la moyenne en matière d'accroissement des bénéfices, par exemple, en termes d'avantage concurrentiel sur le plan technologique.

Une véritable entreprise en expansion doit avoir un taux de bénéfices supérieur à la moyenne sur son capital de placement pendant une période d'au moins cinq ans. Il faut également être raisonnablement en droit de penser que l'entreprise sera capable de maintenir ou même d'améliorer ce taux sur les capitaux supplémentaires investis. Le véritable test c'est un accroissement des ventes en produits et en dollars pendant un nombre d'années raisonnable s'accompagnant d'un strict contrôle des coûts.

D'une manière caractéristique, les véritables entreprises en expansion financent une grande partie de celle-ci grâce à leur réserve constituée de bénéfices non répartis. L'entreprise dont les ventes et les bénéfices supérieurs à la moyenne sont tous versés sous forme de dividendes, ou une société accroissant son capital en recourant à un financement extérieur au même rythme que l'accroissement des bénéfices ne représentent pas une véritable entreprise en expansion, mais elles constituent probablement un très bon choix pour l'investisseur cherchant à allier revenu et croissance. Les entreprises en expansion pratiquent généralement une politique conservatrice en matière de dividendes.

Une autre caractéristique des véritables entreprises en expansion c'est une direction compétente et dynamique, voire agressive. Les entreprises en expansion ont tendance à consacrer beaucoup d'argent à la recherche et au développement. C'est ainsi qu'une étude détaillée menée par le Stanford Research Institute et portant sur l'expansion relative de 400 entreprises depuis l'après-guerre a révélé que les entreprises en forte expansion étaient surtout orientées vers la recherche et le développement. Cette constatation n'a rien de surprenant.

Mais ce n'est pas non plus suffisant. Il faut également mettre l'accent sur la mise en marché, la publicité, les relations publiques, le contrôle des coûts, la gestion de la production, la gestion et la formation du personnel, de même que sur la recherche et le développement en matière de production.

Les chances d'accroissement des bénéfices sont souvent plus grandes dans des secteurs économiques récents et en pleine expansion. On peut ainsi courir sa chance dans le domaine de la propriété de brevets-clés ou de copyrights. L'atout majeur c'est parfois d'avoir des dirigeants sachant reconnaître et exploiter de nouveaux créneaux avant leurs concurrents.

Caveat Emptor (Que l'acheteur se méfie!)

Cette expression n'a jamais été aussi bien à propos que dans le cas de l'achat d'actions de croissance. L'idéal c'est d'acheter des actions se trouvant aux premiers stades de leur cycle de croissance. Étant donné que les actions de croissance ont tendance à avoir de faibles rapports, il faut vous garder de payer des prix ayant déjà pris en compte une grande partie de l'expansion prévue.

Il est impossible d'avoir en même temps la sécurité du capital, le meilleur revenu possible et un potentiel de croissance. Votre portefeuille de placements doit être conçu pour donner une juste importance à chaque objectif en fonction de votre cas particulier.

Après avoir déterminé à quel type d'investisseur vous appartenez et quels sont vos objectifs en matière de placements, la prochaine étape consiste à choisir un courtier en Bourse.

Chapitre dix-sept
Ouvrir un compte

Si vous comptez investir en Bourse dans des titres du Canada, mieux vaut ouvrir un compte auprès d'un courtier qui soit soumis aux règlements édictés par les différentes Bourses des valeurs et par l'Association canadienne des boursiers en valeurs immobilières.

Pour votre sécurité, ces règlements exigent des négociants en placements qui maintiennent un capital approprié dans leurs affaires, aient une assurance assez étendue, instaurent un contrôle de la comptabilité et des employés et acceptent de se soumettre à des vérifications indépendantes. De plus, l'Association canadienne des courtiers en valeurs immobilières et les Bourses de Toronto, Montréal, Vancouver et du Canada ont créé un fonds national de prévoyance. Ce fonds peut débloquer de l'argent pour aider les investisseurs ayant subi des pertes à cause de l'insolvabilité d'un membre.

Tous les comptes sont gérés par des agents professionnels et autorisés qui achètent et vendent en votre nom. Les services de l'agent sont personnels et confidentiels et bien que cet agent ne soit pas un véritable conseiller en placements, il peut vous aider à prendre des décisions en matière de placements.

Marquons ici un temps d'arrêt pour examiner une évolution relativement nouvelle au Canada. Le 1er avril 1983, on a modifié les règles régissant l'achat et la vente de titres, pour permettre aux courtiers en Bourse de négocier le montant de la commission payée par les clients et donc de ne plus être obligés de s'en tenir à une tarification prescrite.

Cette modification a entraîné la création d'établissements de courtage simplifiés qui se contentent d'exécuter votre ordre, et en raison du fait qu'ils ne proposent pas d'autres services, ils sont donc en mesure de percevoir une commission moins élevée que les établissements conventionnels disposant de vastes services de recherche, de facilités de souscription et autres, et les courtiers en Bourse qui conseillent leurs clients, si besoin est.

La question qui se pose c'est, bien sûr, de savoir si les investisseurs doivent donner leurs ordres là où la commission est moins élevée ou s'ils doivent traiter avec les établissements proposant une gamme plus vaste de services, même si cela leur revient plus cher.

À moins de correspondre au type d'investisseur qui sait exactement quoi acheter, quand acheter et quand vendre, mieux vaut s'adresser au courtier proposant plus de services et ne pratiquant pas de rabais.

Pour la plupart des «joueurs» en Bourse, cette commission plus élevée sera plus que contrebalancée par la mise à leur disposition d'informations en matière de placements, l'accès à des paquets de titres et à de nouvelles émissions, l'exécution plus efficace des opérations, la stabilité de l'établissement, et enfin et surtout la connaissance que votre courtier en Bourse a de vous. Vous devez mettre votre courtier sur un pied d'égalité avec votre médecin, votre avocat, votre comptable ou tout autre conseiller professionnel. Il doit être parfaitement informé de vos objectifs en matière de placements, de vos ressources et du type de placements vous convenant le mieux.

Lorsque l'on ouvre un compte, outre les renseignements habituels tels que nom, adresse, profession, références bancaires, etc., le courtier veut également connaître votre situation financière, vos objectifs en matière de placements et avoir des détails concernant les titres déjà détenus.

Le type de compte le plus courant c'est le compte d'achat au comptant. Cela signifie que vous payez intégralement les titres achetés, ou remettez les titres vendus le jour du terme (généralement le cinquième jour après la date de la transaction).

Il existe un autre type de compte, appelé compte d'achat sur marge, et qui fonctionne généralement comme suit: on peut acheter des titres, mais pas des titres de moindre valeur, sur marge, ce qui signifie que vous payez au moins 50% du prix d'achat et que vous empruntez le reste auprès du courtier. Il faut, bien sûr, payer un intérêt sur cet emprunt. Si la valeur des titres diminue, il vous faudra réunir plus d'argent, car le montant de l'emprunt ne peut pas dépasser 50% de la valeur en Bourse des titres concernés. En tout état de cause, suivant les cas, la proportion est parfois supérieure à 50%. Alors prospectez.

Après qu'un compte a été ouvert auprès d'un courtier, on peut donner ses ordres, soit par écrit, soit verbalement. Les courtiers se font généralement un plaisir de donner des enchères à la minute et de demander pour leurs clients les cotes concernant les actions ou les obligations négociées publiquement.

Lorsqu'un ordre est exécuté, votre courtier vous fera parvenir une confirmation écrite, généralement le jour même. Vous avez ainsi la preuve écrite et exacte de ce qui a été acheté ou vendu, du prix payé ou reçu, du montant de la commission (ou des intérêts courus, le cas échéant) et du coût ou des bénéfices nets. Les illustrations 2 et 3 représentent des modèles de bordereaux de confirmation. Si vous avez acheté des titres, le courtier en débitera le coût et les frais sur les fonds déposés éventuellement auprès de lui, sinon il vous faudra payer celui-ci le cinquième jour ouvrable suivant la transaction. Si vous avez vendu des titres, il vous faut remettre les

Ill. 2- Confirmation d'un achat d'actions

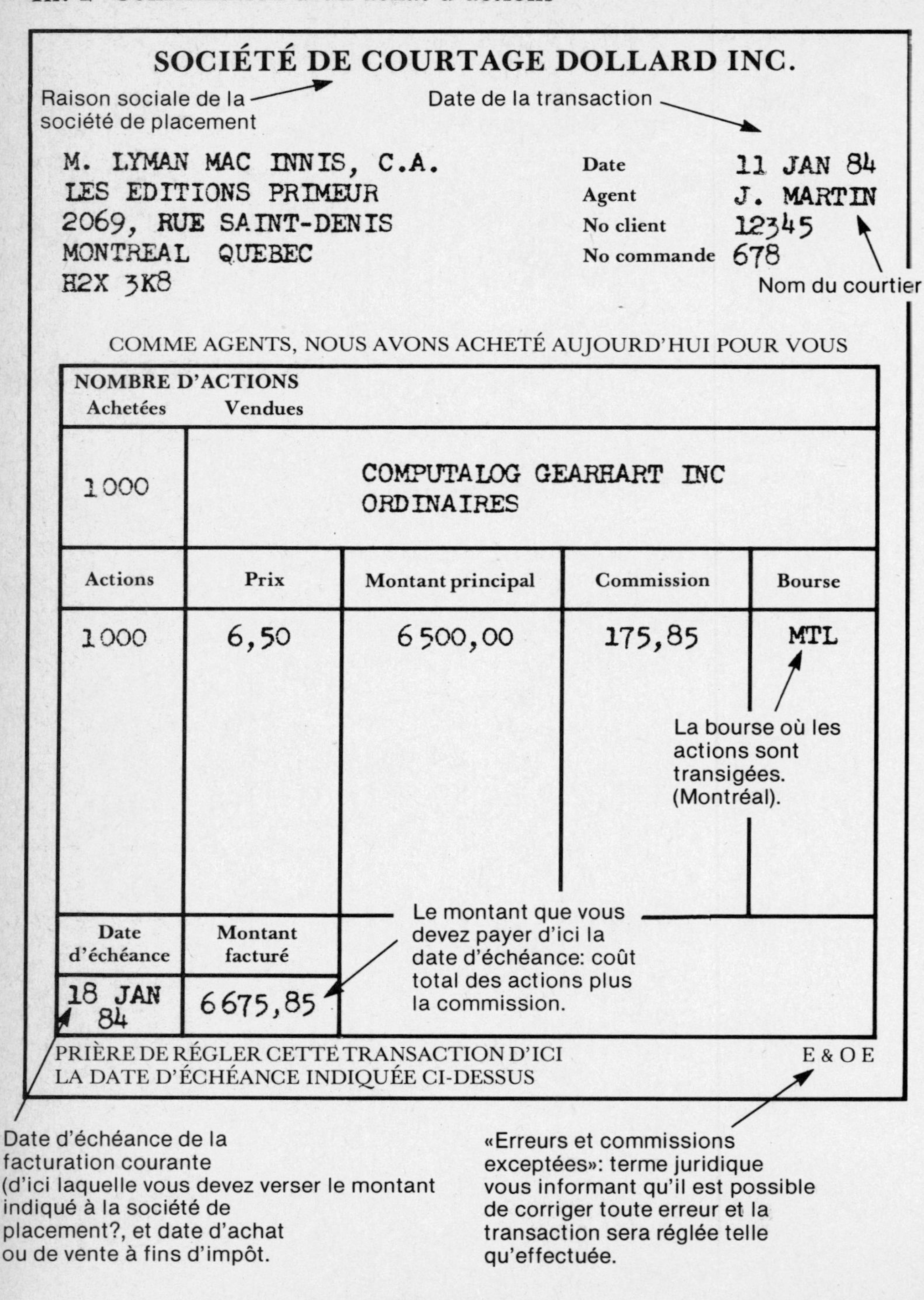

SOCIÉTÉ DE COURTAGE DOLLARD INC.

M. LYMAN MAC INNIS, C.A.
LES EDITIONS PRIMEUR
2069, RUE SAINT-DENIS
MONTREAL QUEBEC
H2X 3K8

Date 11 JAN 84
Agent J. MARTIN
No client 12345
No commande 678

COMME AGENTS, NOUS AVONS ACHETÉ AUJOURD'HUI POUR VOUS

NOMBRE D'ACTIONS Achetées Vendues	
1000	COMPUTALOG GEARHART INC ORDINAIRES

Actions	Prix	Montant principal	Commission	Bourse
1000	6,50	6 500,00	175,85	MTL

Date d'échéance	Montant facturé
18 JAN 84	6675,85

PRIÈRE DE RÉGLER CETTE TRANSACTION D'ICI
LA DATE D'ÉCHÉANCE INDIQUÉE CI-DESSUS

E & O E

Ill. 3- Confirmation d'une vente d'actions

SOCIÉTÉ DE COURTAGE DOLLARD INC.

M. LYMAN MAC INNIS, C.A.
LES EDITIONS PRIMEUR
2069, RUE SAINT-DENIS
MONTREAL QUEBEC
H2X 3K8

Date	29 JAN 84
Agent	J. MARTIN
No client	12345
No commande	678

COMME AGENTS, NOUS AVONS ACHETÉ AUJOURD'HUI POUR VOUS

NOMBRE D'ACTIONS Achetées	Vendues	
	500	CANADA TRUSTCO CO SERIE G TITRES EXP 02/10/87

Actions	Prix	Montant principal	Commission	Bourse
500	17,00	8500,00	185,00	MTL

Date d'échéance	Montant facturé
6 FEV 84	8315,00

Recette de la vente moins la commission.

PRIÈRE DE RÉGLER CETTE TRANSACTION D'ICI LA DATE D'ÉCHÉANCE INDIQUÉE CI-DESSUS

E & O E

actions vendues, sous forme négociable, au plus tard le cinquième jour ouvrable suivant la transaction, à moins, bien sûr, que ces actions ne se trouvent déjà entreposées dans le coffre-fort du courtier. Si vous concluez une vente, selon ce que vous préférez, le courtier vous fera parvenir un chèque, ou bien il gardera ces fonds en dépôt. Vous percevez des intérêts sur les fonds déposés auprès de votre courtier.

Si le titre vendu est nominatif, vous devez signer votre nom au dos du titre exactement de la même manière que la signature figurant au recto, dater votre signagure et la faire certifier. Si ce titre est détenu à plusieurs, tous les codétenteurs doivent l'endosser. Si vous avez des titres ayant été précédemment dûment endossés, ils sont déjà négociables; en réalité, ce sont des titres au porteur. Les titres au porteur n'ont pas besoin d'être endossés; ils sont négociables sur présentation. Les titres achetés se présentent également sous forme nominative ou au porteur.

Les noms et adresses des détenteurs de titres nominatifs sont consignés par l'émetteur des titres qui fera parvenir les intérêts, dividendes et informations de l'actionnaire aux détenteurs nominatifs. Si vous changez d'adresse et que vous déteniez des titres nominatifs, il faut en informer l'agent de transfert dont le nom figure généralement sur le titre, afin que le courrier puisse être réexpédié. Un titre nominatif peut être enregistré sous le nom du propriétaire, sous un nom d'intermédiaire ou sous un nom de «rue» (celui du courtier). Pour des raisons pratiques, de nombreux titres sont enregistrés sous des noms d'intermédiaire ou de «rue».

Un titre au porteur est négociable comme de l'argent. Le détenteur d'un titre au porteur, c'est-à-dire la personne qui l'a en sa possession, en est le propriétaire présumé. Par conséquent, si des titres au porteur sont volés ou perdus, il est très facile pour un voleur de toucher de l'argent en échange. Les obligations au porteur ont des coupons d'intérêt numérotés et datés qui sont attachés et bien ordonnés en vue du poinçonnage. Quand un coupon vient à échéance, il faut le poinçonner et l'encaisser auprès de n'inporte quelle banque autorisée ou auprès de l'établissement de votre courtier.

Les intérêts ou les dividendes se rapportant à des titres détenus en votre nom par le courtier vous seront envoyés directement par l'agent de transfert de l'émetteur, si les titres sont enregistrés à votre nom. S'ils ne sont pas à votre nom, il faut vérifier le relevé de compte mensuel du courtier pour vous assurer que ce dernier a bien crédité votre compte des montants auxquels vous avez droit.

À la fin de chaque mois, votre courtier vous fera parvenir un relevé des transactions du mois indiquant les soldes créditeurs ou débiteurs concernant des titres négociés ou détenus en votre nom. Les bordereaux de confirmation et les relevés mensuels vous permettent de vérifier si ce que vous avez consigné correspond à ce qu'a consigné votre courtier. Toutes les divergences doivent être immédiatement signalées au courtier.

C'est également une bonne idée de conserver tous les bordereaux de confirmation et les relevés de compte pour la gestion de vos impôts et de vos placements. La plupart des courtiers vous communiqueront des comptes rendus de fin d'année, mais il vaut mieux contrôler également vous-même.

Cependant, vous n'êtes pas encore prêt à rendre visite à un courtier. Poursuivez votre lecture.

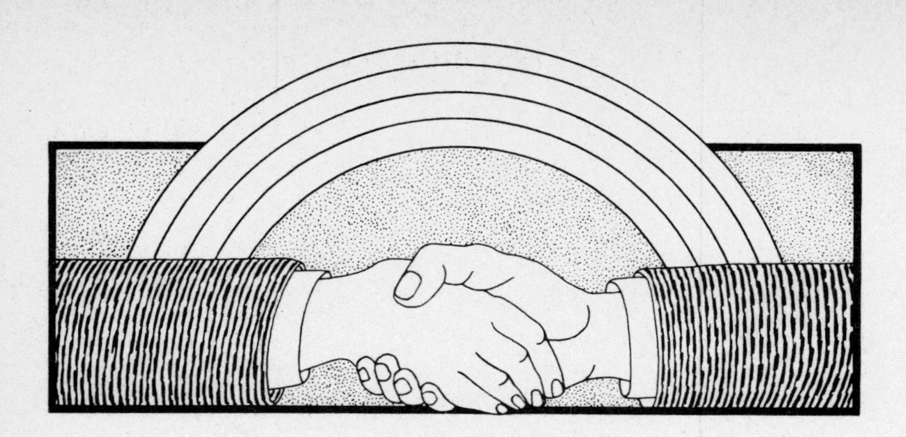

Chapitre dix-huit
Choisir un courtier et traiter avec lui

RÉFLÉCHISSEZ BIEN

De nombreux investisseurs consacrent moins de temps et de réflexion au choix d'un courtier qu'à l'achat d'un journal. Bien que la plupart des gens qui «jouent» en Bourse soient par nature quelque peu sceptiques (surtout s'ils s'adonnent à des opérations en Bourse depuis plus de six mois), il est assez étonnant de constater que nombreux sont ceux qui croient naïvement que la plupart des milliers d'hommes et de femmes vendant des titres ont plus ou moins les mêmes connaissances, la même honnêteté et la même capacité de séparer le bon grain de l'ivraie parmi les informations et les ouï-dire contradictoires qui circulent en Bourse.

Tous ne sont pas pareils.

Beaucoup sont excellents. Certains, bien qu'honnêtes, sont si stupides qu'ils devraient songer à faire autre chose. Cependant, comme dans toutes les autres professions, la plupart sont compétents. En effet, le courtier moyen est aujourd'hui mieux formé et plus motivé que le courtier moyen d'il y a vingt ans, quand beaucoup d'entre eux étaient attirés vers ce métier par les visions de gains rapides et considérables réalisés grâce aux excès d'un marché boursier spéculatif.

La triste vérité c'est que de nombreux investisseurs ayant fait de mauvaises expériences en Bourse ont de bonnes raisons d'attribuer en partie leurs pertes à des courtiers qui s'attachent moins à aider leurs clients qu'à gagner une commission. En toute impartialité, il ne faut néanmoins jamais oublier que les courtiers gagnent leur argent en achetant et en vendant des titres et non pas en vous conseillant quoi faire. Mais, on peut quand même faire de bons et de mauvais choix en ce qui concerne les courtiers.

Malheureusement, il n'existe pas de directives vous assurant de bien choisir un courtier. Ce choix est très subjectif et se trouve encore compliqué par le fait qu'il n'existe pas de moyen simple d'apprécier la bonne ou mauvaise gestion de votre compte par le courtier. Néanmoins, il faut réexaminer de temps en temps le choix de la personne responsable de la gestion de votre portefeuille, de même que toutes les décisions en matière de placements, ne serait-ce que pour vous assurer que vos besoins sont satisfaits.

En choisissant un courtier, la première chose à faire c'est de vous demander en toute honnêteté ce que vous attendez de la Bourse, en vous rappelant que le niveau du rendement est fonction de l'importance des risques. Déterminez combien de temps vous voulez passer à analyser des placements et n'espérez pas faire l'objet d'une grande attention de la part d'un courtier si l'ensemble de votre portefeuille ne vaut que quelques milliers de dollars. Certains établissements dissuadent leurs vendeurs d'accepter des comptes entraînant ce qu'ils appellent des ordres de nuisance. Cependant, d'autres établissements partent du principe que tous les comptes sont rentables car ils augmentent au fil du temps.

Si votre âge et votre revenu indiquent qu'il convient d'opter pour un portefeuille prudent constitué d'obligations, d'actions privilégiées et de titres de premier ordre, alors mieux vaut s'adresser à l'un des établissements de courtage vraiment importants. Ils sont les mieux à même de vous procurer beaucoup de titres à faible risque et de vous faire bénéficier de nouvelles émissions adaptées à votre type de portefeuille.

Mais même dans ce cas-là, il vous faut trouver un employé de l'établissement qui soit prêt à vous communiquer des informations concernant vos besoins particuliers et à vous conseiller, le cas échéant, en matière de modifications de portefeuille.

Si votre portefeuille est important et largement diversifié, et si vous souhaitez une certaine prudence, alors il faut vous adresser à un établissement proposant un service d'examen de portefeuille.

Cela revient à choisir un établissement pouvant vous proposer les services les mieux adaptés à votre philosophie en matière de placements et un individu qui vous offre un service et des conseils personnalisés convenant à vos objectifs.

Plusieurs investisseurs acceptent les recommandations de leur courtier sans poser la moindre question, oubliant ainsi que de nombreux courtiers n'analysent pas les titres qu'ils vendent. Un bon courtier ne se contente pas de citer quelques platitudes tirées d'une annonce publicitaire. Il vous communique des informations détaillées vous permettant ainsi de déterminer si tel placement répond à vos besoins particuliers.

Tenez compte de la réputation de l'établissement de courtage et demandez à voir le type d'informations qu'il fournit à ses clients pour savoir si ses recommandations parviennent en même temps à tous les investisseurs. Vous ne tenez pas à être informé une semaine après les plus gros clients de l'établissement.

C'est à vous que revient la décision finale en matière d'achat ou de vente. Cependant, il se peut que vous ayez fortement besoin des conseils du courtier, c'est pourquoi il faut absolument savoir comment il en est arrivé à donner tel ou tel conseil. C'est votre argent que vous risquez.

N'oubliez jamais que le courtier auquel vous avez affaire est plus important pour vous que la réputation de son établissement. Toutefois, la capacité de recherches d'un établissement ainsi que sa méthode d'information des clients comme vous représentent également des facteurs clés.

Un bon courtier doit accepter de prendre le temps de tailler sur mesure un programme de placements en fonction de vos besoins personnels. Demandez au courtier quelle est l'activité des clients types en matière de placements; c'est-à-dire combien d'argent ils ont investi, avec quelle fréquence ils achètent et vendent, et quels genres de titres ils affectionnent plus particulièrement. Si les réponses ne correspondent aucunement à votre cas personnel, mieux vaut vous adresser ailleurs.

C'est également une bonne idée d'avoir un entretien en tête à tête avec tous les courtiers auxquels vous envisagez de faire appel. En fait, certains établissements de courtage attachent une grande importance à de tels entretiens pour déterminer le niveau d'investissements convenant le mieux au client et pour savoir s'il en a les moyens.

Si vous n'avez jamais ouvert de compte auprès d'un courtier, attendez-vous à répondre à de nombreuses questions portant sur votre valeur nette et autres renseignements d'ordre financier. Il est presque sûr d'avance qu'un courtier vérifiera vos références bancaires et qu'il refusera d'exécuter votre premier ordre avant d'avoir vérifié certains renseignements vous concernant.

Vous ayant jaugé et vérifié l'un l'autre, l'étape suivante consiste à établir certaines lignes directrices avec votre courtier. C'est une étape fondamentale, mais elle est négligée par la plupart des investisseurs, ce qui entraîne parfois des conséquences coûteuses.

ÉVITER LES PROBLÈMES DE COURTAGE

Une incroyable tradition d'honnêteté et de fair-play s'est maintenue au fil des ans dans les transactions entre courtiers et clients. À une époque où presque toutes les transactions nécessitent une signature, un chèque visé ou de l'argent certifié, l'appel téléphonique informel courtier-client représente un moyen presque incroyable de traiter des affaires. Un simple appel téléphonique est à l'origine de presque toutes les transactions de titres effectuées chaque jour et se chiffrant en millions de dollars.

Mais en ce qui vous concerne, aussi admirable que puisse être cette approche basée sur la confiance, cela a bien moins de valeur que les résultats sportifs de la veille, si vous vous apercevez soudain que votre courtier a mal compris ou mal géré votre compte ou bien encore qu'il vous a induit en erreur. Et cela arrive.

Les probabilités de tomber sur une personne malhonnête parmi les milliers de courtiers en Bourse et de négociants en titres patentés et reconnus sont très faibles. Mais la mauvaise gestion de votre compte ou un malentendu assez grave restent possibles, surtout dans un système aussi dépendant des entretiens téléphoniques. Vous ne serez probablement jamais obligé de poursuivre votre courtier en justice pour avoir gâché votre compte, mais il est quand même extrêmement important de savoir comment faire en cas de désaccord avec votre courtier.

Si vous n'êtes pas satisfait de ce que fait ou ne fait pas votre courtier, il importe de contacter l'établissement concerné. Dans la plupart des établissements de courtage, le personnel commercial est dirigé par un responsable qui contrôle les transactions et la gestion des portefeuilles. Il faut demander à cette personne, ou bien à un autre responsable de l'établissement, d'examiner votre réclamation. Dans la plupart des cas, le problème se règle à ce stade-là. L'établissement sera disposé à vous croire et vous avez de fortes chances de régler ce problème sans trop de difficultés.

Si vous ne parvenez pas à régler le différend avec votre courtier, il faut alors vous mettre en rapport avec l'Association canadienne des courtiers en valeurs mobilières et la Bourse des valeurs où la transaction s'est effectuée. L'ACVM, dont sont membres les sociétés de placement, et les Bourses des valeurs exercent des pouvoirs réglementaires et disciplinaires considérables sur les sociétés membres, et ont même le droit d'infliger des amendes et de suspendre ou d'exclure des individus ou des établissements.

Dès réception de votre réclamation, qui doit être faite par écrit, ces organismes vont mener une enquête. Si cette enquête révèle que votre réclamation est fondée et justifiée, le courtier se verra plus ou moins contraint de s'arranger rapidement avec vous, d'autant plus que des mesures disciplinaires peuvent être prises contre lui ou contre son établissement.

Si votre différend ne trouve toujours pas de solution, contactez la commission provinciale des titres concernée. Ces commissions ont pour mission de réglementer la souscription ainsi que la distribution et la vente de titres en se basant sur des politiques relativement uniformes à travers le Canada. Sous l'autorité du procureur général provincial, les commissions des titres peuvent entreprendre des poursuites judiciaires pour violation de la réglementation en matière de titres. N'oubliez pas que ces commissions ne peuvent pas contraindre un établissement à vous rendre votre argent; toutefois, elles peuvent suspendre l'inscription d'un établissement ou infliger de fortes pénalités pour fausse déclaration, fraude ou omission intentionnelle de certaines données importantes concernant des titres.

À ce niveau, il est important de se rappeler qu'une enquête débute avec votre énoncé écrit des faits, qui doit être signé et contenir tous les renseignements importants tels que la date de la transaction, les détails relatifs aux titres concernés et à leur prix, de même que toutes les circonstances particulières concernant cette transaction. Essayez de vous remémorer le mieux possible toutes les communications que vous avez eues avec votre courtier ainsi que la date et l'heure approximatives de tous les appels téléphoniques. Dressez une liste des noms des personnes de l'établissement de courtage avec lesquelles vous avez été en rapport pendant et après la transaction en question. Si vous avez gardé certains documents concernant cette opération, ne serait-ce que quelques notes griffonnées sur un bout de papier, joignez-en des copies à votre lettre. Votre réclamation aura ainsi toutes les apparences d'une déclaration écrite sous serment.

En général, une commission commence par enquêter de manière informelle en envoyant ses enquêteurs pour vous interroger ainsi que pour interroger le courtier et toutes les autres personnes impliquées dans l'affaire. Si une enquête officielle a lieu, la commission peut enjoindre de présenter les documents existants et assigner les témoins à comparaître.

Après l'enquête menée par la commission des titres au sujet de votre réclamation, une audience pouvant durer entre quelques heures et plusieurs jours, suivant la complexité de l'affaire, est alors éventuellement tenue. À la fin de l'audience, si le courtier est reconnu coupable, il peut être alors réprimandé, suspendu ou même exclu du secteur d'activité des titres. Mais s'il n'est pas reconnu coupable et si vous décidez de maintenir votre réclamation, vous pouvez intenter un procès de droit civil. Le moment est venu de faire appel à un avocat.

Dans le cas d'une réclamation assez simple, comme un désaccord entre votre vendeur et vous au sujet du nombre d'actions achetées en votre nom, l'enquête dure généralement quelques jours. Les cas plus complexes impliquant éventuellement une fraude ou une fausse déclaration peuvent nécessiter des mois d'enquête.

Les réclamations les plus fréquentes concernent des malentendus assez simples, mais elles posent souvent le plus de problèmes aux enquêteurs. Si vous avez, par exemple, demandé à votre courtier d'acheter 100 actions et qu'il en a acheté 500, la seule preuve qui existe, c'est votre parole contre la sienne, et il n'y a souvent pas grand-chose à faire dans un tel cas. Si la même chose s'est déjà produite pour d'autres clients, alors la crédibilité du courtier commence à être mise en doute.

Légalement, l'ordre verbal que vous donnez à un courtier constitue un contrat exécutoire. La seule exception concerne l'achat de nouveaux titres sur prospectus où il est possible d'annuler un ordre dans les 48 heures après réception du prospectus. Bien qu'il engage, le contrat est soumis à preuves. Dans le cas d'un litige reposant sur un appel téléphonique, la preuve dépendra de la relative crédibilité des témoins, c'est-à-dire votre courtier et vous.

Même si votre courtier conteste ce que vous avez dit, vous obtiendrez probablement gain de cause si vous avez pris la peine de prendre sur-le-champ quelques notes détaillant l'appel téléphonique. Bien que cela ne constitue pas une preuve au sens strict du terme, un bloc-notes sur lequel figurent la date, l'heure et le détail de l'ordre peut vous aider à vous remémorer un ordre verbal. Les gens sont fort capables de juger de la véracité d'un individu, et si vous avez des documents ou des notes confirmant votre version des faits, vous êtes en bonne posture.

L'autre solution en cas de litige consiste tout simplement à ne pas payer. Si votre réclamation est justifiée, il est rare que les établissements de courtage recourent à une procédure judiciaire pour recouvrer leur argent. Cela entraîne en général d'énormes dépenses en temps, en argent et en relations publiques. Cependant, si la valeur des titres en question a diminué à la suite de votre achat controversé, attendez-vous à recevoir des nouvelles de votre établissement de courtage. Un établissement peut décider de vendre les titres et de vous poursuivre en justice pour la différence entre le prix d'achat initial et la perte subie. Dans la plupart des cas où il ne s'agit que de petites sommes, l'établissement fera passer cette perte par profits et pertes, et vous de même.

Le marché boursier regorge de plaignants invétérés et si votre refus de payer ne repose que sur la contrariété d'avoir subi une perte, n'espérez pas vous en tirer à si bon compte. Dans le secteur d'activité du courtage, on sait très bien qu'il y a énormément de gens, des deux côtés, qui n'hésitent pas à déformer quelque peu les faits pour que les choses tournent à leur avantage. Si vous prenez l'habitude de ne pas payer les pertes, vous pourriez vous retrouver sur une liste noire. Bien qu'une telle liste n'existe soi-disant pas, ce secteur d'activité prend des mesures pour se protéger des contrevenants chroniques. On raconte que la Bourse de Toronto communique de temps en temps aux établissements membres les noms de personnes ayant eu des transactions problématiques avec un établissement membre. Les autres établissements ayant déjà traité avec une de ces personnes sont priés de prendre contact avec la Bourse. De tels avis, dont on raconte qu'ils ont lieu en moyenne une fois par mois, sont affichés dans les services des ordres et de la liquidation des établissements membres.

Il existe donc bien des contrôles et des évaluations des deux côtés pour élaguer les courtiers et les investisseurs indésirables sur le marché des titres. Cependant, comme toutes les procédures de litige en général, mieux vaut ne jamais avoir besoin d'y recourir, même si de telles procédures sont également prévues pour les investisseurs. L'un des moyens permettant d'éviter les litiges consiste à clarifier les règles de base régissant l'activité de votre courtier et de les réexaminer de temps à autre. Faites-lui savoir que vous connaissez vos droits. Et n'oubliez surtout pas de tenir votre courtier informé de votre situation financière et de vos objectifs en matière de placements.

Lorsque vous entamez une transaction, assurez-vous que votre courtier a bien compris votre ordre. Prenez le temps de le questionner sur certains termes étrangers qu'il emploie éventuellement en relisant votre ordre au téléphone. Le meilleur moyen de se défendre, c'est encore d'être informé. Vous ne devez en aucun cas confier aveuglément à quelqu'un d'autre la gestion de vos finances. Si vous êtes intéressé par des actions d'entreprises travaillant dans un secteur économique particulier, réunissez autant de renseignements que possible au sujet de quatre ou cinq entreprises de ce secteur particulier ou d'autres secteurs semblables. Faites l'effort de vous procurer les rapports annuels et de les lire. Examinez quelles ont été les évolutions de la cotation en Bourse de ces différentes entreprises. Si vous ne faites pas ces recherches, vous finirez par essayer d'évaluer le courtier au lieu d'évaluer les titres.

Quelle que soit la façon dont vous réglez vos transactions avec votre courtier, n'oubliez pas que la fiabilité n'est pas automatiquement synonyme de profit. Si vous avez l'intention de «jouer» en Bourse, il vous faudra prendre des risques en vous fiant à votre information et non à l'opinion de votre courtier. Enfin, la prochaine fois que vous appellerez votre courtier, rappelez-vous que le téléphone tout seul est loin d'être le moyen de communication parfait. Prenez des notes et gardez-les. Votre courtier en fait probablement autant.

Ce qu'il faut faire et ne pas faire

Voici quelques procédés permettant de réduire les risques de malentendus entre votre courtier et vous.

Ce qu'il faut faire

1. Adressez-vous uniquement à des établissements se conformant aux normes fixées par l'Association canadienne des courtiers en valeurs mobilières ou à l'une des plus importantes Bourses des valeurs. Choisissez un boursier ou un courtier ayant un bureau près de chez vous, ayant également un agent commercial avec lequel vous puissiez travailler en étroite collaboration et vous proposant le type de services vous intéressant plus particulièrement (par exemple, les recherches, la souscription à de nouvelles émissions, les fonds communs de placement, etc.)
2. Exigez, comme faisant partie des conditions d'ouverture d'un compte discrétionnaire, de recevoir régulièrement de la part du courtier un rapport écrit sur l'état de votre compte.
3. Dites à votre courtier à quel moment on peut vous joindre de préférence. Votre courtier doit savoir si vous préférez être appelé au bureau. S'il y a un numéro où l'on peut toujours vous joindre, envisagez de le communiquer à votre courtier.
4. Prenez des décisions — qu'elles soient affirmatives ou négatives. Hésiter en permanence à agir sur les recommandations de votre courtier vous fait du tort. Votre courtier prête probablement ses services à des centaines de clients; si vous cherchez toujours des échantillons, vous risquez fort de vous retrouver en fin de liste.
5. Soyez prudent dans le choix de l'établissement et de la personne avec laquelle vous décidez de traiter.

Ce qu'il ne faut pas faire

1. N'achetez pas de titres vendus avec beaucoup d'insistance, que ce soit par le biais d'un appel téléphonique ou

d'une lettre. Exigez que la personne vous proposant des titres vous envoie des renseignements par écrit au sujet de l'entreprise, de ses activités, de ses bénéfices nets, de sa gestion, de sa situation financière et de ses perspectives d'avenir. Si vous ne comprenez pas toutes ces informations, adressez-vous à quelqu'un de compétent en la matière.

2. Ne traitez pas avec une personne vous disant quel sera le prix des titres dans un certain temps ou proposant de vous les racheter à prix coûtant si toutefois leur valeur n'augmentait pas.
3. Ne traitez pas avec le représentant d'un établissement dont vous n'avez jamais entendu parler, avant d'avoir eu le temps de vérifier soigneusement la réputation de cet établissement.
4. Ne vous basez pas sur des rumeurs pour investir. Les informations dites de première main sont rapidement dévalorisées par le marché boursier, et en général bien avant que vous n'en entendiez parler. C'est sans doute ce qui explique l'adage suivant: «Vendez quand les nouvelles sont bonnes, achetez quand les nouvelles sont mauvaises.»

SOURCES D'INFORMATION

Cela semble ridicule d'avoir à le dire, mais nombreux sont ceux qui s'estiment compétents en matière de placements et qui ignorent complètement le principal élément à utiliser pour pouvoir prendre des décisions judicieuses en matière de placements, à savoir l'information.

Si vous obtenez autant d'informations que possible au sujet d'une émission avant d'engager des fonds pour l'achat des titres émis, vous serez beaucoup plus sûr de vos choix que ceux qui plongent aveuglément et qui tentent leur chance.

Il y a quantité d'informations disponibles. La législation canadienne en matière de titres est basée sur le principe de la divulgation complète et exacte des informations concernant les émissions de titres et des rapports financiers annuels transitoires de ceux qui sont soumis à leur réglementation. De plus, le Canada dispose d'une excellente presse financière, sans parler des nombreuses publications américaines disponibles.

Il y a trois façons de procéder. La première, c'est de s'en remettre entièrement à des conseillers en placements ou à des courtiers. Si vous n'avez ni le temps ni l'envie de faire vos propres recherches, c'est la méthode à adopter. La seconde consiste à chercher et à prospecter vous-même. Enfin, la troisième et dernière méthode, qui est probablement la plus satisfaisante et peut-être la meilleure, consiste en une combinaison des deux premières.

La presse économique et financière canadienne est variée et instructive. Cela va des pages et des rubriques financières des quotidiens, en passant par les journaux économiques hebdomadaires jusqu'aux revues économiques mensuelles. On trouve, par exemple, *The Globe and Mail Report on Business,* le *Financial Times of Canada,* le *Financial Post* et le *Canadian Business and Executive Magazine* et le *Journal les Affaires.* L'illustration 4 représente un échantillon de cotations en Bourse.

En outre, de nombreuses sociétés de placement canadiennes et les principaux établissements financiers canadiens publient régulièrement des rapports concernant les tendances commerciales, économiques et politiques actuelles et des questions d'intérêt général. Demandez ces publications auprès de votre banque et de votre société de fiducie. Les sociétés de placement publient aussi assez souvent des rapports spéciaux portant sur un secteur économique ou sur une entreprise.

Comme vous l'avez sans doute déjà deviné, il existe de nombreuses publications financières américaines qui intéressent également les investisseurs canadiens. Le quotidien *Wall Street Journal* et l'hebdomadaire *Barrons* sont deux publications financières américaines absolument remarquables. Parmi les revues financières américaines les plus valables, on peut citer *Money, Fortune, Forbes, Commercial and Financial Chronicle, Investment Dealer's Digest* et *The Institutional Investor.*

Ill. 4- Cotations des actions en Bourse:
Liste partielle des titres transigés à la Bourse de Montréal, la Presse, le 28 janvier 84.

LA BOURSE DE ⟶ **MONTRÉAL** **(Revue de la semaine)**

	Volume	Haut	Bas	Clôt.	Var.	Haut	Bas
Aberford	2000	$8¾	8¾	8¾		$9⅜	8⅝
Agnico E	13700	$16¼	15⅝	16¼	+ ¼	$21	14⅜
Agra In A	300	$6	6	6		$6	
Aiguebelle	10825	$9¼	8¾	8¾	— ¼	$14¼	8
Alta energ	41415	$19⅜	18¾	18⅞	— ⅝	$21	13⅞
Alcan Alu	312959	$47¼	44⅛	44¾	—2⅝	$51⅜	32¼
Alcan Wt	49265	$20	18¼	18⅞	—1⅜	$22	8
Algoma St	461	$30½	29⅝	30½	— ¼	$36½	26
Algoma 8	400	$24½	24½	24½		$25	20⅜
Alum 2.312	6500	$26½	26¼	26½		$27⅜	23⅛
AMCA int	19711	$26⅜	25⅝	25⅝	— ⅞	$30⅞	18¾
AMCA$.84	300	$25⅜	25⅜	25⅜	+ ⅛	$25⅜	24½
Arg prC	300	$8⅜	8⅜	8⅜	+ ⅜	$8½	5⅛
Asamera	12800	$14	13⅛	13⅜	— ⅜	$14⅞	10⅜
Asbestos	200	$10½	10½	10½	+ ⅜	$13⅞	9½
fAstral A	1300	$7½	7⅜	7⅜		$7½	
fAstral B	800	$7½	7½	7½	— ⅛	$7⅝	
B C Forst	35801	$14½	13¼	13¾	— ¾	$14⅞	8½
BGRpMt.A	3500	$7¼	7	7⅛	— ⅛	$7⅞	6¼
BGRpM.wt	6600	215	205	205	—14	255	185
BC Phone	9296	$22¼	21½	22		$23	17¼
BPres Can	1440	$23⅜	23	23⅜	+ ⅝	$27	19¾
Bank NS	174757	$15⅛	14⅜	14⅝	— ⅜	$15½	10⅝
Bque Cont	15281	$13¾	13¼	13⅝		$14¼	9¾
Bq Mercn	2500	$16¼	15⅞	16⅛	+ ⅜	$21⅞	15
Bque Mtl	100232	$28¼	27½	27⅝	— ⅜	$33⅝	24¾
BMO 2.85	13200	$35½	34⅞	35¼	— ⅛	$37⅝	30⅝
BMO $2.50	21335	$31⅞	31½	31¾		$34¾	25⅝
BMO Wts	24845	$7	6⅝	6¾	— ⅜	$11⅞	5½
Bq Eparg	17631	$21⅞	20¾	21¼		$24	8⅜
BqEp 2.62	3400	$27½	27⅛	27⅜	+ ½	$28½	25½
Bque Nat	179113	$14½	13⅞	13⅞	— ⅜	$14⅜	8½
BqNat 2.94	9085	$37¼	36¼	36⅝	+ ¼	$37¼	28⅛
Bq Nat B	2665	$30⅝	30	30⅛	— ½	$32½	28⅝
Bq Royale	80446	$34⅝	33¼	33¾	— ¾	$36	25½
Bq Ry Wt	18375	$7⅝	6⅞	7	— ¾	$8½	6¼
BqRy 1.45	17760	$17⅝	17⅜	17½	+ ⅛	$18	15⅛
BqRy 1.88	4900	$21¼	20⅝	21¼		$22¼	18¼
BqRy 2.75	26433	$33⅛	32	32½	— ¼	$35⅜	29¼
Baxter Tc	22773	228	215	228	+ 3	250	80
fBomb A	3777	$18½	18	18¼	— ¼	$19⅞	12⅝
fBomb B	12711	$17⅝	17¼	17⅜		$18¾	10½
Bow Val	29200	$24½	23⅜	23½	—1⅜	$29¾	15½

	Volume	Haut	Bas	Clôt.	Var.	Haut	Bas
BowVl2.05	1450	$35	34¼	34½	—1	$37½	25⅛
Bralorne	500	$5¾	5¾	5¾	+ ¼	$8¼	475
Brascade	9950	$41½	41⅛	41⅜	+ ¼	$42⅝	32
Brascan A	25243	$41⅝	39⅜	39⅜	—2¼	$42⅛	19⅜
Brcan 812	200	$25½	25½	25½	—1	$26¾	20¼
Brcan prF	1900	$27⅜	26⅞	27⅜		$27¾	25
Brinco	1100	285	260	260	—35	435	260
Brunswick	1130	$22½	22¼	22⅜	—1⅞	$24¼	14¼
By—Com	65073	$7⅜	6⅞	7¼	— ⅛	$8⅞	6⅞
CAE Ind	26000	$18¾	16⅞	18½	+ ½	$18¾	9
CCL Ind.A	30566	$17½	17½	17½		$17½	
CIL	5900	$33½	32⅝	33½	+ 1¼	$33½	22¾
Cad Frvw	66455	$11¼	10¾	11¼	+ ½	$11⅜	7½
Cad Fw a	3000	$8	8	8	— ¼	$8⅞	7⅛
Ca.f.wt	16200	475	450	475	+ 15	475	310
Camp R	1030	$9⅞	9¾	9¾	+ ¼	$15	9½
Cmpbel.Sp	8385	$15	14½	14½		$16⅛	12¾
fCampeau	5305	$21½	19½	19½	—2¼	$22⅛	8⅝
CmpeauWt	1925	$6¾	5¾	5⅞	— ⅞	$7	460
fCDC	7631	$6½	6⅛	6¼	— ⅛	$9¾	480
CDC Pr B	305	$94	94	94		$106½	91½
CDC 1980	8725	$14	13⅜	13⅜	— ⅝	$17⅝	11¾
C Trst Wt	800	$25	25	25	—1⅜	$26½	10½
C Imp Bk	74018	$30⅞	30⅜	30¾	— ¼	$39½	29⅛
CIBa 2.50	100	$26¾	26¾	26¾	— ¼	$28	25¼
CIBq 2.05	5575	$26¼	26	26	— ¼	$30½	23½
CIBQ 3.562	76980	$31⅜	31¼	31¼	+ ⅛	$32⅞	28⅞
CIBq wt	1100	$9¼	8⅝	8⅝	— ⅝	$14¼	8
CP Ltee	46779	$52¼	50½	51	—1¼	$53½	35¼
Cdn Tire	3200	$16½	15⅞	16⅜	+ ⅜	$18	10⅜
fC Tire A	36095	$12⅞	12¼	12⅜	— ⅝	$13⅞	10½
fC Utilit A	1814	$15⅛	14⅞	15⅛		$16¼	12
C Utilit B	2143	$15	14½	15		$15	12¼
C Util prJ	100	$27¾	27¾	27¾	+ ¼	$28	25¾
C.Util SrH	2350	$23¼	23⅛	23¼	+ ⅛	$24	21½
C Util SrI	200	$25⅜	25⅜	25⅜	— ⅛	$26½	25⅜
Canron A	4741	$14¼	14¼	14¼	+ ⅛	$15½	10⅝
Cantol	8789	375	325	325	—25	405	200
Carena	340	$54	50¼	50¼	—1¾	$54	27½
Carl Ok	34766	$22½	20½	20⅝	—1⅞	$25	11⅜
Cascades	29705	$10¼	9¾	10¼	+ ⅜	$10½	465
Celanese	82822	$9⅞	9	9⅝	— ⅛	$12⅞	6⅛
Cent Dvn	960	40	40	40		80	35

Le prix le plus bas payé la veille

Le prix le plus haut payé la veille

Le prix à la clôture

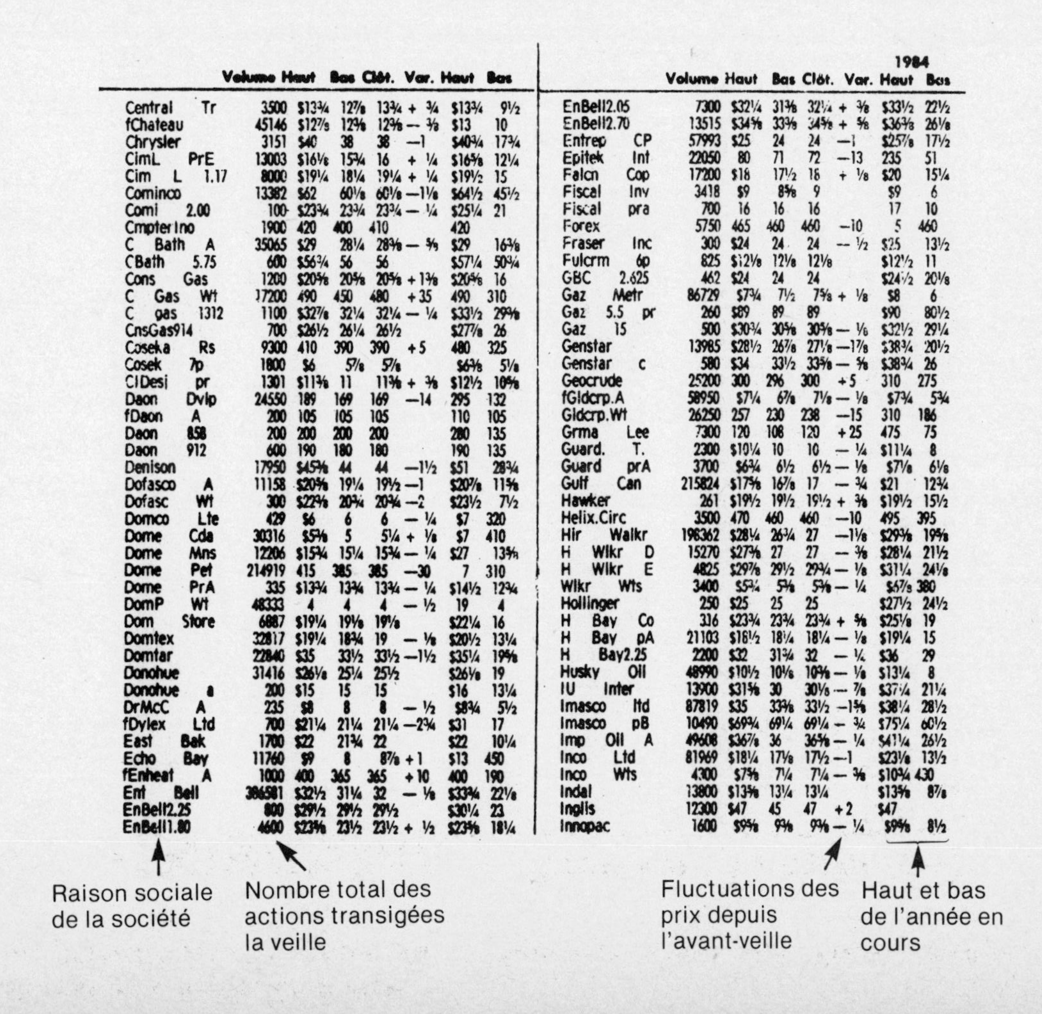

	Volume	Haut	Bas	Clôt.	Var.	Haut	Bas
Central Tr	3500	$13¾	12⅞	13¾	+ ¾	$13¾	9½
fChateau	45146	$12⅞	12⅝	12⅝	— ⅜	$13	10
Chrysler	3151	$40	38	38	—1	$40¾	17¾
CimL PrE	13003	$16⅛	15¾	16	+ ¼	$16⅝	12¼
Cim L 1.17	8000	$19¼	18¼	19¼	+ ¼	$19½	15
Cominco	13382	$62	60⅛	60⅛	—1⅛	$64½	45½
Comi 2.00	100	$23¾	23¾	23¾	— ¼	$25¼	21
Cmpter Ino	1900	420	400	410		420	
C Bath A	35065	$29	28¼	28⅜	— ⅝	$29	16⅜
CBath 5.75	600	$56¾	56	56		$57¼	50¾
Cons Gas	1200	$20⅝	20⅝	20⅝	+ 1⅜	$20⅝	16
C Gas Wt	17200	490	450	480	+ 35	490	310
C gas 1312	1100	$32⅞	32¼	32¼	— ¼	$33½	29⅝
CnsGas914	700	$26½	26¼	26½		$27⅞	26
Coseka Rs	9300	410	390	390	+ 5	480	325
Cosek 7p	1800	$6	5⅞	5⅞		$6⅜	5⅛
ClDesi pr	1301	$11⅜	11	11⅜	+ ⅜	$12½	10⅝
Daon Dvlp	24550	189	169	169	—14	295	132
fDaon A	200	105	105	105		110	105
Daon 858	200	200	200	200		280	135
Daon 912	600	190	180	180		190	135
Denison	17950	$45⅝	44	44	—1½	$51	28¾
Dofasco A	11158	$20⅝	19¼	19½	—1	$20⅞	11⅝
Dofasc Wt	300	$22⅝	20¾	20¾	—2	$23½	7½
Domco Lte	429	$6	6	6	— ¼	$7	320
Dome Cda	30316	$5⅝	5	5¼	+ ⅛	$7	410
Dome Mns	12206	$15¾	15¼	15¾	— ¼	$27	13⅝
Dome Pet	214919	415	385	385	—30	7	310
Dome PrA	335	$13¾	13¾	13¾	— ¼	$14½	12¾
DomP Wt	48333	4	4	4	— ½	19	4
Dom Store	6887	$19¼	19⅛	19⅛		$22¼	16
Domtex	32817	$19¼	18¾	19	— ⅛	$20½	13¼
Domtar	22840	$35	33½	33½	—1½	$35¼	19⅝
Donohue	31416	$26⅛	25¼	25½		$26⅛	19
Donohue a	200	$15	15	15		$16	13¼
DrMcC A	235	$8	8	8	— ½	$8¾	5½
fDylex Ltd	700	$21¼	21¼	21¼	—2¾	$31	17
East Bak	1700	$22	21¾	22		$22	10¼
Echo Bay	11760	$9	8	8⅞	+ 1	$13	450
fEnheat A	1000	400	365	365	+ 10	400	190
Ent Bell	386581	$32½	31¼	32	— ⅛	$33¾	22⅛
EnBell2.25	800	$29½	29½	29½		$30¼	23
EnBell1.80	4600	$23⅝	23½	23½	+ ½	$23⅝	18¼

						1984	
	Volume	Haut	Bas	Clôt.	Var.	Haut	Bas
EnBell2.05	7300	$32¼	31⅜	32¼	+ ⅜	$33½	22½
EnBell2.70	13515	$34⅝	33⅜	34⅝	+ ⅝	$36⅜	26⅛
Entrep CP	57993	$25	24	24	—1	$25⅞	17½
Epitek Int	22050	80	71	72	—13	235	51
Falcn Cop	17200	$18	17½	18	+ ⅛	$20	15¼
Fiscal Inv	3418	$9	8⅝	9		$9	6
Fiscal pra	700	16	16	16		17	10
Forex	5750	465	460	460	—10	5	460
Fraser Inc	300	$24	24	24	— ½	$25	13½
Fulcrm 6p	825	$12⅛	12⅛	12⅛		$12½	11
GBC 2.625	462	$24	24	24		$24½	20⅛
Gaz Metr	86729	$7¾	7½	7⅝	+ ⅛	$8	6
Gaz 5.5 pr	260	$89	89	89		$90	80½
Gaz 15	500	$30¾	30⅝	30⅝	— ⅛	$32½	29¼
Genstar	13985	$28½	26⅞	27⅛	—1⅞	$38¾	20½
Genstar c	580	$34	33½	33⅝	— ⅝	$38¾	26
Geocrude	25200	300	296	300	+ 5	310	275
fGldcrp.A	58950	$7¼	6⅞	7⅛	— ⅛	$7¾	5¾
Gldcrp.Wt	26250	257	230	238	—15	310	186
Grma Lee	7300	120	108	120	+ 25	475	75
Guard. T.	2300	$10¼	10	10	— ¼	$11¼	8
Guard prA	3700	$6¾	6½	6½	— ⅛	$7⅛	6⅛
Gulf Can	215824	$17⅝	16⅞	17	— ¾	$21	12¾
Hawker	261	$19½	19½	19½	+ ⅜	$19½	15½
Helix.Circ	3500	470	460	460	—10	495	395
Hir Walkr	198362	$28¼	26¾	27	—1⅛	$29⅝	19⅝
H Wlkr D	15270	$27⅜	27	27	— ⅜	$28¼	21½
H Wlkr E	4825	$29⅞	29½	29¾	— ⅛	$31¼	24⅛
Wlkr Wts	3400	$5¾	5⅝	5⅝	— ¼	$6⅞	380
Hollinger	250	$25	25	25		$27½	24½
H Bay Co	316	$23¾	23¾	23¾	+ ⅝	$25⅛	19
H Bay pA	21103	$18½	18¼	18¼	— ⅛	$19¼	15
H Bay2.25	2200	$32	31¾	32	— ¼	$36	29
Husky Oil	48990	$10½	10⅛	10⅜	— ⅛	$13¼	8
IU Inter	13900	$31⅝	30	30⅛	— ⅞	$37¼	21¼
Imasco ltd	87819	$35	33⅜	33½	—1⅝	$38¼	28½
Imasco pB	10490	$69¾	69¼	69¼	— ¾	$75¼	60½
Imp Oil A	49608	$36⅞	36	36⅝	— ¼	$41¼	26½
Inco Ltd	81969	$18¼	17⅛	17½	—1	$23⅛	13½
Inco Wts	4300	$7⅝	7¼	7¼	— ⅜	$10¾	430
Indal	13800	$13⅝	13¼	13¼		$13⅝	8⅞
Inglis	12300	$47	45	47	+ 2	$47	
Innopac	1600	$9⅝	9⅜	9⅜	— ¼	$9⅝	8½

Pour ceux qui veulent approfondir encore plus et avoir des informations financières et économiques extrêmement précises et détaillées, il existe de nombreuses publications canadiennes officielles.

Statistique financière hebdomadaire: Cette publication traite du volume et du rendement des bons du Trésor vendus lors de la vente hebdomadaire du gouvernement, ainsi que des rendements des titres d'État — aucun de ces deux sujets n'étant d'un grand intérêt pour l'investisseur individuel. Mais cette publication donne également des informations concernant l'ensemble des créances d'État directes et garanties à recouvrer, de même que les bilans de la Banque du Canada et des banques à charte.

Revue mensuelle: C'est une mine de statistiques comprenant les créances fédérales, provinciales et municipales à recouvrer; les rendements de titres et les retraites; les ventes au détail; les indices des prix; et les indices boursiers.

Rapport annuel de la Banque du Canada: Cette volumineuse publication résume les faits économiques marquants de l'année et renferme de nombreux renseignements intéressants sous forme de tableaux et de graphiques. Bien que certaines informations soient très techniques, l'investisseur moins expérimenté y trouve également beaucoup d'informations l'intéressant plus particulièrement.

Statistique Canada: Cette publication est une source quasi inépuisable de renseignements — utiles et inutiles. La collecte et la publication des données représentent à elles seules un énorme travail, grâce auquel vous pouvez obtenir des informations sur les tendances et l'activité de pratiquement tous les secteurs économiques au Canada — sur les phénomènes d'expansion, les commandes, les ventes au détail, l'activité de transformation, les niveaux des stocks, les faillites, et ainsi de suite.

Revue statistique du Canada: C'est une autre publication de *Statistique Canada*. Il s'agit d'un résumé mensuel des indices économiques canadiens actuels et de quelques données «historiques».

Enfin et surtout, les Bourses des valeurs de Toronto, Montréal et Vancouver publient d'excellents bulletins mensuels (que l'on peut se procurer à très bas prix) contenant des informations relatives aux marchés des valeurs canadiens.

Chapitre dix-neuf
Actions ordinaires

QUE SONT LES ACTIONS ORDINAIRES?

Les actions ordinaires des sociétés ouvertes représentent de loin la forme de placement la plus répandue parmi les gens qui «jouent» en Bourse. Il semble alors incroyable que de nombreux investisseurs ne se rendent absolument pas compte qu'une action ordinaire, c'est tout autre chose qu'une chose qu'ils ont achetée et qu'ils espèrent revendre ultérieurement en réalisant un bénéfice. C'est bien plus que cela.

Les actions ordinaires représentent avant tout une forme de propriété résiduelle d'une société par actions. Une fois que les créanciers sont payés et que les actions privilégiées sont remboursées, les détenteurs d'actions ordinaires ont droit à tout l'actif restant de l'entreprise, quelle que soit la valeur nominale ou le coût réel de l'action ordinaire.

En outre, les actions ordinaires sont normalement des actions donnant droit de vote. Il est en effet très rare que les détenteurs d'actions ordinaires n'exercent pas un certain contrôle sur l'entreprise sous forme de vote. Même la propriété d'une seule action ordinaire vous donne normalement un droit de vote lors de l'assemblée des actionnaires.

De plus, nombreuses sont les émissions d'actions ordinaires qui versent régulièrement des dividendes, faisant ainsi partie intégrante du revenu de nombreux investisseurs. D'autre part, les actions ordinaires constituent, bien sûr, un placement recherché par la plupart des investisseurs en vue d'un accroissement du capital.

La détention d'actions ordinaires est généralement matérialisée et prouvée par des feuillllets imprimés qui sont enregistrés, cessibles et gravés, et que l'on appelle des titres d'actions. C'est le document légal attestant la propriété légale des actions dont il est fait mention. Les titres d'actions sont gravés sur du papier de qualité supérieure, parce qu'ils sont ainsi plus difficiles à falsifier.

Si vous êtes le propriétaire inscrit d'actions ordinaires — ce qui signifie que votre nom figure dans le registre des actions de la société en tant que détenteur de ces titres d'actions — votre nom figure sur le titre d'action de même que le nombre d'actions que représente ce titre. D'autre part, ces titres sont souvent immatriculés au nom d'un courtier. Un titre de ce genre est établi au nom d'un négociant en valeurs ou d'un porteur de titre et endossé au verso par cette compagnie ou cette personne. Cela signifie que les actions sont librement négociables et acceptables sur présentation dans tout le pays. Elles changent souvent de détenteurs sans qu'un changement d'inscription ait lieu dans le registre des actions de la société.

Si vous vous intéressez aux actions ordinaires uniquement pour réaliser des gains, que les titres d'actions soient immatriculés au nom d'un courtier ou non n'a pas grande importance. Cependant, si vous comptez garder assez longtemps des actions donnant droit à des dividendes, ou si vous voulez recevoir directement les rapports annuels de la société, etc., mieux vaut faire immatriculer ces actions à votre nom ou au nom d'un intermédiaire, car tous les chèques de dividendes, rapports et autres informations destinés à l'actionnaire sont envoyés au propriétaire inscrit, c'est-à-dire au nom figurant sur le titre d'action. Mais que ces titres d'actions soient immatriculés au nom d'un courtier ou nominatifs, il faut, bien entendu, les entreposer en lieu sûr pour éviter le vol ou la falsification. La plupart des investisseurs entreposent leurs titres dans un coffre-fort ou les confient à la garde de leurs courtiers, de leur banque ou société de fiducie. Il ne faut surtout pas les laisser traîner à la maison ou sur le lieu de travail. Surtout si les titres d'actions sont des titres immatriculés au nom du courtier, car dans ce cas-là, il suffit d'un vol pour que vous subissiez une perte. Ces titres sont parfaitement négociables sans rien avoir à falsifier.

Si vous détenez des actions immatriculées au nom d'un courtier donnant droit à des dividendes, ces dividendes seront versés au négociant ou au courtier dont le nom figure sur le titre d'action. Il suffit de vous mettre en rapport avec le négociant ou le courtier en question pour toucher vos dividendes. En fait, dans la plupart des cas, le courtier vous fera automatiquement parvenir un chèque. Généralement, le négociant ou le courtier vous communiquent le bordereau d'information sur lequel figure le revenu sous forme de participation et de dividendes, pour les impôts, et qui indique le montant et le type de revenu perçu en votre nom.

Dividendes

Il ne faut jamais oublier qu'en matière d'actions ordinaires le paiement de dividendes n'est pas automatique. Le conseil d'administration doit d'abord décider si des dividendes seront versés ou non. Il en fixe ensuite le montant et la date à laquelle le paiement aura lieu. Ces paiements peuvent être trimestriels, semestriels, annuels ou bien encore avoir lieu à des dates irrégulières. Des dividendes spéciaux sont parfois déclarés.

Si les actionnaires ne sont pas satisfaits de la politique ou du manque de politique du conseil d'administration en matière de dividendes, ils peuvent, soit vendre leurs actions, soit voter contre la réélection des directeurs récalcitrants.

Dividende détaché; dividende attaché

Lorsqu'une entreprise compte beaucoup d'actionnaires, elle publie généralement l'avis de dividende dans la presse financière. Deux dates clés sont liées à la déclaration de dividende. La première, c'est la date «d'inscription», et la deuxième, c'est la date de paiement.

Lorsque des actions font l'objet de nombreuses transactions, l'inscription des noms des actionnaires change constamment. C'est pourquoi l'entreprise doit choisir une date à laquelle les actionnaires devant toucher le dividende soient déterminés. Les actionnaires dont les noms figurent sur les registres de l'entreprise à cette date seront ceux qui toucheront le dividende.

On fixe en général une date d'inscription une semaine ou deux après la date de déclaration de dividende. Une entreprise peut déclarer un dividende le 25 mai, payable aux actionnaires inscrits à la date limite du 8 juin. La date d'inscription serait donc le 8 juin.

La date de paiement du dividende aurait ainsi lieu de deux semaines à un mois plus tard, et ce, pour permettre d'avoir le temps de préparer les chèques. Dans cet exemple, la date de paiement pourrait intervenir le 29 juin.

Vous vous doutez certainement que les achats et les ventes de certains actionnaires seront à cheval sur ces dates. Pour déterminer si c'est l'acheteur ou le vendeur qui a droit au dividende, la Bourse des valeurs désigne une «date de dividende détaché». À et après cette date, les actions sont vendues «dividende détaché», ce qui signifie que le vendeur garde son droit au dividende et que l'acheteur n'en bénéficiera pas. La date de dividende détaché se situe généralement quatre jours ouvrables avant la date d'inscription donnant droit au dividende. Dans l'exemple précédent, tous ceux qui achèteraient les actions le ou après le 4 juin ne toucheraient pas de dividende. Le prix payé pour les actions en tient compte.

La mention «dividende attaché» signifie le contraire. Pour reprendre le même exemple, ceux qui achètent les actions entre le 25 mai et le 4 juin savent que ce sont eux qui toucheront le dividende et non pas le vendeur, et ils paieront donc ces actions plus cher.

Dividendes-actions

Les dividendes sont parfois versés sous forme d'actions supplémentaires et non pas sous forme d'argent. C'est ce qu'on appelle un dividende-action. Les entreprises ont parfois recours à cette méthode lorsqu'elles disposent de suffisamment de bénéfices pour garantir le paiement d'un dividende, mais qu'elles veulent garder cet argent en vue, par exemple, d'une certaine expansion.

Théoriquement, le bénéficiaire d'un dividence-action peut encaisser l'argent en vendant ses «nouvelles» actions.

Dividendes réguliers et supplémentaires

De nombreuses sociétés ouvertes, qui versent des dividendes sur des actions ordinaires, fixent une certaine somme qui sera versée chaque année, sous réserve que la société ne traverse pas une mauvaise passe. On appelle généralement ces dividendes des dividendes «réguliers». Dans certains cas, ces entreprises versent un dividende supplémentaire à la fin de l'exercice fiscal. La presse financière désigne ces paiements sous le terme de dividendes «supplémentaires». Ce terme «supplémentaire» sert à mettre en garde les investisseurs existants et les investisseurs potentiels pour qu'ils ne croient pas que ce dividende supplémentaire sera automatiquement payé l'année suivante.

On a l'habitude d'inclure les dividendes supplémentaires dans le calcul du rendement des actions ordinaires. Toutefois, en cas de doute, il est plus prudent de calculer le rendement en se basant uniquement sur les dividendes réguliers. De toute façon, lorsque vous lisez la presse financière, consultez toujours les légendes et les symboles pour savoir si le dividende mentionné est régulier ou supplémentaire. Si ce n'est pas clairement indiqué, il convient de vous renseigner davantage avant de faire un placement dans l'attente d'un dividende supplémentaire, alors que l'entreprise n'a peut-être aucune intention de continuer à en verser.

Plans de réinvestissement des dividendes

Certaines sociétés ouvertes ont lancé une option nouvelle pour les actionnaires, que l'on appelle «plan de réinvestissement des dividendes». Pour les actionnaires ayant choisi cette option, au lieu de verser un dividende aux actionnaires, l'entreprise utilise ces fonds pour acheter d'autres actions provenant de ses propres actions, et ce, au nom de l'actionnaire, ce qui a pour effet de transformer le dividende en un dividende-action. Dans la plupart des cas, ces achats sont effectués sur le marché libre par un mandataire qui tient régulièrement au courant des actionnaires au sujet de l'état de leur plan.

L'avantage des plans de réinvestissement des dividendes, en ce qui concerne les actionnaires, c'est la mise en place d'un plan d'épargne automatique leur permettant de réinvestir de petites sommes d'argent dans des actions, ce qu'il leur serait impossible de faire en d'autres circonstances, car les montants individuels ne seraient pas suffisamment élevés pour pouvoir acheter des actions entières, et il n'est pas possible d'acheter des fractions d'actions en Bourse. Toutefois, en combinant leurs dividendes, les actionnaires mettent suffisamment de fonds à la disposition des mandataires pour acheter en gros, réalisant ainsi des économies considérables sur les commissions, par rapport à ce que des actionnaires individuels auraient dû payer pour acheter des actions en tout petit nombre, si tant est qu'ils aient été en mesure de le faire. De plus, il n'y a aucun problème quant à l'attribution des fractions d'actions aux participants effectuée par les mandataires.

Certaines entreprises proposent des plans permettant aux participants de verser de l'argent qui sera à son tour utilisé par le mandataire pour acheter des actions. Là aussi, l'économie d'échelle constitue le grand attrait. Des plafonds, par exemple, 1000 $ par trimestre, sont généralement prévus concernant les sommes d'argent pouvant être versées.

Fractionnements

Lorsque les bénéfices et les dividendes d'une entreprise augmentent, la valeur boursière de ses actions monte en flèche. Plus la valeur des actions est élevée, plus leur négociabilité est restreinte, car les petits épargnants n'ont pas les moyens d'acheter beaucoup de titres dont la valeur est assez élevée, et les investisseurs plus importants se refusent parfois à mettre tous leurs œufs dans le même panier.

Il y a un certain nombre de raisons pour lesquelles les entreprises voient une large distribution de leurs actions d'un œil favorable. Plus une entreprise compte d'actionnaires, plus il lui est facile de se procurer des capitaux supplémentaires par le biais de la vente de nouveaux titres. Les employés qui détiennent des actions ont également tendance à être plus motivés que ceux qui n'en détiennent pas. Et il ne faut pas oublier non plus que les actionnaires sont plus susceptibles d'acheter les produits de l'entreprise ou de recourir à ses services. Par conséquent, lorsque les dirigeants d'une entreprise ont le sentiment que la forte valeur de leurs actions empêche une large distribution, ils «fractionnent» les actions. On procède à une telle mesure en soumettant au vote des actionnaires un règlement permettant de subdiviser les actions. On peut décider de cela lors de l'assemblée annuelle, ou lors d'une assemblée générale extraordinaire convoquée spécialement à cet effet.

Une fois l'accord des actionnaires obtenu, le fractionnement des actions n'est qu'une opération purement mécanique ne modifiant en rien le capital réel de l'entreprise. Les actions ayant, par exemple, une valeur boursière de 100 $ peuvent être fractionnées en 5, ce qui entraîne une valeur boursière tombant à 20 $ par action. Les actionnaires existants se retrouvent dans la même situation qu'avant le fractionnement, à cette nuance près qu'ils détiennent maintenant cinq actions de 20 $ chacune au lieu d'une seule action de 100 $.

Voici comment on procède matériellement. Dans le cas d'actions de valeur nominale, les anciens titres d'actions sont récupérés et on en émet de nouveaux pour le plus grand nombre d'actions. Dans le cas d'actions sans valeur nominale, un avis est publié dans la presse financière (et il est évidemment adressé directement aux actionnaires existants) et les titres d'actions concernant les actions supplémentaires résultant du fractionnement sont envoyés aux actionnaires.

Un fractionnement d'actions n'entraîne pas d'implications fiscales particulières et il n'y a aucune raison qu'un actionnaire refuse un fractionnement, car la valeur totale de son avoir reste inchangée de même que sa quote-part au sein de l'entreprise.

Fractionnements inversés

Nous venons tout juste de décrire le mécanisme et l'effet d'un fractionnement d'actions. La procédure inverse, appelée parfois consolidation, a lieu de temps en temps.

Le mécanisme ressemble à celui d'un fractionnement d'actions, mais le résultat obtenu est inverse. Dans le cas d'une consolidation, quatre actions valant par exemple chacune 25 cents peuvent être remplacées par une seule action valant un dollar. Comme dans le cas des fractionnements, la valeur totale du placement de l'actionnaire de même que sa quote-part dans l'entreprise restent les mêmes, il n'y a aucun changement dans la structure de capital de l'entreprise et il n'y a pas non plus d'implications fiscales.

Les fractionnements inversés ont généralement lieu lorsqu'il s'agit de compagnies d'exploration minières, pétrolières et gazières assez récentes et dont la cote en Bourse n'est pas très élevée. Un fractionnement inversé augmente la valeur boursière des actions et met l'entreprise (surtout à cause de la psychologie des investisseurs) dans une meilleure posture pour se procurer des capitaux supplémentaires par le biais de la vente de nouvelles actions.

Droits préférentiels de souscription

Ce terme de «droit préférentiel de souscription» sert à désigner le privilège accordé par une entreprise à ses actionnaires d'acquérir des actions supplémentaires directement par l'entreprise elle-même. C'est tout simplement un moyen pour l'entreprise de se procurer des capitaux supplémentaires, tout en permettant aux actionnaires existants d'éviter une dilution de leur actionnariat, sans avoir à payer des frais de commission ou un prix plus élevé résultant d'une augmentation de la valeur boursière due à de nouvelles demandes d'actions. En tout état de cause, le prix proposé pour les nouvelles actions est généralement un petit peu moins élevé que la valeur boursière courante des anciennes actions, étant donné que les droits ont en soi une certaine valeur.

Le privilège lié aux droits est au prorata du nombre d'actions déjà détenues. Le «droit préférentiel de souscription» peut, par exemple, être la possibilité d'acheter une action pour dix actions détenues. Comme il en a déjà été fait mention, le prix de cette nouvelle action sera probablement légèrement moins élevé que la valeur boursière courante.

Étant donné que les droits préférentiels de souscription ont une valeur en soi, un marché se développe assez rapidement dans ce domaine, permettant ainsi aux actionnaires ne voulant pas faire usage de leurs droits de gagner un peu d'argent en les vendant. Des droits supplémentaires peuvent évidemment être achetés par des actionnaires existants, et des non-actionnaires peuvent participer à l'opération en acquérant des droits sur le marché libre. Si l'entreprise émettant les droits est cotée en Bourse, ces droits seront automatiquement cotés en Bourse eux aussi, une fois que toute la paperasserie habituelle aura été réglée.

N'oubliez pas que les droits sont généralement de très courte durée. Il faut souvent en faire usage en l'espace d'environ un mois, délai après lequel ils expirent et perdent toute valeur.

Les conditions matérielles d'une émission de droits sont les mêmes que celles du paiement d'un dividende. Le registre des actionnaires de l'entreprise est clos à une date limite donnée, et les actionnaires inscrits à cette date reçoivent leurs droits sous forme de titres.

Comme dans le cas des dividendes, les actions deviennent «sans droits» quatre jours ouvrables avant la date d'inscription. Ceux qui achètent les actions après la date du «sans droits» ne bénéficient pas des droits, c'est le vendeur qui garde ce privilège. Entre le moment de l'avis d'émission de droits et la date du «sans droits», les actions sont considérées comme «avec droits» et l'acheteur bénéficie alors de ces droits.

Bien que les droits soient généralement cessibles, l'entreprise peut parfaitement émettre des droits préférentiels de sousription dont seuls les actionnaires existants peuvent faire usage. Mais c'est assez rare.

Un non-actionnaire achetant des droits cessibles sur le marché libre peut en faire usage dans les mêmes conditions que le détenteur initial de ces droits.

Le prix des droits a tendance à augmenter et à diminuer à mesure que le prix des actions ordinaires concernées augmente et diminue, mais pas toujours au pas cadencé. Leur valeur théorique est influencée par les coûts d'achat et de vente ainsi que par les effets omniprésents de l'offre et de la demande.

Droits préférentiels d'achat

Les droits préférentiels de souscription et les droits préférentiels d'achat ne sont pas tout à fait pareils, bien qu'ils présentent certaines similitudes.

Un droit préférentiel d'achat, tout comme un droit préférentiel de souscription, donne vraiment la possibilité d'acheter du capital-actions et il est négocié en Bourse. Toutefois, contrairement à un droit préférentiel de souscription qui ne dure généralement que très peu de temps, les droits préférentiels d'achat s'étendent souvent sur quelques années. Et alors que les droits préférentiels de souscription sont initialement émis à l'intention des actionnaires existants avant de se retrouver sur le marché boursier, les droits préférentiels d'achat sont souvent attachés aux obligations avec garantie, aux obligations sans garantie et aux actions privilégiées. Ils sont détachables (soit immédiatement, soit après une période relativement courte) et négociés ensuite séparément.

L'attrait principal des droits préférentiels de souscription et des droits préférentiels d'achat, c'est qu'ils permettent d'investir beaucoup moins de dollars dans l'entreprise émettrice que lors d'un investissement dans de véritables actions. Il en résulte que cela limite les pertes potentielles, et un investisseur prudent optera pour la solution des droits préférentiels de souscription ou des droits préférentiels d'achat face à des situations incertaines.

Impôt sur le revenu

Le régime fiscal concernant le revenu de placement et les gains et les pertes en capital est constamment modifié par le gouvernement. Mieux vaut vous tenir toujours informé à ce sujet en vous procurant, comme il vous l'a déjà été recommandé précédemment, les comptes rendus assez faciles à lire qui sont fournis gratuitement par la plupart des cabinets d'experts-comptables et des établissements financiers tels que les banques, sociétés de fiducie et compagnies d'assurances.

FACTEURS INFLUANT SUR LA VALEUR DES ACTIONS ORDINAIRES

Examinons maintenant quelques-uns des facteurs influant sur la valeur des actions ordinaires. Les prix des actions ordinaires reflètent probablement le mieux le fonctionnement d'un marché boursier libre, car ils augmentent et diminuent directement en fonction de l'offre et de la demande. Il est alors nécessaire de comprendre ce qui détermine le niveau de la demande.

Une telle analyse court le risque d'être trop simplifiée en raison du fait que le sujet est extraordinairement complexe. Mais on peut distinguer cinq forces fondamentales exerçant probablement la plus grande influence et elles sont faciles à comprendre. Les voici:

1. Perspectives en matière de bénéfices et de dividendes.
2. Ressources de l'investisseur.
3. Perspectives fiscales.
4. Perspectives économiques, et
5. Facteurs boursiers techniques.

Il convient d'examiner chacun de ces facteurs plus en détail.

Perspectives en matière de bénéfices et de dividendes

Ce facteur boursier comporte lui-même un certain nombre de facettes dont chacune peut influer sensiblement sur la valeur boursière des actions ordinaires. Pensez, par exemple, à l'effet qu'a eu sur le marché boursier l'annonce faite par le gouvernement fédéral en octobre 1975, selon laquelle les mesures anti-inflationnistes prévues comprendraient des restrictions en matière de paiement de dividendes. Immédiatement après cette annonce, le niveau général de la valeur des actions ordinaires baissait sur les marchés boursiers canadiens.

Inversement, deux ans plus tard, lorsque le gouvernement fédéral a annoncé que les contrôles seraient progressivement supprimés, il s'en est suivi une hausse générale de la valeur des actions qu'il faut attribuer, du moins en partie, à cette déclaration gouvernementale. Mais ces cas précis étaient inhabituels, en ce sens qu'ils ont influé sur l'ensemble de l'activité boursière. En général, les perspectives en matière de bénéfices et de dividendes sont considérées dans le contexte d'une catégorie particulière d'actions.

L'une des facettes de ces perspectives qui fera augmenter la valeur d'une action, comme on a déjà pu le constater à plusieurs reprises dans le passé, c'est l'éventualité d'une offre de rachat, d'une fusion ou d'autres évolutions de même importance. Bien que vous puissiez penser qu'il faille utiliser une boule de cristal pour détecter de telles situations, il n'en est vraiment rien. Les analystes expérimentés en matière de placements sont souvent capables de repérer les sociétés ouvertes prêtes pour un rachat.

La considération la plus fréquente sur laquelle se basent les investisseurs, ce sont les perspectives concernant les bénéfices de l'entreprise. En bref, il s'agit de deviner en connaisseur à quel moment une entreprise va connaître une amélioration sensible de ses bénéfices ou de ses versements de dividendes, ou même des deux, et de deviner également l'ampleur de cette amélioration.

Il faut faire ce type de prédiction à la lumière de trois facteurs intimement liés: l'économie, le secteur industriel ou commercial et l'entreprise concernée.

Ce qui est encore plus important, c'est que cette prédiction doit être faite et mise en œuvre avant que la majorité des autres investisseurs n'en fassent autant. Sinon, les conditions favorables prévues se seront déjà répercutées sur la valeur boursière des actions. C'est précisément ce que signifie l'expression «déjà dévalorisé par le marché boursier».

Le ratio cours-bénéfice et le rendement d'une action particulière, par comparaison avec d'autres actions dans des circonstances similaires, représentent deux règles empiriques permettant à un investisseur de savoir si la valeur boursière est élevée ou faible par rapport aux bénéfices anticipés de l'entreprise. Prenons, par exemple, le cas de deux entreprises travaillant dans un même secteur industriel ou commercial — disons l'entreprise A et l'entreprise B — qui semblent toutes deux assez saines du point de vue financier et qui sont bien dirigées. Si le ratio cours-bénéfice de l'entreprise A est plus élevé que celui de l'entreprise B, alors les actions de l'entreprise B représentent éventuellement un meilleur achat en termes de croissance future. De la même manière, si le rendement des actions de l'entreprise B (le dividende divisé par le coût pour une action) est plus élevé que celui de l'entreprise A, votre argent vous rapportera plus si vous investissez dans l'entreprise B. Ces deux cas font ressortir que la valeur boursière de l'entreprise B peut être faible ou que celle de l'entreprise A peut être élevée. Mais soyez sûr qu'il n'y ait pas d'autres explication à cette différence. Le meilleur moyen de s'en assurer, c'est de demander une explication à votre courtier.

Ressources de l'investisseur

La somme d'argent dont disposent les épargnants pour investir constitue de toute évidence un facteur influençant la demande d'actions ordinaires ou de tout autre placement. Cet argent comprend également les fonds placés dans des actions ordinaires par le biais d'établissements financiers tels que les fonds communs de placement, les sociétés de fiducie et les compagnies d'assurances.

Plus il y a de revenu disponible, plus la demande en actions ordinaires augmente. Une réduction générale de l'impôt sur le revenu aurait probablement un effet positif général sur les valeurs des actions.

Cette remarque nous amène tout naturellement au facteur fondamental suivant.

Perspectives fiscales

De nombreuses réglementations fiscales ont un effet direct sur la valeur des actions. L'adoucissement de l'impôt sur les dividendes intervenu vers le milieu des années 70 a renforcé l'attrait de placements en Bourse et a donc entraîné une augmentation de la valeur des actions. Une déclaration annonçant l'intention de supprimer l'impôt sur les gains en capital en matière d'actions ordinaires provoquerait incontestablement un regain de la demande et, par voie de conséquence, une hausse des valeurs.

En deux mots, les augmentations d'impôts, que ce soit au niveau des entreprises ou des actionnaires, tendent à faire baisser la valeur des actions, alors que les diminutions d'impôts aux deux niveaux tendent à faire augmenter la valeur des actions.

Il semble alors évident qu'un exposé budgétaire constitue un événement pouvant éventuellement avoir une grande influence sur la valeur des actions. Comment oublier l'effet dévastateur dont ont souffert les valeurs boursières des actions dans le secteur des ressources naturelles, lorsque les gouvernements fédéral et provinciaux les ont tellement imposées qu'ils ont failli les faire disparaître au début des années 70?

Perspectives économiques

Quand les gens pensent que la situation éconononomique sera favorable dans un avenir proche, ils investissent davantage dans des actions ordinaires pour profiter de la croissance économique prévue. Si les résultats antérieurs sont favorables, il en résultera une augmentation de la valeur des actions ordinaires négociées publiquement. Par contre, en période de pessimisme économique, les investisseurs ont tendance à placer leur argent dans des obligations à haut rendement, des actions privilégiées de qualité supérieure, ou de le laisser dans des comptes d'épargne ou des effets à court terme — ce qui se fait au détriment de la demande en actions ordinaires et provoque un effet néfaste sur leur valeur générale.

Les perspectives économiques générales peuvent également avoir des effets d'une plus grande portée, influençant à leur tour la demande en placements sous forme d'actions ordinaires. Mis à part les effets directs précités, les perspectives économiques générales influencent en outre la demande globale en capitaux des entreprises et à tous les niveaux gouvernementaux, de même que l'offre effective en capitaux disponibles pour tous les types de placements et provenant aussi bien des établissements financiers que des particuliers. Là aussi, en période d'optimisme économique, l'effet sur la valeur des actions ordinaires est positif et, en période d'optimisme économique, l'effet sur la valeur des actions ordinaires est positif et, en période de pessimisme économique, cet effet est négatif.

Voici certains baromètres qu'utilisent les investisseurs très expérimentés pour mesurer les perspectives économiques: tendances des taux d'intérêts; taux d'inflation; taux de chômage; accords salariaux; troubles sociaux; cours du dollar; politique monétaire du gouvernement fédéral; tendances générales en matière de bénéfices; les effets probables des budgets gouvernementaux récents ou prévus — surtout le budget fédéral, mais certains investisseurs astucieux connaissent l'impact qu'une disposition budgétaire provinciale particulière peut éventuellement avoir sur la valeur des actions. Les modifications importantes en matière de taxation provinciale des ressources naturelles sont un exemple qui vient immédiatement à l'esprit. Supposons, par exemple, que l'Alberta ou l'Ontario augmentent leurs droits perçus sur les opérations pétrolières ou minières, cette augmentation aura incontestablement un effet néfaste sur les actions des entreprises opérant dans ces provinces, à moins que les investisseurs n'aient bon espoir d'assister à la répercussion de l'augmentation des coûts de production sur les consommateurs.

Facteurs boursiers techniques

Enfin et surtout, parmi les cinq facteurs fondamentaux influençant la demande et donc la valeur des actions ordinaires, on trouve ce que les investisseurs professionnels appellent les facteurs boursiers «techniques». En langage plus clair, ce terme ne désigne rien de plus que l'effet de la psychologie de l'investisseur; c'est-à-dire la réaction des investisseurs à l'égard des quatre autres facteurs fondamentaux. Mais il convient d'examiner cela de plus près.

Aucun analyste bien informé ne met en doute l'effet de la psychologie de l'investisseur sur la valeur boursière des actions ordinaires ou de tout autre placement dans ce domaine. En fait, nombreux sont les analystes qui estiment que le facteur psychologique est tellement important qu'ils ne tiennent pratiquement pas compte des tentatives de prédiction de gains futurs concernant une action particulière et qu'ils préfèrent relever les résultats obtenus par une action en matière de valeur boursière sur des tableaux, et baser leurs prédictions sur le modèle ainsi obtenu. C'est ce que l'on appelle dans le métier une analyse «technique», par opposition à une analyse «fondamentale» reposant sur les tendances en matière de gains. Tous ceux qui mettent en doute la validité de l'analyse technique, et ils sont nombreux, devraient penser aux nombreuses fois où la valeur d'une action varie sensiblement sans qu'il y ait un changement fondamental au niveau des perspectives de l'entreprise en matière de bénéfices ou toute autre raison pouvant expliquer ce phénomène.

La théorie de base sous-tendant l'analyse technique, c'est que l'on peut prévoir la tendance future de la valeur d'une action à partir de la gamme de ses valeurs antérieures par rapport au volume des opérations réalisées. Les analystes techniques croient que leurs tableaux leur permettent de prévoir l'imminence d'une forte demande ou d'une offre soudaine. Pour prendre un exemple très simple, il est vraisemblable que les nouvelles concernant une évolution favorable ou défavorable susceptible d'influencer la valeur des actions d'une entreprise tendent à se répercuter comme des ondes de choc d'un groupe d'investisseurs existants ou d'investisseurs potentiels à l'autre. Tous les investisseurs n'en entendent pas parler ou ne réagissent pas tous en même temps.

S'il s'agit d'une évolution favorable, des gens en entendront d'abord parler et achèteront des actions, augmentant leur valeur en raison d'un fort volume d'opérations réalisées. Puis, il y aura une accalmie et les actions se vendront légèrement moins cher et en moins grande quantité. Quelque temps après, d'autres personnes apprendront la bonne nouvelle et achèteront des actions, augmentant à nouveau leur valeur en raison d'un fort volume d'opérations réalisées. Puis, il y aura une nouvelle accalmie et ainsi de suite, jusqu'à ce que l'effet de la nouvelle s'envole en fumée.

S'il s'agit d'une évolution défavorable, c'est l'effet inverse qui se produira sur la demande et la valeur. Quand un analyste technique repère ce type de modèle sur un tableau, il suppose qu'il se passe quelque chose ayant des répercussions sur la psychologie de l'investisseur et que l'on peut gagner de l'argent en négociant ces actions.

N'oubliez pas, toutefois, que pour faire ses interprétations, l'analyste technique se base sur des configurations graphiques innombrables et très variées. C'est une méthode assez risquée. Il ne faut jamais oublier que les facteurs de demande et d'offre dont les techniciens tiennent compte, sont en fait le résultat de l'un ou plusieurs des autres facteurs fondamentaux transposés dans la psychologie de l'investisseur. L'intérêt, c'est que si ces tendances peuvent être repérées bien avant que les autres investisseurs n'en fassent autant, il est possible de gagner de l'argent en Bourse.

C'est pourquoi l'analyse technique est un instrument supplémentaire permettant de régler précisément le choix du moment en matière d'achats et de ventes. Il est incontestable que cette méthode aide à considérer la demande potentielle concernant une action et qu'elle complète le schéma fondamental des gains. Dans ce conteste, les faits n'ont d'importance que par rapport à ce que les gens en pensent.

Ceux qui investissent dans des actions ordinaires ne doivent jamais oublier que la principale caractéristique distinguant les actions ordinaires des obligations ou des actions privilégiées, c'est leur tendance à être sujettes à de grandes fluctuations de valeur. C'est ainsi que sur une période de douze mois, même des actions ordinaires traditionnelles très bien considérées peuvent connaître de grandes fluctuations au niveau de leur valeur boursière. Observez IBM par exemple.

C'est une banalité de dire que ceux qui sont capables de prédire de telles fluctuations avec beaucoup de précision sont en mesure de gagner ainsi beaucoup d'argent. De telles prévisions sont impossibles à faire. Mais l'autre extrême consiste à acheter et à vendre aveuglément, en se fiant uniquement à son instinct (ou à son manque d'instinct) sans tenir compte des principaux facteurs influençant la valeur des actions. Nous avons évoqué ces facteurs précédemment, mais certains aspects sous-jacents sont toujours particulièrement pertinents et méritent quelques commentaires supplémentaires.

Haussiers, baissiers et flambeurs

Il exise un adage boursier qui dit «les baissiers récoltent, les haussiers récoltent et les flambeurs ne récoltent rien». Comme la plupart des adages, celui-ci renferme une grande part de vérité. Signalons, pour mémoire, que le haussier est l'investisseur qui sent que des actions particulières, ou qu'un secteur particulier du marché boursier, ont une valeur inhérente et qui achète en se basant sur ce sentiment; le baissier fait le contraire, il sent que la cote de certaines actions ou d'un secteur particulier est trop élevée et il veut se retirer — mais il n'en demeure pas moins un investisseur astucieux et bien informé. Quant au flambeur, c'est le joueur qui veut réaliser un bénéfice aussi important et aussi rapide que possible, et qui achète et vend de façon irrationnelle, ce qui fait qu'à terme les flambeurs perdent de l'argent.

Cependant, la présence du joueur sur le marché boursier (et certains observateurs insistent sur le fait qu'il y a plus de joueurs que de véritables investisseurs ou spéculateurs) a un énorme impact sur les hausses et les baisses excessives de la valeur des actions ordinaires.

La différence entre le joueur et l'investisseur, c'est que le joueur n'a pas la patience d'attendre que la valeur inhérente se reflète dans le prix des actions. Si la valeur d'une action n'augmente pas rapidement, le joueur se décharge de ses actions, sans tenir compte de leur valeur intrinsèque.

Émotion

Même les véritables investisseurs laissent parfois leurs sentiments et leurs émotions prendre le pas sur leur logique.

Il n'y a pas beaucoup d'investisseurs chevronnés qui n'ont pas, à un moment donné de leur carrière, commis l'une ou l'autre de ces erreurs «émotionnelles», voire les deux: quand les gains sont à la hausse, estimer que cette hausse va se poursuivre et payer les actions trop cher; ou bien quand les gains sont à la baisse, paniquer et vendre à une cote assez faible pour assister ensuite à la bonne reprise de ces mêmes actions au cours des mois suivants.

Les deux scénarios précédents ont un effet exagéré sur le prix des valeurs boursières. L'important, c'est de ne pas paniquer à la suite d'une fluctuation boursière, si cette fluctuation est principalement due à la psychologie des investisseurs. En voyant les choses du bon côté, on peut dire que les grandes fluctuations de prix permettent de gagner de l'argent. Soyez un haussier, puis un baissier, mais jamais un flambeur.

Événements mondiaux

Il est difficile de comprendre pourquoi certains événements mondiaux influencent la valeur des actions ordinaires, mais cette influence est indéniable. Grèves, élections présidentielles américaines, menaces de guerre, propositions de paix, décisions de l'OPEP, assassinats et autres innombrables événements et non-événements font que le marché boursier s'emballe.

Les investisseurs ne doivent pas oublier, comme l'a dit Bernard Baruch il y a environ un demi-siècle, que la Bourse des valeurs, c'est le thermomètre et non la fièvre. Il y a tant de facteurs qui influent sur la valeur des actions ordinaires que le véritable investisseur doit toujours voir les choses à long terme et ne pas se laisser affoler par des nouvelles favorables ou défavorables n'ayant que des implications à court terme.

Facteurs à long terme

Tendances économiques, qualité de gestion, progrès technologiques, nouvelles découvertes, vulnérabilité en cas de grèves, nouveaux produits, approvisionnement en matières premières, transports, distribution et déplacements de population sont autant de facteurs qui influent sur la valeur inhérente des actions et qui ont des effets à long terme. L'investisseur doit attacher beaucoup plus d'importance à de tels facteurs qu'à la psychologie des investisseurs ou aux événements mondiaux ayant des implications à court terme. En ce qui concerne le spéculateur, c'est l'inverse qui est valable.

Les décisions d'achat ou de vente d'actions ordinaires doivent reposer sur des jugements sains. Outre les facteurs énumérés dans le paragraphe précédent, il faut également prendre en compte les éléments suivants: taux de rendement courant et ratio cours-bénéfice, situation financière de l'entreprise, capitalisation de l'entreprise et négociabilité des actions.

FACTEURS DONT IL FAUT TENIR COMPTE AVANT D'INVESTIR

L'Institut canadien des valeurs mobilières conseille sagement et à juste titre d'examiner soigneusement cinq facteurs principaux avant de décider d'investir dans les actions ordinaires d'une entreprise donnée. Voici quels sont ces facteurs:

1. nature et caractéristiques du secteur d'activité;
2. résultats antérieurs du secteur d'activité;
3. perspectives du secteur d'activité;

4. position occupée par l'entreprise dans son secteur;
5. performance relative de l'entreprise par rapport aux autres entreprises dans le même secteur d'activité.

Nature du secteur d'activité

Il est important de comprendre la nature et les caractéristiques du secteur d'activité dans lequel vous investissez, afin d'assortir vos objectifs de placement avec le comportement probable de la valeur des actions ordinaires. Les retraités (dont les objectifs de placement sont le revenu et la protection du capital) n'investiront, par exemple, pas beaucoup dans un secteur d'activité sujet à d'importantes fluctuations cycliques de la valeur des actions, tel que le secteur des matériaux de construction.

Un jeune investisseur recherchant une croissance substantielle de son portefeuille se gardera par contre d'investir dans un secteur d'activité caractérisé par un revenu assez élevé et une croissance assez faible, tel que le secteur des services publics.

Il existe dans ce pays un certain nombre de catégories de secteurs d'activité dans lesquels une personne peut investir par le biais de la détention d'actions ordinaires négociées publiquement. En voici quelques exemples:

1. secteur automobile et secteurs annexes;
2. secteur bancaire et financier;
3. secteur de la chimie et secteurs annexes;
4. services informatiques;
5. matériaux de construction;
6. électronique;
7. divertissement et loisirs;
8. produits alimentaires et boissons;
9. produits forestiers;
10. machines et équipements lourds;
11. assurances;
12. sidérurgie;
13. secteur minier;
14. secteur pétrolier et gazier;
15. imprimerie, édition, télédiffusion et radiodiffusion;

16. services publics;
17. immobilier;
18. textiles;
19. transports.

La société de portefeuille ou holding représente une autre catégorie permettant d'effectuer des investissements indirects dans l'un ou dans tous les secteurs d'activité précités.

Connaître les caractéristiques d'un secteur d'activité permet de mieux évaluer les problèmes ou les possibilités favorables auxquels peut être confrontée une entreprise donnée et qui peuvent éventuellement influencer de façon significative la valeur des actions. Le niveau général des taux d'intérêts influe, par exemple, sensiblement sur le secteur des matériaux de construction. L'état du progrès technologique peut lancer ou anéantir une entreprise dans le secteur de l'électronique.

Il y a énormément d'informations disponibles au sujet des divers secteurs d'activité. Les grands établissements de courtage se font toujours un plaisir de vous procurer des données concernant certains secteurs particuliers. La plupart des secteurs d'activité ont leurs propres organisations — par exemple l'Association des manufacturiers canadiens, l'Association minière du Canada, l'Institut canadien des textiles, l'Association des banquiers canadiens et l'Association canadienne de l'habitation et du développement urbains pour n'en citer que quelques-unes — qui vous aideront volontiers à vous documenter sur leur secteur d'activité. De plus, la plupart des sociétés ouvertes seront ravies de vous renseigner non seulement au sujet de leur propre société, mais aussi au sujet de leur propre secteur d'activité, en vous envoyant de la documentation.

Résultats antérieurs

Bien que ce facteur soit plus approprié lorsqu'il s'agit d'entreprises bien établies ayant déjà une longue expérience en matière de bénéfices, les résultats antérieurs d'un secteur d'activité fournissent souvent de précieux indices quant aux potentialités futures d'un secteur d'activité ou d'une entreprise donnée.

Le tout, c'est de repérer les tendances, qu'elles soient favorables ou défavorables, et d'essayer ensuite de détecter les causes qui se cachent derrière elles. On peut alors utiliser ces informations pour déterminer la direction dans laquelle le secteur d'activité est susceptible de se diriger. On se sert ensuite de ces conclusions comme toile de fond pour examiner les informations concernant des entreprises particulières travaillant dans ce secteur d'activité. Si vous repérez une tendance suffisamment tôt, vous êtes en mesure de gagner de l'argent en achetant des actions quand la tendance est favorable, et de maximiser vos gains en vous retirant assez vite, quand les choses commencent à se gâter.

Perspectives du secteur d'activité

Aussi importants que soient les résultats antérieurs, il serait imprudent et peu raisonnable d'investir sans tenir vraiment compte de l'avenir. Voici certains facteurs pouvant avoir un effet radical sur un secteur d'activité donné:

1. intervention et législation gouvernementales;
2. progrès technologiques;
3. nouveaux produits;
4. déplacements de population;
5. concurrence.

L'entreprise

Vous étant assuré que les perspectives d'un secteur d'activité donné sont bonnes, il vous faut alors examiner avec attention les facteurs concernant l'entreprise dont vous envisagez d'acheter ou de vendre les actions.

Outre sa situation financière, sa capitalisation et sa gestion, il faut également évaluer la position de l'entreprise dans le secteur d'activité, de même que sa performance relative par rapport à ses concurrents. En procédant à cette analyse, n'oubliez jamais qu'il est souvent nécessaire d'étudier plus d'un secteur d'activité. De nombreuses entreprises sont aujourd'hui si diversifiées qu'elles s'étendent sur plusieurs catégories de secteurs d'activité.

Lorsque l'on compare les performances relatives de deux entreprises ou plus — après avoir examiné leur situation financière, capitalisation et gestion — il faut également tenir compte d'autres éléments très importants tels que les ventes, les tendances en matière de bénéfices, les taux d'imposition, le rendement des capitaux propres, la marge brute d'autofinancement, les dividendes, le ratio cours-bénéfice et la négociabilité des actions.

OBJECTIFS

Ce qui se passe avant tout, cependant, c'est votre propre objectif de placement. Soyez sûr que ce que vous achetez est en conformité avec votre objectif. Il y a trois grands objectifs possibles:

1. sécurité du capital;
2. revenu;
3. croissance.

Dans de nombreux cas, un investisseur essaiera, bien sûr, de réaliser plusieurs objectifs. On peut également y parvenir. Relisez dès maintenant le chapitre Seize où les objectifs de placement sont examinés en détail.

Spéculer

Quelques mots maintenant sur le spéculateur. Certaines personnes peuvent supposer qu'il n'est pas bon de spéculer sur des actions. Pas tant que cela. Toutefois, le spéculateur novice devrait s'en tenir aux règles suivantes:

1. faire la différence entre spéculer et investir et ne pas confondre l'un avec l'autre;
2. ne spéculer qu'avec de l'argent qu'on peut se permettre de perdre;
3. ne traiter qu'avec des sociétés de placement ayant une bonne réputation;
4. juger chaque émission sur ses propres mérites;
5. ne jamais tenir compte des tuyaux et des rumeurs.

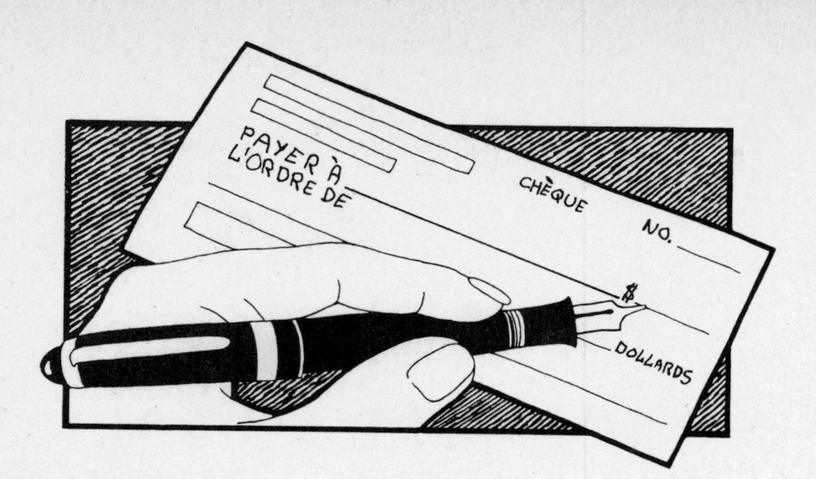

Chapitre vingt
Actions privilégiées

POURQUOI DES ACTIONS PRIVILÉGIÉES?

Tout comme les autres formes de placements, l'action privilégiée a évolué pour satisfaire les besoins de l'émetteur d'une part, et les désirs des investisseurs d'autre part. Les actions privilégiées sont, par exemple, assez attrayantes pour les investisseurs recherchant des titres moins incertains que les actions ordinaires, mais préférant également détenir des actions plutôt que des créances sous forme d'obligations.

Du point de vue de l'émetteur, un grand nombre de raisons peuvent pousser à choisir la solution des actions privilégiées plutôt que celle de l'émission d'obligations ou de l'émission d'actions ordinaires supplémentaires. La dilution de l'actionnariat existant constitue, par exemple, un inconvénient évident inhérent à l'émission d'actions ordinaires supplémentaires. Dans d'autres cas, il se peut que les conditions du marché boursier ne soient pas favorables à l'émission de nouvelles actions.

Une fois que la décision a été prise de ne pas choisir la solution des actions ordinaires, les raisons poussant à opter pour l'émission d'actions privilégiées plutôt que pour l'émission d'obligations entrent en jeu et sont plus diverses. Il se peut, que l'actif de l'entreprise soit déjà entièrement mis en gage, de telle sorte que cette entreprise n'a plus la possibilité de recourir à une émission supplémentaire d'obligations hypothécaires, ou bien encore que l'entreprise travaille dans un secteur d'activité ne disposant que de peu d'actif pouvant être mis en gage, comme c'est le cas d'une société financière. D'autre part, il se peut également que le marché boursier soit momentanément peu réceptif à de nouvelles émissions d'obligations, ou bien encore que l'entreprise émettrice n'ait pas encore acquis une solvabilité suffisamment forte pour vendre des obligations sans garantie.

Le conseil d'administration de l'entreprise émettrice prend parfois la décision complètement unilatérale d'émettre des actions privilégiées plutôt que des obligations ou des actions ordinaires supplémentaires, et ce, sans tenir compte de ce que les forces extérieures du marché boursier semblent dicter. Le conseil d'administration peut tout simplement vouloir équilibrer la structure du capital de l'entreprise, ou éviter d'être obligé de verser des intérêts fixes en cas de nouvelles obligations. De plus, émettre des actions privilégiées plutôt que des obligations évite souvent d'avoir une date d'échéance déterminée. Un conseil d'administration retardera parfois le paiement d'un dividende privilégié, mais il fera tout pour éviter de ne pouvoir faire face au paiement d'un intérêt ou à une date d'échéance. En effet, l'effet sur le public du non-paiement ou du retard d'un dividende différé n'est rien comparativement au traumatisme provoqué par un paiement d'intérêts ou une date de remboursement non respectés.

Se fiant à la remarque précédente, les investisseurs ne doivent toutefois pas soupçonner automatiquement l'existence d'un sinistre motif chaque fois que des actions privilégiées sont émises de préférence à des actions ordinaires ou à des obligations. Par contre, l'investisseur prudent limitera ses investissements sous forme d'actions privilégiées aux émissions de très bonne qualité ayant des bénéfices disponibles pour les paiements de dividendes bien supérieurs aux exigences minimums sur lesquelles insistent les analystes financiers bien informés. Nous examinerons par la suite les différentes façons d'évaluer la qualité d'une émission donnée d'actions privilégiées. Revenons maintenant à une description de la position occupée par les détenteurs d'actions privilégiées.

Le détenteur d'actions privilégiées est un être hybride occupant une position intermédiaire entre un détenteur d'actions ordinaires et un créancier. Si l'entreprise traverse une mauvaise passe, le détenteur d'actions privilégiées est en meilleure position que le détenteur d'actions ordinaires, mais il n'est pas aussi bien protégé que le détenteur d'obligations.

Comme leur nom l'indique, les actions privilégiées comportent certains privilèges dont ne jouissent pas les détenteurs d'actions ordinaires. Ces privilèges peuvent, et c'est souvent le cas, varier d'une entreprise à l'autre et même d'une émission à l'autre au sein d'une même entreprise. (Une entreprise peut, et elle le fait assez souvent, émettre plusieurs catégories d'actions privilégiées.) L'important, c'est de déterminer avec précision quels sont les privilèges et comment ils doivent influencer votre décision de placement.

Le privilège le plus fréquent accordé en matière d'actions privilégiées, c'est un droit de priorité sur l'actif d'une entreprise vis-à-vis des détenteurs d'actions ordinaires en cas de mise en liquidation de l'entreprise. Dans un tel cas, les créanciers sont prioritaires, suivis par les détenteurs d'actions privilégiées, et les détenteurs d'actions ordinaires reçoivent ce qui reste, si tant est qu'il reste quelque chose. Vous pouvez être sûr que le détenteur d'actions privilégiées renonce à tout droit sur les bénéfices de l'entreprise au-delà du dividende fixé, puisqu'une fois que les créanciers et les dividendes privilégiés ont été satisfaits, les détenteurs d'actions ordinaires peuvent théoriquement se répartir le solde des bénéfices en tant que dividendes.

Les actions privilégiées ont normalement une valeur nominale et le privilège concernant la distribution de l'actif correspond généralement à ce montant en cas de liquidation involontaire et au pair plus une petite prime lorsque la liquidation est volontaire. Il convient toutefois de préciser que les cas où ce privilège particulier joue un rôle important sont des cas qu'il vaut mieux éviter.

Les actions privilégiées rapportent généralement un taux de dividende fixe exprimé en pourcentage de la valeur nominale. Comme tous les dividendes, ceux-là doivent être déclarés par le conseil d'administration et ne peuvent provenir que des bénéfices courants ou passés. Il existe cependant un autre privilège assez fréquent selon lequel des dividendes ne peuvent être versés aux détenteurs d'actions ordinaires si les dividendes privilégiés ne sont pas versés.

De nombreuses émissions d'actions privilégiées comportent une clause donnant droit aux détenteurs d'actions privilégiées d'élire un ou plusieurs membres du conseil d'administration pour représenter leurs intérêts au cas où les dividendes seraient arriérés ou auraient été oubliés. Dans certains cas, les actions privilégiées donnent pleinement le droit de vote lorsque les dividendes consécutifs n'ont pas été payés, deux ou trois, par exemple.

Examinons maintenant de plus près les différents types d'émissions d'actions privilégiées qui existent. Bien que le nombre des caractéristiques des actions privilégiées ne connaisse pas d'autres limites que celles de l'imagination des émetteurs, le nombre des différentes actions achetées par l'investisseur est bien déterminé. Par conséquent, la grande majorité des émissions d'actions privilégiées comportent une ou plusieurs caractéristiques bien définies.

Votes

Les actions privilégiées ne donnent généralement pas de droit de vote. Mais elles peuvent permettre de voter et elles comportent souvent des clauses les obligeant à bénéficier d'un droit de vote dans certains cas, le plus fréquent, comme il vient d'être fait mention, étant celui où les dividendes sont arriérés. Il est toutefois assez rare que le contrôle d'une société ouverte soit influencé par les votes de détenteurs d'actions privilégiées.

Cependant, on accorde généralement un droit de vote aux détenteurs d'actions privilégiées en ce qui concerne les questions influant sur la qualité intrinsèque jacente de leurs titres. On pourrait citer comme exemple un accroissement de la quantité d'actions privilégiées autorisée, ou bien encore la création ou l'agumentation d'obligations.

À dividende cumulatif et à dividende non cumulatif

Une action privilégiée à dividende cumulatif est une action pour laquelle on consigne tous les dividendes n'ayant pas été payés, et les montants accumulés de tels dividendes doivent être payés avant tout paiement de dividendes en faveur des détenteurs d'actions ordinaires ou avant que des actions privilégiées ne puissent être remboursées par l'entreprise émettrice.

Une action privilégiée à dividende non cumulatif est, bien sûr, une action où l'actionnaire n'a droit qu'aux dividendes étant réellement déclarés spécifiquement. Si le dividende d'une action privilégiée à dividende non cumulatif est passé, on n'en parle plus et il ne s'accumule pas.

Bien que certaines actions privilégiées à dividence cumulatif puissent être théoriquement des investissements spéculatifs rentables, il n'y a pas vraiment de marché en hausse pour de telles émissions.

Participatives et non participatives

Les actions privilégiées participatives comportent des droits de participation aux bénéfices de l'entreprise émettrice en sus et au-delà de leur taux de dividende déterminé. Une émission d'actions privilégiées participatives peut, par exemple, partager à égalité avec les actions ordinaires tous les paiements de dividendes supérieurs à deux dollars par action ordinaire.

La participation est parfois limitée. L'action privilégiée participative peut donner droit à un dividende cumulatif fixé à 1 $ par an, à la suite de quoi chaque action ordinaire donne droit à un dividende de 1 $ lors d'une année donnée, puis les deux catégories partagent les dividendes de façon égale jusqu'à ce que 1 $ supplémentaire soit versé pour chaque catégorie lors de cette année donnée, après quoi les actions privilégiées n'ont plus droit à d'autres dividendes au cours de cette année.

Il est bien évident qu'une action privilégiée non participative ne donne droit qu'au dividende déterminé, quel que soit le montant des dividendes versé au détenteur d'actions ordinaires.

Rachetables ou remboursables

Les actions privilégiées rachetables ou remboursables le sont au choix de l'entreprise émettrice, et ce, à un moment et à un prix précis. Le prix de rachat n'est jamais au-dessous du pair et il n'est pas rare que l'émetteur verse une petite prime lors du rachat des actions en guise de compensation pour l'investisseur renonçant à son placement. Tous les dividendes impayés accumulés sont inclus dans le montant reçu par l'actionnaire privilégié renonçant à ses actions.

Rachetables au gré du détenteur

D'une certaine façon, les actions privilégiées rachetables au gré du détenteur sont l'inverse des actions rachetables ou remboursables. Le détenteur de ce genre d'actions a le droit de demander le remboursement de ses actions à l'émetteur, là aussi à un moment et à un prix précis. L'invetisseur, c'est-à-dire vous, sait ainsi à quel moment il renonce à ses actions. Par contre, les titres remboursables le sont à la convenance de l'émetteur en ce qui concerne le prix. Vous n'avez vraiment pas le choix dans ce domaine.

Convertibles

La convertibilité permet à l'actionnaire d'échanger ses actions privilégiées contre des actions d'une autre catégorie, généralement des actions ordinaires, émanant du même émetteur. Là aussi, cet échange doit intervenir à un moment précis et dans des conditions précises.

QUALITÉ DES ACTIONS PRIVILÉGIÉES

Il y a quatre questions-clés dont il faut tenir compte lorsqu'on essaie d'évaluer la qualité de placement d'une émission donnée d'actions privilégiées.

La première: les bénéfices de l'entreprise émettrice couvrent-ils largement le paiement des dividendes privilégiés et permettent-ils de respecter les clauses de remboursement ou de retrait?

La deuxième: l'entreprise émettrice a-t-elle de bons antécédents en matière de paiement de dividendes?

La troisième: les actions privilégiées sont-elles suffisamment étayées par les capitaux émanant des actions ordinaires?

La quatrième: l'émission a-t-elle été parrainée et garantie par un négociant en placements compétent?

En ne perdant pas de vue que les placements sous forme d'actions privilégiées sont surtout effectués par des investisseurs dont les objectifs sont le revenu et la sécurité plutôt que des plus-values potentielles, vous conviendrez que les réponses à toutes ces questions doivent être «oui» — ou tout au moins «probablement» — avant de décréter qu'une émission donnée constitue un placement de très bonne qualité. Examinons maintenant quelques tests empiriques utilisés par de nombreux analystes financiers pour répondre à ces questions.

En ce qui concerne ces tests de même que tous les autres mentionnés dans ce livre, n'oubliez jamais qu'il n'existe pas de méthode infaillible pour évaluer la qualité d'un placement. Les tests mentionnés et conseillés sont ceux qui sont le plus souvent utilisés par les analystes financiers. Mais il convient encore une fois d'insister sur le fait que, lorsqu'il s'agit d'évaluer des placements, rien n'est infaillible.

Maintenant que vous êtes prévenu que l'usage abusif de ces tests peut être dangereux pour votre santé financière, il faut immédiatement ajouter que ces tests sont extrêmement utiles, dans la mesure où l'on ne s'y fie pas aveuglément.

Eh oui! Pour faire ces tests, il vous faudra un exemplaire du dernier rapport annuel de l'entreprise. Pour obtenir ces rapports annuels, il suffit d'écrire à l'entreprise ou de s'y rendre. Le *Financial Times of Canada* et le *Financial Post* ont tous deux des services fournissant des exemples de nombreux rapports annuels de sociétés ouvertes. Votre courtier sera également presque toujours en mesure de vous les procurer. En fait, votre courtier doit accepter volontiers de faire ces tests à votre place. Si tel n'est pas le cas, envisagez de trouver un courtier qui offre ce service.

Adéquation de la couverture des dividendes

Le premier test suggéré consiste à déterminer si les bénéfices de l'entreprise émettrice couvrent suffisamment les exigences en matière de dividendes privilégiés. Étant donné que les détenteurs d'actions privilégiées occupent une position inférieure à celle des créanciers, les exigences minimales concernant un placement privilégié doivent être supérieures à celles concernant les obligations avec ou sans garantie.

Il existe deux méthodes usuelles pour calculer la couverture des dividendes des actions privilégiées: la méthode simple et la méthode avant impôt. On utilise la méthode simple quand l'entreprise n'a pas d'obligations en circulation. Comme son nom l'indique, c'est une formule assez simple consistant à diviser les bénéfices nets avant postes extraordinaires par les exigences annuelles en matière de dividendes privilégiés.

Pour les entreprises où la proportion des dettes par rapport aux capitaux émanant d'actions privilégiées est assez importante, la méthode simple peut induire en erreur. Dans de tels cas, la méthode simple peut, par exemple, indiquer que la couverture des dividendes privilégiés est beaucoup plus grande que la couverture des intérêts sur les dettes à long terme. Un tel résultat pourrait conduire à penser, à tort, que les actions privilégiées ont une qualité de placement supérieure à celle des obligations.

Cela serait très difficilement convenable, car en cas de difficultés financières, l'entreprise renoncerait toujours à déclarer un dividende plutôt qu'à ne pas payer un intérêt. Dans de telles circonstances, la méthode avant impôt — quoique relativement compliquée — donne une image plus réaliste de la marge de sécurité.

Méthode avant impôt

Ce procédé nécessite l'application d'une formule assez compliquée. Cependant, comme il en a déjà été fait mention précédemment, votre courtier se fera un plaisir d'effectuer ce calcul à votre place, et cela vaut sans doute mieux. Mais pour ceux qui voudraient s'y essayer, voici comment faire.

La formule de la méthode avant impôt consiste à diviser le revenu global après dépenses d'exploitation par les intérêts et les dividendes privilégiés avant impôt. C'est le dénominateur de cette formule, une fois que celle-ci est exprimée sous forme de fraction, qui complique les choses. En raison du fait que les dividendes privilégiés sont payés après les impôts sur le revenu, le calcul est effectué avant impôt. Cela nécessite d'ajuster le chiffre des dividendes privilégiés en fonction du taux d'impôts sur le revenu payé généralement par l'entreprise.

Pour être plus précis, il convient d'effectuer deux opérations mathématiques.

Il faut d'abord résoudre l'équation suivante:

$$\frac{\text{impôt sur le revenu}}{\text{bénéfices nets avant postes extraordinaires} + \text{impôts sur le revenu}} = \text{taux d'imposition}$$

Puis:

$$\text{dividendes privilégiés effectifs} \times \frac{100}{100 - \text{taux d'imposition}} = \text{dividende privilégié avant impôt}$$

C'est le chiffre des dividendes privilégiés avant impôt ainsi obtenu que l'on ajoute à l'intérêt dans le dénominateur évoqué précédemment.

Ceci nous amène tout naturellement à la question de savoir quelle est la couverture adéquate une fois que vous l'avez calculée. Si vous trouvez cela trop compliqué, demandez à votre courtier de faire ces calculs à votre place.

Couverture adéquate des dividendes

On ne peut pas, bien sûr, définir précisément la couverture adéquate des dividendes, ne serait-ce que pour la simple raison qu'elle varie suivant les secteurs d'activité et même suivant les entreprises.

Lorsqu'il s'agit de grandes entreprises occupant une position clé dans leur secteur d'activité respectif, l'Institut canadien des valeurs mobilières suggère la couverture minimale suivante: services publics — deux fois et demie avec la méthode simple et une fois et demie avec la méthode avant impôt; grandes entreprises industrielles — quatre fois avec la méthode simple et deux fois avec la méthode avant impôt. Les placements privilégiés dans des secteurs industriels cycliques, comme le textile, doivent être examinés soigneusement si la couverture avoisine le minimum.

N'oubliez pas non plus que ce test n'est que l'un des principaux tests conseillés, et que les minimums précités ne sont que des indications empiriques, mais de bonnes indications.

Antécédents en matière de paiement de dividendes

Le second test principal consiste à déterminer si l'entreprise a de bons antécédents en matière de paiement de dividendes. Dans ce domaine, la source d'information la plus simple et la plus fiable, c'est le rapport annuel ou bien encore votre courtier. Nul besoin de connaissances spéciales ou de formules particulières pour évaluer cette donnée. Les antécédents de l'entreprise sont soit bons, soit mauvais, ou bien entre les deux.

Assurer les arrières avec du capital

Le troisième test consiste à déterminer s'il y a suffisamment de capitaux propres pour assurer les arrières. Dans le cas de placements de bonne qualité, le capital propre par action privilégiée ne doit pas être inférieur à la valeur nominale des actions et, dans l'idéal, il devrait y avoir de solides réserves derrière chaque émission d'actions pendant une période d'au moins cinq ans. Pour qu'un placement soit d'excellente qualité, il faut que la courbe du capital par action privilégiée soit ascendante.

Parrainage d'un négociant

La garantie d'émission d'un négociant compétent en placements indique que la valeur de l'émission privilégiée proposée a fait l'objet d'une enquête approfondie et que des experts en la matière (les négociants) estiment que l'émission est au moins digne de figurer dans certains portefeuilles d'investisseurs.

C'est à vous et à vos conseillers de déterminer si une telle émission doit figurer ou non dans votre portefeuille d'actions. En prenant votre décision au sujet de placements sous forme d'actions privilégiées, évitez de vous baser uniquement sur les quatre questions-clés évoquées précédemment. Il y a en effet d'autres facteurs bien précis dont il faut aussi tenir compte. C'est ainsi que selon les différents cas particuliers, un ou plusieurs facteurs parmi les suivants peuvent s'avérer plus importants que les quatre tests dits clés.

Placement possible pour les compagnies d'assurances

Certains investisseurs veulent absolument savoir si l'émission constitue un placement possible pour les compagnies d'assurance-vie sans recourir à la *basket clause* (clause qui envisage tous les cas non réglés ailleurs). Si tel est le cas, c'est généralement une indication que c'est un placement raisonnable et sûr.

La *basket clause* est un article de la Loi des compagnies d'assurances canadiennes et britanniques permettant à une compagnie d'assurance-vie d'investir jusqu'à un certain pourcentage de la valeur comptable de son actif total dans des placements n'étant pas prévus par les dispositions principales de cette loi. Au moment où ce livre est rédigé, pour qu'un placement soit reconnu possible il faut absolument que des dividendes privilégiés aient été versés intégralement tous les ans, et ce, durant les cinq ans précédant immédiatement la date à laquelle la compagnie d'assurances effectue ce placement.

Protection

Il faut examiner et évaluer la protection incorporée à l'émission d'actions privilégiées. C'est ainsi que le consentement des deux tiers des actions privilégiées en circulation est parfois nécessaire avant que l'entreprise émettrice ne soit autorisée à vendre ou à transférer des avoirs importants. Un consentement similaire peut éventuellement être exigé avant que l'émetteur ne puisse s'associer ou fusionner avec une autre entreprise dont les titres auraient la priorité sur les titres existants ou seraient traités sur un pied d'égalité avec ces mêmes titres.

Il n'est pas rare qu'une clause protectrice limite la création d'autres actions privilégiées supérieures ou égales aux émissions existantes à des cas où le consentement préalable des actionnaires privilégiés existants a été obtenu ou bien à des cas où certaines conditions financières prescrites ont été remplies.

Les amendements concernant les clauses régissant une catégorie d'actions privilégiées nécessitent normalement le consentement d'un pourcentage déterminé des actions privilégiées en circulation.

Une clause protectrice très courante consiste à veiller à ce que les fonds de roulement de l'émetteur ne soient pas sérieusement entamés par le paiement de dividendes sur les actions ordinaires.

Demandez à votre courtier de vous expliquer en termes très simples quelles sont les clauses protectrices d'une émission donnée.

Négociabilité

La négociabilité représente peut-être l'élément le plus important pour de nombreux investisseurs. Il s'agit surtout de savoir si les actions sont cotées en Bourse et si elles sont très demandées. Même si elles sont négociées publiquement — soit cotées, soit hors cote —, ce n'est qu'une maigre consolation si elles sont si peu demandées qu'il n'y a véritablement aucun acheteur qui se présente quand vous voulez ou devez vendre.

Financement

L'existence même et les conditions d'existence d'un fonds d'amortissement (sommes d'argent mises systématiquement de côté pour racheter des actions ou rembourser des dettes) ou d'un fonds d'achat peuvent avoir de l'importance aux yeux de certains investisseurs. Cependant, si la plupart des autres considérations indiquent qu'il s'agit d'une émission de bonne qualité, rares sont les investisseurs potentiels à faire machine arrière uniquement à cause de l'absence d'un fonds d'amortissement.

Prix du marché ou prix de rachat

La relation entre le prix du marché d'une émission et son prix de rachat constitue un autre élément dont il faut se préoccuper. Il est bon d'hésiter, si le prix du marché est supérieur au prix de rachat ou de remboursement, à moins qu'il n'y ait une bonne raison à cela, comme l'existence d'un dividende particulièrement élevé pendant une période encore assez longue avant que le remboursement n'ait lieu. Il faut, bien sûr, examiner les conditions de conversion ou les possibilités de retrait en fonction du prix du marché.

L'émetteur

L'élément le plus important de tous c'est l'évaluation générale de l'entreprise émettrice, de sa santé financière, de sa tendance en matière de bénéfices et, dans la mesure du posible, de sa position sur le marché et de sa capacité de gestion. C'est une vaste tâche, et la grande majorité des investisseurs doivent se fier aux analyses compétentes de conseillers et de négociants en placements expérimentés. Mais il est possible d'obtenir des informations dans ce domaine, et l'investisseur prudent met tout en œuvre pour obtenir le plus d'informations possible.

Placer de l'argent sans essayer de réunir le plus d'informations pertinentes revient tout simplement à spéculer. Comme il en a déjà été fait mention, la spéculation a sa place, mais il est capital de ne pas spéculer quand vous pensez que vous êtes en train d'investir ou que vous devriez le faire.

Il y a une grande différence entre les deux.

Le plus important

Les actions privilégiées sont conçues pour satisfaire les besoins particuliers des émetteurs et présentent un intérêt pour certains types d'investisseurs. Soyez sûr d'avoir bien choisi. De telles actions ne sont pas appropriées si vous recherchez des possibilités d'accroissement du capital, mais elles présentent généralement un certain attrait pour ceux qui recherchent un placement en actions relativement sûr procurant un revenu raisonnable.

Il faut toujours examiner et comprendre les caractéristiques de l'émission à laquelle vous envisagez de souscrire. Il est rare que deux émissions soient strictement identiques.

Il faut faire de votre mieux pour évaluer l'entreprise émettrice ou bien demander conseil auprès de négociants ou de conseillers en placements expérimentés et professionnels — de toute façon, il est préférable de faire les deux.

Il faut également tenir compte des clauses protectrices prévues dans l'émission en plus des tests-clés permettant d'évaluer une émission. Vous devez obtenir des réponses satisfaisantes concernant les facteurs, tels que la négociabilité, qui peuvent éventuellement avoir une certaine importance pour vous.

Parce qu'il n'y a pas engagement contractuel de rembourser les actions privilégiées et que la plupart des entreprises préfèreraient ne pas payer un dividende plutôt que de ne pas payer un intérêt, les actions privilégiées comportent plus de risques que les obligations. Le mieux, c'est de limiter les placements privilégiés à ceux dont les dividendes sont largement couverts par les bénéfices et l'actif.

Côté positif, leurs priorités en matière de dividendes et de droit sur l'actif en font des placements plus sûrs que de nombreuses actions ordinaires, mais n'oubliez pas que le potentiel de croissance n'est pas aussi élevé qu'avec des actions ordinaires.

Les actions privilégiées de très bonne qualité constituent un placement procurant un bon revenu et offrant beaucoup de sécurité. Mais ne perdez jamais de vue qu'il y a toujours des risques, même s'ils sont très faibles. Il est toujours possible qu'une entreprise manque à ses engagements au point que même les détenteurs d'actions privilégiées ne récupèrent rien ou très peu.

Chapitre vingt et un
Obligations

QUE SONT-ELLES?

Une obligation représente tout simplement un prêt accordé à l'entreprise ou à l'organisme gouvernemental l'ayant émis.

Il y a des différences entre les obligations avec et sans garantie d'une part et les actions d'une entreprise d'autre part. Une action représente une participation réelle à la propriété d'une entreprise, alors qu'une obligation, comme il en a déjà été fait mention, est une reconnaissance de dette. Une obligation sans garantie est une obligation émise généralement par les municipalités locales et n'étant pas garantie.

L'émetteur s'engage à rembourser la valeur nominale (qui ne correspond pas nécessairement à la valeur d'achat) à la date d'échéance, et à payer entre-temps un intérêt. En termes d'objectifs de placement, les obligations de très bonne qualité offrent une plus grande protection du capital et une plus grande sûreté de revenu que les actions ordinaires ou privilégiées. Par contre, il y a généralement moins de perspective d'accroissement du capital avec des obligations qu'avec des actions ordinaires, et en période de hausse des taux d'intérêt la négociabilité des obligations est faible. Cependant, les obligations achetées bien au-dessous du pair ou comportant des droits préférentiels d'achat ou des possibilités de conversion permettent souvent un accroissement du capital.

Les émetteurs d'obligations se réservent parfois le droit de les rembourser avant échéance, ce qu'ils feraient si les taux d'intérêt venaient à baisser. Cette procédure est généralement rendue possible par l'émission d'une obligation rachetable ou remboursable. L'émetteur consent normalement à informer l'obligataire suffisamment longtemps à l'avance — disons, 30 ou 60 jours — que l'obligation va être remboursée. Si vous investissez dans certaines obligations et que vous vouliez être sûr que ce placement reste un placement à long terme, alors vérifiez bien que ces obligations ne soient pas sujettes à un remboursement précoce.

Le montant que l'émetteur d'une obligation s'engage à payer à échéance figure au recto de l'obligation et est appelé pair ou valeur nominale. La plus petite valeur nominale d'une obligation d'entreprise est généralement de 500 $. Des valeurs nominales de 1000 $, 5000 $, 10 000 $, 25 000 $ et même 100 000 $ sont fréquentes. La valeur nominale est déterminée en fonction du créneau recherché. Les obligations destinées à un large marché de détail seront émises avec de faibles valeurs nominales (les obligations d'épargne du Canada ont, par exemple, été émises avec des valeurs nominales de 100 $ pour satisfaire les petits épargnants) alors que celles destinées aux investisseurs institutionnels peuvent avoir des valeurs nominales atteignant des millions de dollars.

Outre la valeur nominale, l'obligation indique également le taux d'intérêt payable. N'oubliez pas, toutefois, que le taux d'intérêt concerne la valeur nominale de l'obligation et non pas la valeur d'achat de cette obligation.

La valeur d'achat d'une obligation ne dépend pas seulement de sa valeur nominale, mais aussi de son taux d'intérêt, du niveau général des taux d'intérêt au moment de l'achat et du délai de l'échéance. La valeur des obligations en circulation a tendance à baisser à mesure que les taux d'intérêts généraux augmentent et à augmenter lorsque les taux d'intérêt diminuent. Ainsi, si vous détenez une obligation de 1000 $ à un taux d'intérêt de 6% à un moment où le taux d'intérêt des dépôts à terme est de 12%, personne ne vous achètera cette obligation à 1000 $. On ne vous paiera qu'un montant permettant de bénéficier d'un rendement de 12%.

Le rendement d'une obligation est le taux de rendement réel perçu sur la somme d'argent investie, ce qui correspond à la valeur d'achat et non à la valeur nominale de l'obligation. Si vous achetez, par exemple, une obligation de 100 $ à un taux d'intérêt de 7% au prix de 99 $ et que l'obligation vient à échéance d'ici un an, votre rendement sera de 8%. Ce chiffre de 8% se compose de 7 $ d'intérêt et de 1 $ de «gain» sur le principal. Supposons maintenant que vous ayez dû acheter cette même obligation 101 $. Votre rendement tombe désormais à 6% — 7 $ d'intérêt moins 1 $ de «perte» sur le principal. Les fluctuations du rendement seraient donc plus importantes si le terme était plus long et si l'obligation était achetée encore plus au-dessus du pair. Une obligation de 100 $ à 7% venant à échéance dans dix ans et achetée 94 $ rapporterait un taux annuel d'environ 7,9%. Heureusement, en raison de la complexité des calculs du rendement des obligations, vous n'avez pas besoin de les faire, car tous les négociants en placements disposent de tableaux préparés à cet effet.

Le rendement n'est certes pas le seul élément dont il faut tenir compte lorsque vous décidez d'investir ou non dans une obligation donnée. Il faut aussi prendre en considération la qualité de placement de l'obligation. Ce facteur aura également quelques répercussions sur le rendement disponible pour la simple raison que plus la qualité est bonne, plus la surcote est importante.

DIFFÉRENTS TYPES

Il existe quatre grandes catégories d'émetteurs d'obligations: le gouvernement fédéral, les provinces, les municipalités et l'entreprise. Nous allons maintenant examiner les aspects qualitatifs de chaque type.

En ce qui concerne la qualité des obligations émises par le Gouvernement du Canada, si le gouvernement fédéral venait à ne pas honorer ses engagements en matière d'obligations, il est difficile d'imaginer le chaos général qui régnerait dans le milieu canadien des placements. La plupart des placements seraient en danger.

Il y a trois facteurs principaux dont il faut tenir compte en évaluant la qualité d'une émission particulière d'obligations provinciales. Il s'agit de déterminer à combien s'élèvent déjà les dettes de la province concernée et à combien elles s'élèveront après cette émission d'obligations, et ce, par tête d'habitant et en comparaison avec d'autres provinces. Le second facteur consiste à évaluer la prospérité de la province en matière de ressources naturelles, de production agricole et de développement industriel. Et il faut enfin tenir compte de la stabilité et de la solidité du gouvernement provincial, aussi bien du point de vue du passé et de l'avenir que du présent. La meilleure façon d'évaluer la qualité d'un tel type de titre, c'est de demander conseil auprès d'un négociant en placements expérimenté et spécialisé dans ce domaine. Tout bien pesé, les obligations provinciales sont considérées comme des placements relativement fiables en termes de sécurité du capital.

En raison de quelques mauvaises expériences constatées aux États-Unis, nombreux sont ceux qui deviennent un peu réticents lorsqu'il s'agit d'investir dans des obligations émises par des municipalités. À l'heure actuelle, au Canada, les négociants en placements et les investisseurs institutionnels (caisses de retraite, compagnies d'assurances, etc.) ont tendance à placer les obligations des municipalités dans la même catégorie que les obligations du Gouvernement du Canada et des provinces. Ils les considèrent comme des placements de très grande qualité en ce qui concerne la sécurité du capital.

Les négociants en placements et les institutions s'occupant de placements ont une liste de contrôle pour évaluer la qualité d'obligations émises par les collectivités locales. Ils prennent en considération un certain nombre d'éléments, comme l'accroissement de la population, la croissance industrielle, les conditions et la qualité des services municipaux, la proportion des charges annuelles de dettes par rapport au revenu total de l'impôt, les levées d'impôts, les antécédents en matière de recouvrement d'impôts, la valeur estimée par tête d'habitant dans un but fiscal, la dette par tête d'habitant, sans oublier l'intégrité et l'expérience des responsables politiques municipaux élus et les hauts fonctionnaires. Comme dans le cas des obligations provinciales, le meilleur moyen d'avoir une idée précise de la qualité des obligations émises par les municipalités, c'est encore de demander conseil auprès d'un spécialiste expérimenté.

Obligations des entreprises

Tous les ans, les entreprises canadiennes émettent des obligations pour une valeur de plusieurs milliards de dollars, et ce, afin d'acquérir des immobilisations, d'éliminer des dettes existantes ou de donner un certain essor à leurs activités.

Avec le temps, différents types d'obligations émises par des entreprises (n'oubliez jamais qu'une obligation n'est ni plus ni moins qu'une reconnaissance de dette délivrée à l'obligataire par l'émetteur) ont été conçus pour contribuer à faire coïncider les besoins de l'entreprise-emprunteur avec les désirs de l'investisseur-prêteur. Pour parler familièrement, on peut dire qu'il y en a pour tous les goûts. En tout état de cause, les investisseurs s'intéressant au marché des obligations doivent connaître les différents types d'obligations ainsi que leurs diverses caractéristiques. Voici une analyse des types d'obligations les plus courants.

Obligations hypothécaires

Toute hypothèque est un document juridique prouvant que l'emprunteur sur hypothèque à mis en gage des immobilisations telles que des terrains, des bâtiments et des équipements en tant que garantie d'un emprunt, et donnant droit au prêteur sur hypothèque de prendre possession des avoirs mis en gage, au cas où l'emprunteur ne serait pas en mesure de payer les intérêts ou de rembourser le principal lors de l'échéance. Il n'y a pas de différence fondamentale entre l'effet juridique d'une hypothèque et celui d'une obligation hypothécaire. L'aspect du document constitue la seule différence.

L'obligation hypothécaire, comme d'autres formes d'obligations d'entreprise, a évolué pour satisfaire un besoin particulier. Lorsque les besoins des entreprises en matière d'emprunts devinrent trop importants pour être financés par une seule source, et que plusieurs centaines — et même plusieurs milliers — de prêteurs prirent part à cette opération, il devint presque impossible pour une entreprise d'émettre des hypothèques individuelles mettant en gage des portions de ses avoirs pour chaque prêteur, et c'est ce qui a donné naissance à l'obligation hypothécaire. Ce qui se passe désormais, c'est qu'une hypothèque générale est déposée auprès d'un mandataire, généralement une société de fiducie, et ce mandataire agit au nom de tous les investisseurs et protège leurs intérêts d'après les conditions de l'hypothèque générale. Le montant de l'emprunt est divisé en valeurs nominales appropriées et chaque investisseur reçoit une obligation comme preuve de sa quote-part selon les conditions de l'hypothèque générale.

Ceci nous amène à passer en revue les différents sous-types d'obligations hypothécaires.

Obligations hypothécaires de premier rang

Comme leur nom l'indique, les obligations hypothécaires de premier rang représentent les titres «supérieurs» d'une entreprise pour la simple raison qu'elles ont la priorité sur l'actif et les bénéfices de l'entreprise. Il faut, bien entendu, examiner les conditions de l'émission pour déterminer avec précision quels sont les avoirs couverts par l'hypothèque. Tous ceux qui ont essayé de le faire se sont vite rendu compte de la difficulté qu'il y a à comprendre le jargon juridique employé pour rédiger ces conditions d'émission. Elles rivalisent d'incompréhensibilité avec la Loi de l'impôt sur le revenu. Voici donc un autre cas où il vaut mieux s'en remettre aux conseils d'un spécialiste dans ce domaine.

Une fois débarrassé du jargon juridique, on s'aperçoit généralement que les obligations hypothécaires de premier rang comportent un droit spécifique et prioritaire sur les immobilisations de l'entreprise et un droit flottant (un droit général sur l'actif sans aucune détermination d'éléments spécifiques) sur le reste de l'actif. Les obligations hypothécaires de premier rang sont généralement considérées comme les meilleurs titres qu'une entreprise puisse émettre. C'est encore plus vrai si l'hypothèque comprend une «clause de post-acquisition». Cette clause stipule que l'hypothèque concerne «toutes les immobilisations de l'entreprise existant à cette date et acquises après cette date». Son attrait pour les investisseurs ressort clairement de la formulation même de cette clause.

En résumé, les obligations hypothécaires de premier rang ont la priorité sur les autres catégories d'obligations, ce qui, selon la qualité de l'entreprise, en fait un excellent placement.

Pour mémoire, signalons que dans certains cas, une entreprise peut, avec le consentement des détenteurs d'obligations hypothécaires de premier rang, émettre ce que l'on appelle des obligations de rétention privilégiée. Par cette mesure, les détenteurs d'obligations hypothécaires de premier rang permettent aux détenteurs d'obligations de rétention privilégiée de partager un droit spécifique sur l'actif de l'entreprise.

Obligations hypothécaires de second rang ou générales

Comme on peut s'y attendre en toute logique, les obligations hypothécaires de second rang — souvent appelées obligations hypothécaires générales — passent après les obligations hypothécaires de premier rang pour tout ce qui concerne les droits sur l'actif ou les bénéfices de l'entreprise-emprunteur, ce qui signifie que les droits des détenteurs d'obligations hypothécaires de premier rang doivent d'abord être satisfaits intégralement avant que les détenteurs d'obligations hypothécaires de second rang ne puissent prétendre à quoi que ce soit. Étant donné qu'une telle mesure fait que les obligations hypothécaires de second rang sont de qualité légèrement inférieure du point de vue de la protection du placement, elles se vendent généralement à un prix offrant un rendement plus élevé que les obligations hypothécaires de premier rang.

En fait, dans de nombreux cas, les obligations hypothécaires de premier rang sont tellement bien couvertes par l'actif, que la qualité d'une émission d'obligations hypothécaires générales ou de second rang est égale à celle des obligations «supérieures». Une entreprise ayant, par exemple, déjà une émission d'obligations hypothécaires de premier rang, lancera parfois une émission d'obligations hypothécaires générales garantie par son propre actif non encore mis en gage et celui de ses filiales. Bien que cette nouvelle émission ne soit pas sur un pied d'égalité avec les obligations hypothécaires de premier rang en ce qui concerne l'actif de la maison mère, elle aurait un droit prioritaire sur l'actif des filiales. C'est précisément ce type d'émission qui a donné naissance au terme «obligation hypothécaire générale».

Étant donné que les appellations des émissions d'obligations hypothécaires peuvent dans le meilleur des cas provoquer une certaine confusion et dans le pire induire en erreur, il est conseillé de bien vérifier les conditions de l'émission, si vous attachez beaucoup d'importance ou d'intérêt au droit de priorité sur l'actif. Il vaut mieux, là aussi, demander conseil auprès d'un professionnel compétent.

Obligations non garanties

Comme il en a été fait mention précédemment, les obligations non garanties représentent des dettes directes de l'émetteur, mais elles ne sont pas garanties par la mise en gage de l'actif. En effet, leur seule garantie, c'est la solvabilité de leur émetteur. Contrairement aux autres créanciers, les déteneurs d'obligations non garanties n'ont aucun droit de priorité sur l'actif. Si vous rencontrez l'expression «obligation garantie», vous devez savoir qu'il s'agit en fait d'obligations partiellement garanties par un certain actif, mais pas suffisamment couvertes pour constituer une hypothèque complète.

L'absence d'une mise en gage d'actif ne signifie pas nécessairement que l'obligation non garantie est de moins bonne qualité que l'obligation garantie. Il faut essayer de savoir pourquoi on a préféré émettre une obligation non garantie plutôt qu'une obligation garantie. Il peut y avoir un certain nombre de raisons tout à fait acceptables à cela et il importe de déterminer desquelles il s'agit dans chaque cas particulier.

Il se peut, par exemple, qu'une grande entreprise florissante et bien établie ait une solvabilité tellement bonne qu'elle soit en mesure d'emprunter de l'argent à des conditions favorables sans avoir besoin de mettre en gage son actif. Il se peut également qu'une entreprise soit importante, florissante et parfaitement solvable, mais qu'elle n'ait pas suffisamment d'actif à mettre en gage en raison de la nature de ses activités, ce qui est souvent le cas des activités commerciales ou marchandes, et que les seuls avoirs importants dont elle dispose sont ceux dont elle fait le commerce et qu'il est difficile de mettre en gage. Pour citer un exemple extrême, on ne peut pas demander à Eaton de mettre en gage son stock étant donné qu'il faut pouvoir le vendre. Il ne serait pas non plus raisonnable de demander à la Banque de Montréal de mettre en gage ses dépôts. Dans ces deux cas, il ne viendrait à l'esprit de personne de considérer les obligations non garanties comme étant de moins bonne qualité que les obligations garanties.

Par contre, il se peut très bien qu'une entreprise disposant de beaucoup d'immobilisations choisisse la solution des obligations non garanties du fait que tout son actif est déjà mis en gage à la suite d'émissions d'obligations garanties et d'hypothèques ayant déjà eu lieu. Dans un tel cas, à moins qu'il n'y ait des facteurs de compensation tels qu'une excellente solvabilité ou de très bonnes perspectives à long terme pour l'entreprise, il faut considérer les obligations non garanties comme étant moins intéressantes que les obligations garanties, et renoncer à cette solution ou rechercher un rendement plus élevé pour compenser les risques plus importants.

Les «obligations subordonnées» sont, comme leur nom l'indique clairement, des obligations qui ne sont pas sur un même pied d'égalité avec certains autres titres de l'émetteur. Là encore, il se peut que ce type d'émission ne soit pas d'excellente qualité et il vaut beaucoup mieux demander conseil auprès d'un professionnel en matière de placements avant d'investir de l'argent dans ce genre d'obligations.

Obligations à intérêt conditionnel

Généralement parlant, les obligations à intérêt conditionnel sont des obligations au sens commun du terme, à cette nuance près qu'elles ne donnent pas droit à un intérêt, à moins que l'émetteur n'ait fait suffisamment de bénéfices pour en assurer le paiement. Dans ce domaine, le «bénéfice» est généralement défini par les conditions d'émission et son sens peut éventuellement être différent de l'acception générale du terme, alors procédez à un examen minutieux.

De plus, le terme «obligation sur revenu» revêt un sens particulier dans le cadre de la Loi de l'impôt sur le revenu et un traitement fiscal spécial peut éventuellement entrer en jeu. Par conséquent, c'est un type de placement qui convient uniquement à l'investisseur très expérimenté et compétent et qui ne doit jamais être choisi sans demander conseil en matière de placements et de fiscalité.

Obligations à fonds d'amortissement

Ce ne sont pas des titres émis par des entreprises du secteur automobile ou aéronautique, du moins pas nécessairement.

Un fonds d'amortissement est une somme d'argent ou un ensemble de placements destinés à fournir des ressources pour le remboursement ou le retrait d'une émission d'obligations. Une réserve de fonds d'amortissement représente la portion de bénéfices destinée à consolider et à accroître le fonds d'amortissement. C'est un moyen de prévoir le paiement final de la dette petit à petit chaque année, et ce, tout au long de la durée d'une dette donnée, plutôt que de la refinancer entièrement lorsqu'elle vient à échéance.

En règle générale, une société de fiducie est désignée comme mandataire pour gérer le fonds. Chaque année à date fixe, l'emprunteur fournit la somme requise (pouvant inclure des obligations de l'émission concernée ayant été récupérées par l'émetteur) au mandataire qui la placera et la gardera en dépôt en vue du remboursement final de l'émission. L'entreprise-emprunteur perd ainsi tout contrôle sur cet argent.

Les émissions d'obligations comportant un fonds d'amortissement le mentionnent généralement. Pour l'investisseur, cela représente l'assurance que de l'argent est mis de côté dans le seul but de rembourser ses titres.

Obligations garanties par nantissement de titres

Une obligation garantie par nantissement de titres est garantie non pas par une mise en gage d'immobilisations, mais par une mise en gage matérielle d'autres titres. Une entreprise émettant des obligations garanties par nantissement de titres peut ainsi mettre en gage des obligations ou des actions d'autres entreprises. Ce cas ressemble à celui d'un particulier mettant en gage des titres auprès d'une banque pour garantir un prêt personnel.

Vous pourriez penser que la qualité de ce type d'obligation est moins bonne que celle d'une obligation hypothécaire, mais c'est là une généralisation dangereuse. Les titres mis en gage sont parfois d'une telle qualité que les obligations garanties par nantissement de titres sont tout aussi sûres.

Parfois, pour garantir une obligation hypothécaire plus que la normale, un nantissement sous forme d'autres titres est également prévu. On désigne généralement ce type d'émission sous le terme «d'obligation hypothécaire garantie par nantissement de titres».

Obligations à échéance reportable

Ces émissions ont habituellement une échéance relativement courte, disons cinq ans, mais elles offrent à l'investisseur la possibilité de les échanger contre des obligations à plus long terme, disons 20 ans, au même taux d'intérêt ou à un taux légèrement supérieur.

Il faut généralement se décider à faire son choix pendant une période débutant en général entre un an et si mois avant la date d'échéance initiale et qui dure habituellement six mois. Si vous ne vous décidez pas, vos obligations viendront automatiquement à échéance comme prévu. L'avantage pour l'investisseur c'est qu'il dispose ainsi de plus de temps pour se décider au sujet de la durée de placement de ses fonds et que, pendant ce temps-là, son argent continue à rapporter.

Obligations encaissables par anticipation

Comme vous l'avez sans doute déjà deviné, ces émissions sont exactement à l'opposé des obligations à échéance reportable. Ces obligations sont émises à long terme, disons 20 ans, mais vous avez la possibilité de demander le remboursement de l'obligation plus tôt, disons au bout de 10 ans. Comme dans le cas des obligations à échéance reportable, la période de choix dure généralement six mois et débute entre un an et six mois avant l'expiration de la période précédente de retrait. Là encore, si vous ne prenez pas de décision, l'obligation vient à échéance à la date initiale prévue, en l'occurence, 10 ans plus tard.

La qualité d'une obligation n'est pas affectée par ces caractéristiques spéciales — bien que le taux d'intérêt le soit — et il faut toujours examiner la garantie et la solvabilité de l'émetteur pour s'assurer que tout soit parfaitement en ordre. Les émissions à échéance reportée et les émissions rachetables au gré du détenteur constituent des placements intéressants pour l'investisseur recherchant un placement qui ne soit pas purement à court terme tout en souhaitant conserver une certaine souplesse en évitant un placement à très long terme.

Ces deux types d'obligations sont parfois émises aussi bien par les gouvernements que par les entreprises.

Obligations échéant en série

Avec ces types d'émissions, une partie du principal vient à échéance et est remboursé chaque année de façon prédéterminée. Les investisseurs individuels n'achètent généralement pas les obligations à court terme d'une émission de série. Ces obligations présentent en général un intérêt (sans vouloir faire de jeu de mot) pour les investisseurs institutionnels recherchant des situations à court terme. À mesure que le poids de la dette diminue et que le coût de l'intérêt s'en trouve donc réduit chaque année, la qualité des obligations restantes à plus long terme a tendance à s'améliorer.

Obligations garanties et non garanties convertibles

Les obligations convertibles peuvent être échangées contre des actions ordinaires de l'émetteur à certaines conditions. Les émissions convertibles combinent certains avantages de la détention d'obligations et de la détention d'actions. Parce qu'elles ont un taux d'intérêt fixe et une date d'échéance déterminée, elles présentent les avantages des obligations. Elles permettent par ailleurs de réaliser un accroissement du capital par le biais de la convertibilité en actions ordinaires à un prix prédéterminé et pendant une certaine période.

Du point de vue de l'émetteur, la convertibilité permet de vendre plus facilement une émission avec des frais d'emprunt moins élevés tout en se procurant indirectement un capital-actions à des conditions plus favorables que par le biais de la vente directe d'actions ordinaires.

Bien que le titre de ce paragraphe mentionne à la fois les obligations garanties et non garanties, les émissions d'obligations garanties convertibles sont vraiment très rares. L'investisseur, cherchant à combiner la sécurité et la certitude de revenu d'une obligation d'entreprise avec la perspective d'un accroissement futur du capital, devra vraisemblablement opter pour des obligations non garanties convertibles. Cela s'explique par le fait qu'il est plus facile d'organiser une émission convertible n'étant pas garantie par un actif spécifique.

Le prix de conversion augmente souvent au fil du temps. Ce phénomène encourage une conversion précoce et reflète le fait que la valeur nette de la plupart des entreprises augmente au fil du temps. Cependant, n'oubliez jamais que cela n'a aucun sens d'investir dans des obligations convertibles si le prix de conversion est plus élevé que le prix actuel et futur des actions sous-jacentes.

Les émissions convertibles demandent un peu plus de surveillance que la plupart des placements, parce que leurs prix sont plus irréguliers et parce qu'il faut se décider à convertir ou à ne pas convertir. Il ne faut pas non plus rater les délais.

Outre la qualité de placement des obligations, le niveau de prix des actions ordinaires sous-jacentes influe également sur le prix des obligations. En règle générale, lorsque les actions sous-jacentes sont nettement inférieures au prix de conversion, les obligations convertibles se comportent tout comme les autres types d'obligations en réagissant au niveau général des taux d'intérêt et à la qualité des titres. Lorsque les actions sous-jacentes avoisinent le prix de conversion, les obligations se vendent généralement au-dessus du pair, et lorsqu'elles sont supérieures au prix de conversion, le prix des obligations doit normalement augmenter en conséquence.

Pour prendre un exemple simple, supposons une obligation de 100 $ convertible en dix actions ordinaires. Supposons également que le taux d'intérêt de l'obligation soit comparable à celui d'autres placements. Si les actions ordinaires se négocient à environ 10 $ chacune, l'obligation bénéficiera probablement d'une prime de un ou deux dollars, de sorte que vous pourriez la vendre 102 $. Si les actions ordinaires se négocient à 12 $ chacune, l'obligation vaut bien évidemment aux alentours de 120 $ — valeur des actions ordinaires contre lesquelles elle peut être échangée. Par contre, si les actions ordinaires se négocient à 6 $, la convertibilité ne présente aucun intérêt.

Obligations avec droit préférentiel d'achat

Un droit préférentiel d'achat est un certificat donnant droit à son détenteur d'acheter des actions (normalement une action ordinaire) à un prix spécifique pendant une période déterminée.

Les droits préférentiels d'achat sont parfois attachés aux obligations pour faciliter la vente de ces dernières, et ces droits peuvent être eux-mêmes achetés ou vendus en Bourse ou au marché officieux.

Les droits préférentiels d'achat représentent une forme de placement très attrayante. Si le droit préférentiel d'achat vous permet d'acheter les actions ordinaires concernées à un prix inférieur à la cote en vigueur sur le marché boursier, deux options favorables se présentent à vous. Ou bien vous achetez ces actions en faisant ainsi une bonne affaire, ou bien, si vous ne souhaitez pas détenir des actions ordinaires de l'entreprise concernée, vous vendez les droits préférentiels d'achat en réalisant ainsi un bénéfice.

Acheter et vendre des droits préférentiels d'achat vous permet souvent de réaliser autant de bénéfices en courant bien moins de risques qu'en négociant des actions ordinaires. Si par exemple une action coûtant 25 $ monte à 30 $, il vous faudra risquer 5000 $ pour gagner 1000 $ (200 actions x 25 $). S'il existe des droits préférentiels d'achat permettant d'acheter cette action à 25 $, leur prix augmentera lui aussi de 5 $ chacun. Si vous avez donc acheté ces droits préférentiels 10 $ et que vous les revendiez 15 $, vous pouvez gagner 1000 $ en ne risquant que 2000 $ (200 actions x 10 $.)

QUALITÉ DE PLACEMENT DES OBLIGATIONS

Juger de la qualité de placement d'une obligation d'entreprise n'est pas chose aisée. De nombreux analystes financiers utilisent cinq principales règles empiriques (sous forme de questions auxquelles il faut répondre) pour faciliter une telle évaluation. En les passant maintenant en revue, vous vous apercevrez qu'elles sont assez semblables à celles qui permettent d'évaluer les émissions d'actions privilégiées.

Couverture des intérêts

Les bénéfices de l'entreprise permettent-ils de couvrir suffisamment le paiement des intérêts et le remboursement du principal?

L'Institut canadien des valeurs mobilières propose la formule suivante en guise de test:

$$\frac{\text{revenu total après dépenses d'exploitation}}{\text{ensemble des exigences en matière d'intérêts au cours du dernier exercice fiscal.}}$$

Et bien qu'il soit facile de se rendre compte qu'on ne peut définir avec précision la couverture adéquate, l'Institut suggère les normes minimums suivantes en matière de couverture des intérêts:

Services publics: les intérêts de l'année en cours doivent être couverts au moins deux fois par les bénéfices annuels moyens des sept dernières années.

Valeurs industrielles: les intérêts de l'année en cours doivent être couverts au moins trois fois par les bénéfices annuels moyens des sept dernières années.

Lorsqu'il s'agit du remboursement du principal, il faut tenir compte du niveau de couverture des intérêts et de la capacité de satisfaire les exigences du fonds d'amortissement — surtout en ce qui concerne les mesures exceptionnelles pouvant être prises par l'entreprise, comme la suppression d'un dividende pour les actions ordinaires. Toutefois, il faut également tenir compte dans ce domaine d'un autre élément qui constitue la prochaine règle empirique.

Couverture de l'actif

La mise en gage de l'actif offre-t-elle une garantie suffisante? Telle est la question à laquelle on peut répondre de façon plausible en divisant l'ensemble des dettes à long terme par l'actif corporel net. (Généralement parlant, l'actif corporel net représente l'actif total moins l'actif incorporel, les dettes à court terme, les impôts différés et autres crédits et intérêts minoritaires).

Voici les normes minimums suggérées par l'Institut:

Services publics: 1500 $ d'actif corporel net pour 1000 $ de créance à recouvrer.

Valeurs industrielles: 2000 $ d'actif corporel net pour 1000 $ de créance à recouvrer.

Toutefois, n'oubliez pas que la plupart des bilans ne reflètent pas l'augmentation des prix depuis l'achat de l'actif. C'est généralement le prix d'achat qui est indiqué.

Ratio d'endettement

Probablement le plus familier des cinq tests, le ratio d'endettement répond à la question suivante: y a-t-il suffisamment de capital-actions pour assurer les arrières de l'émission d'obligations?

L'Institut suggère, comme minimum, que la dette à long terme d'une entreprise ne doit pas excéder la valeur boursière courante de toutes les catégories d'actions en circulation de l'entreprise. C'est une très bonne règle, surtout lorsque les résultats du test sur la couverture de l'actif ne sont pas satisfaisants.

Un autre avantage de ce test, c'est qu'il reflète un déclin des bénéfices d'une entreprise, car ce même phonémène provoque un déclin de la valeur boursière des actions de l'entreprise.

Test du parrainage d'un négociant

Dans de nombreux cas, c'est le seul test effectué par les investisseurs individuels et qui répond tout simplement à la question suivante: les titres ont-ils été parrainés et garantis par un négociant en placements professionnel ayant une bonne réputation? Une réponse négative à cette question doit vous faire réfléchir, alors qu'une réponse positive indique que les titres ont fait l'objet d'un examen minutieux et qu'ils ont été jugés sains. On peut ainsi avoir de bonnes raisons de penser que l'émetteur sera en mesure de faire face à ses engagements concernant à la fois le principal et les intérêts.

Possibilité de placement pour les compagnies d'assurance-vie

Voici la dernière question: le titre peut-il être choisi comme placement par une compagnie d'assurances sans recourir à la *basket clause* (clause qui, comme on l'a vu, envisage tous les cas non réglés ailleurs)? Cela demande quelques explications.

Les types de titres pouvant être choisis comme placements par les compagnies d'assurance-vie sont répertoriés par la Loi des compagnies d'assurances canadiennes et britanniques. La possibilité de placement conformément à cette loi constitue un facteur favorable pour l'évaluation de la qualité de placement, tant que cette possibilité de placement n'est pas prévue par la *basket clause* de ladite loi. La *basket clause* permet d'investir jusqu'à un certain pourcentage de la valeur comptable de l'actif total d'un assureur-vie dans des placements ne figurant pas dans le répertoire établi par ladite loi.

Autres facteurs

Outre les cinq tests précédents (notez bien que chaque question doit se solder par une réponse positive et qu'une réponse négative n'est pas bon signe), il existe d'autres facteurs dont il faut tenir compte lors de l'évaluation de la qualité d'une obligation donnée. Voici donc ces facteurs: tendance des bénéfices durant les sept à dix dernières années; couverture des intérêts (voir ci-dessus) au cours de l'année où les bénéfices ont été les moins importants; nature de l'activité de l'entreprise à la lumière des perspectives économiques et fonds d'amortissement et autres mesures protectrices.

Clauses protectrices

C'est le terme employé pour désigner les caractéristiques d'un titre destinées à protéger et garantir les intérêts des investisseurs. En voici quelques-unes: interdiction de droits de rétention prioritaires; restrictions en matière d'emprunts supplémentaires; fonds d'amortissement; obligation pour les dividendes de ne pas provoquer une baisse des fonds de roulement de l'entreprise en-deçà d'un montant déterminé.

Mise en garde

L'Institut prend bien soin d'avertir les utilisateurs de ses règles que les normes systématiques et automatiques sont loin d'être infaillibles lorsqu'il s'agit d'évaluer des titres. Il y a des facteurs importants qu'on ne peut mesurer de façon statistique, le plus important d'entre eux étant la qualité de la gestion de l'entreprise. Il en va de même pour l'amélioration ou le manque d'amélioration du cycle naturel des affaires et les effets des fluctuations économiques générales.

Objectif

Ne perdez jamais de vue le véritable objectif des investisseurs achetant des obligations. Ils recherchent la sécurité du capital et la certitude du revenu. Le meilleur moyen de réaliser cet objectif, c'est de s'assurer que le titre en question offre une marge de sécurité suffisante.

OBLIGATIONS D'ÉPARGNE DU CANADA

Les obligations d'épargne du Canada vous permettent, par exemple, de garnir largement votre portefeuille avec de l'argent liquide. Cela s'explique par le fait qu'elles peuvent être échangées contre de l'argent à tout moment sur simple présentation à votre banque.

En matière de garantie, il n'y a rien de mieux. Si l'État canadien ne peut pas honorer ses engagements, il est difficile d'imaginer d'autres placements qui soient sûrs.

Pour déterminer si le taux de rendement est adéquat, il faut le comparer à celui dont bénéficient les comptes d'épargne à intérêts quotidiens, et non pas à celui des dépôts à terme ou autres placements qui sont moins disponibles que les obligations d'épargne du Canada.

Les obligations d'épargne du Canada constituent un excellent placement pendant que vous en apprenez davantage sur les placements en général.

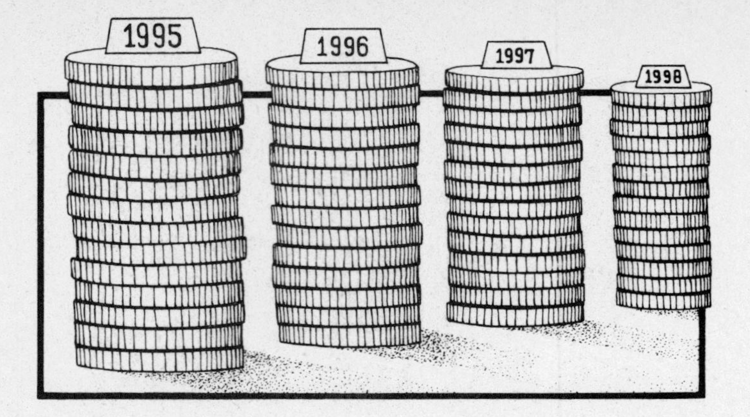

Chapitre vingt-deux
Rentes

DIFFÉRENTS TYPES

Le Larousse définit une rente comme «une somme d'argent payable annuellement ou à autres intervalles réguliers». Si seulement cela pouvait être aussi simple! Quand vous voulez acheter une rente, vous vous retrouvez face à une quantité impressionnante de produits qui est tout à fait déroutante. Les gens préfèrent trop souvent faire un mauvais achat plutôt que d'admettre humblement qu'ils ne comprennent pas toutes les conditions et les mots bien ronflants caractérisant les diverses rentes disponibles.

Ce chapitre passe en revue certaines des rentes les plus courantes et ce qu'elles impliquent normalement. Même cette approche du problème est pleine d'embûches, car il y a plus de 100 compagnies d'assurances et sociétés de fiducie proposant des rentes à travers le pays, et des rentes identiques souvent ne portent pas le même nom suivant les différents établissements qui en proposent la vente. Mais comme la lâcheté est rarement récompensée, allons-y.

Rente immédiate

Pour toute rente, les paiements peuvent être mensuels, trimestriels, semestriels ou annuels. Ils doivent être au minimum annuels. Théoriquement, ces paiements pourraient être perçus toutes les semaines ou tous les jours, mais les périodes de paiement inférieures à un mois sont assez rares, si tant est qu'il en existe.

S'agissant d'une rente immédiate, les paiements débutent immédiatement — enfin presque. Ce qu'il faut en tout cas retenir, c'est qu'ils ne sont pas différés dans le temps. Si vous achetez par exemple, une rente immédiate le 23 juillet, vous commencerez à recevoir des paiements au plus tard le 1er septembre et même vraiment semblablement dès le 1er août.

Le montant du revenu que vous touchez est fonction du montant payé pour la rente.

Rente différée

Contrairement à la rente immédiate, les paiements relatifs à une rente différée n'ont pas lieu avant une certaine date bien précise dans le futur. Ils peuvent éventuellement intervenir au bout d'un certain nombre d'années, par exemple, 5, 10 ou 15 ans après l'achat. Ils peuvent également débuter lorsque l'acheteur aura atteint un certain âge, 50, 60 ou 65 ans.

Une fois que la rente donne lieu à des paiements, ces derniers peuvent, là aussi, être mensuels, trimestriels, semestriels ou annuels, et leur montant est fonction de la prime payée pour la rente et du taux de rendement durant la période d'ajournement.

Rente exclusivement viagère

Avec ce type de rente, l'acheteur ne perçoit des paiements que tant qu'il vit. Étant donné que les héritiers du rentier ne toucheront aucun paiement provenant de la rente à la mort du bénéficiaire de cette rente, le rendement de ce type de rente est généralement plus élevé que celui de toutes les autres rentes.

Mais c'est jouer à la roulette. L'acheteur parie littéralement contre la compagnie d'assurances et la mise est élevée. Si vous vivez plus longtemps que ne le suggèrent les tableaux de mortalité, vous réalisez un bénéfice aux dépens de l'émetteur. Par contre, si vous décédez le lendemain de l'achat de la rente, c'est une perte sèche.

Il n'y a que très peu de cas où une rente exclusivement viagère soit vraiment utile, mais le fait que ces rentes soient toujours sur le marché prouve bien que certains investisseurs choisissent cette solution. Ce sont probablement les mêmes qui font régulièrement un petit tour à Las Vegas.

Rente viagère à durée garantie

Si vous recherchez un revenu viager, mais que vous voulez vous prémunir contre l'énorme risque inhérent à la rente exclusivement viagère, la rente viagère à durée garantie est une bonne solution.

Avec ce type de rente, les paiements auront lieu tant que vous vivrez, mais si vous veniez à décéder avant l'expiration de la durée garantie (ce qui peut représenter, selon les cas, de nombreuses années) les paiements relatifs à cette rente continueront à être versés à un bénéficiaire désigné par vous, et ce, jusqu'à expiration de la durée garantie.

Rente certaine

Avec une rente certaine, les paiements auront lieu pendant un nombre d'années bien précis — généralement, 5, 10 ou 15 ans — quelle que soit la durée de vie de l'acheteur. Supposons que vous achetiez une rente certaine pour une période de 10 ans. Au bout des 10 ans, les paiements cessent. Si vous décédez avant l'expiration de ces 10 ans, un bénéficiaire désigné par vous continuera à recevoir les paiements jusqu'à ce que la période des 10 ans soit révolue.

Rente viagère avec réversion

Avec une rente viagère avec réversion, les paiements auront lieu durant toute votre vie et continueront à être versés à votre bénéficiaire durant le reste de sa vie. Si le bénéficiaire que vous avez désigné venait à décéder avant vous, les paiements relatifs à la rente cesseraient, bien entendu, après votre décès.

Rente viagère restreinte

Souvent oubliée dans le cadre des prévisions financières, la rente viagère restreinte devrait être examinée de plus près dans certains cas bien précis. Si, pour une raison ou pour une autre, l'espérance de vie d'une personne est nettement inférieure à la normale, sur présentation d'un certificat médical en bonne et due forme une compagnie d'assurances peut éventuellement effectuer des paiements de rente viagère beaucoup plus importants qu'à l'ordinaire, car l'émetteur a ainsi de bonnes raisons de croire que ces paiements auront lieu pendant une période beaucoup plus courte. C'est ce que l'on appelle l'effet inverse en matière de «classification» dans le domaine des assurances.

Rente viagère spécialement garantie

Encore une autre catégorie hybride. Voici ce que propose une rente viagère avec garantie spéciale: si vous avez la malchance de décéder avant d'avoir reçu des paiements de rente équivalant au prix d'achat de cette rente, la différence sera versée à votre bénéficiaire, soit sous forme d'une somme réglée en totalité et en une seule fois, soit sous forme de versements périodiques.

Rente variable

La rente variable peut véritablement être combinée avec les rentes évoquées ci-dessus. La rente que vous choisissez, peu, si vous le désirez, être indexée sur un facteur variable — par exemple les taux d'intérêt préférentiels ou sur un fonds d'actions ou d'hypothèques —, ce qui augmente ou diminue les paiements en fonction des résultats du fonds ou du taux sur lequel la rente est indexée. Si vous n'optez pas pour une telle solution, vous savez exactement quel sera le montant des paiements de votre rente.

Choix difficile

En partant du principe que la liste des rentes qui vient d'être dressée n'est pas complète, et que nombre d'entre elles peuvent être combinées pour créer encore plus d'options possibles, il est évident qu'il faut choisir une rente avec beaucoup de soins et qu'il faut toujours faire son choix en fonction de son cas personnel. Il n'y a pas de règle générale et valable pour tous. Cependant, pour vous donner une idée, on peut dire qu'une personne d'âge moyen et en parfaite santé a intérêt à opter pour une rente viagère normale, alors qu'un cascadeur d'Hollywood ferait bien d'insister sur une durée garantie de 15 ans.

Comparez bien les prix, tenez compte de toutes les options possibles et soyez absolument certain de comprendre parfaitement toutes les conditions, et leurs implications, relatives au type de rente que vous finissez par choisir.

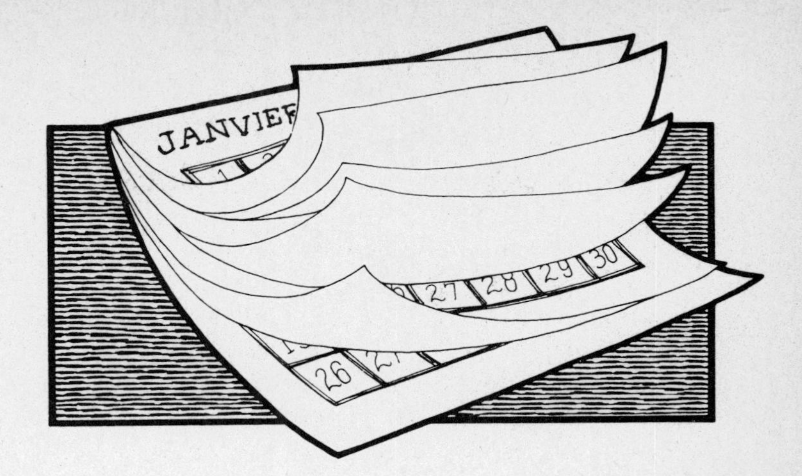

Chapitre vingt-trois
Options

Ce chapitre ne concerne pas les options d'actions telles que celles proposées par des entreprises à leurs employés, mais plutôt les options pouvant être négociées sur les grandes places boursières en achetant et en vendant des options émises par la Trans Canada Options Inc. sur les actions de certaines entreprises.

Acheter des options est un moyen d'«investir» dans des actions de grande valeur sans avoir pour autant à réunir des sommes d'argent équivalant à la valeur des actions sous-jacentes. Mais c'est également un bon moyen de tout perdre très rapidement.

Voici les principes de base du fonctionnement des options. Prenez d'abord votre courage à deux mains pour apprendre quelques termes techniques, car les options ont leur propre jargon. Une option d'achat est un contrat vous permettant d'acheter un certain nombre d'actions dans une entreprise pendant une période donnée et à un prix donné. Les actions en question sont appelées titres sous-jacents; le prix auquel vous pouvez les acheter est appelé prix d'usage ou prime. Les contrats d'options portent généralement sur 100 actions et il vous faut donc multiplier tous les prix par 100. Une fois émises, les options se négocient en Bourse tout comme les actions et les obligations jusqu'à ce qu'elles expirent.

Muni de ces informations de base, vous pouvez maintenant lire les cotations d'options dans votre journal quotidien.

Supposons que vous lisiez cette cotation:

Option	Volume	Dernière	Clôture
X Ltée			
Juil. 27 1/2	10	3 1/4	28 3/8

L'option consiste à acheter 100 actions ordinaires de la X Ltée au prix de 27,50 $ chacune avant la fin juillet. Dix contrats d'option (portant chacun sur 100 actions) ont été négociés la veille et la dernière option négociée s'est vendue au prix de 3,25 $ par action, ce qui représente un total de 325 $ pour un contrat d'option. La colonne intitulée «clôture» indique le prix des titres sous-jacents de la veille, en l'occurrence 28 3/8 $.

De toute évidence, les investisseurs s'attendent à une hausse des actions de la X Ltée. Ils sont prêts à payer 3,25 $ pour pouvoir acheter une action à 27,50 $, ce qui porterait le prix total à payer (s'ils faisaient usage de leurs options) à 30,75 $ plus commissions. Ils pourraient acheter des actions de la X Ltée à un prix bien inférieur aux 28 3/8 $. Alors pourquoi acheter des options? La réponse à cette question est très simple: si les actions de la X Ltée augmentent encore plus — mettons qu'elles atteignent 33 $ — ces investisseurs gagneront de l'argent, car leur prix total d'achat n'est toujours que de 30,75 $.

Par contre, si les actions diminuent et qu'elles tombent par exemple à 25 $, aucune personne sensée ne voudra faire usage de l'option. Mais même si un investisseur laisse passer une occasion de vendre l'option et qu'il soit obligé de la laisser expirer, la perte totale n'est toujours que de 325 $ — c'est-à-dire le prix payé pour le contrat initial au lieu de 2837,50 $ – 2500 $ = 337,50 $ (ou encore bien plus si la baisse avait été encore plus sensible). En d'autres termes, pour une mise relativement faible, vous avez la possibilité de réaliser un bénéfice important (mais pas aussi important que si vous aviez acheté les vraies actions à $28^3/8$ $).

Ne croyez pas que vous en savez maintenant assez pour vous précipiter et donner ordre à votre courtier d'acheter une grande quantité d'options. Si vous agissez ainsi, la première chose que votre courtier fera, c'est de vous donner un exemplaire du prospectus d'émission de la Trans Canada Options Inc., puis de vous dire de ne pas revenir avant au moins deux jours et de lire ce prospectus ainsi que d'autres documents qu'il vous remettra. Il vous faudra vraiment plusieurs semaines pour tout lire.

Cette lecture vous ouvrira les portes d'un univers tout à fait nouveau et déroutant. Vous apprendrez d'abord à savoir ce qu'est une chambre de compensation. Dans un certain sens, une chambre de compensation n'est rien d'autre qu'une bourse des options. Mais elle joue également un rôle beaucoup plus important. Pour comprendre cela, il va vous falloir digérer encore davantage de jargon. La chambre de compensation sert essentiellement d'intermédiaire entre les détenteurs et les soumissionnaires d'options.

Les détenteurs sont ceux que nous avons évoqués précédemment, à savoir les acheteurs de contrats d'options. Mais il faut qu'ils achètent leurs options à quelqu'un, et c'est là qu'intervient le soumissionnaire. Un soumissionnaire est un particulier qui entreprend de vendre un certain nombre d'actions à un prix déterminé et durant une période déterminée (la durée d'un contrat d'options est généralement de trois, six ou neuf mois). En échange de cet engagement, c'est-à-dire en échange de la soumission de l'option, le soumissionnaire touche une prime. (La prime est essentiellement déterminée par le marché boursier.) C'est là qu'intervient la chambre de compensation. Elle fait office d'intermédiaire entre le soumissionnaire et l'acheteur. Et, fait encore plus important, une fois que l'option a été émise, la chambre de compensation assume la responsabilité finale du contrat.

Voici comment cela fonctionne. Supposons que vous ayez 100 actions de la X Ltée que vous avez achetées à 47 $ et qui stagnent maintenant à 45 $. Vous aimeriez bien disposer d'un petit peu plus d'argent, mais vous ne voulez pas perdre de l'argent en vendant ces actions. Vous informez alors votre courtier que vous voulez soumettre une option de vente de vos actions à 50 $ à tout moment durant les six prochains mois et qu'en échange vous souhaitez bénéficier d'une prime de 2,50 $ par action. Votre courtier en avise la chambre de compensation, qui se charge alors de trouver un acheteur acceptant d'acheter l'option à ce prix. Vous touchez immédiatement 250 $ (2,50 $ par action pour 100 actions), mais vous avez encore vos actions.

Si le détenteur (ou d'autres détenteurs achetant l'option en Bourse) ne fait pas usage de l'option, vous n'avez à vous soucier de rien. Vous avez vos actions plus 250 $. Par contre, s'il est fait usage de l'option, vous avez 250 $ plus un gain de 3 $ par action. Mais supposons que les actions de la X Ltée soient soudain devenues l'attraction principale sur le marché boursier et que vous pensez qu'elles vont poursuivre leur envol. Vous avez changé d'avis et vous ne voulez plus vendre vos actions 50 $. Que faire?

C'est très simple. Vous achetez une autre option portant sur 100 actions de la X Ltée à 50 $, neutralisant ainsi votre engagement précédent de vendre vos propres actions; votre courtier informe la chambre de compensation que vous avez ainsi mis fin à la transaction par le biais de cet achat. Désormais, si le détenteur de l'option que vous avez soumise initialement en fait usage, c'est la chambre de compensation (et non pas vous) qui doit faire en sorte qu'il obtienne des actions. Vous n'avez plus rien à voir dans cette affaire.

Dans l'exemple précédent, vous avez été un soumissionnaire couvert, c'est-à-dire un soumissionnaire détenant effectivement les actions qu'il s'engage à vendre. Si vous êtes un investisseur prudent, mieux vaut opter pour la solution du soumissionnaire couvert. Si vous êtes plus audacieux, vous pouvez éventuellement choisir d'être un soumissionnaire à découvert, c'est-à-dire de soumettre l'option sans détenir les actions de façon réelle. Le risque, c'est que s'il est fait usage de l'option, vous vous retrouverez, bien sûr, obligé d'acheter les actions sur le marché libre à un prix supérieur à celui payé par le détenteur de l'option, ce qui rend l'opération beaucoup plus spéculative. Tout cela est parfaitement légal, mais simplement assez risqué. Il ne faut agir ainsi que si vous acceptez (et êtes capable) de parier que la valeur des actions sous-jacentes va baisser.

Si vous préférez être un détenteur plutôt que l'une ou l'autre sorte de soumissionnaire, c'est là une situation encore plus spéculative. Le risque, c'est que votre option expire avant que la valeur des actions sous-jacentes n'ait atteint le niveau que vous aviez prévu. N'oubliez pas qu'une option est un actif défectible, en ce sens qu'elle disparaît complètement au bout de son terme, qu'à mesure que la date d'expiration approche la valeur boursière des options est généralement en baisse. Si vous choisissez mal votre moment, vous pouvez perdre votre chemise.

Les stratégies de placement en matière d'options sont nombreuses. Si vous êtes intéressé, votre courtier peut vous renseigner sur les stratégies boursières de hausse et de baisse, sur la garantie variable, les opérations mixtes et sur une foule d'autres approches. Mais de telles stratégies ne devraient être adoptées que par des investisseurs assez expérimentés et compétents. Quelques stratégies de base constituent un bagage suffisant pour la plupart des investisseurs. Il est également capital d'avoir certains éléments-clés présents à l'esprit:

1. Le marché des options est très risqué. Vous pouvez réduire les risques au minimum, vous ne pouvez pas les éliminer complètement.

2. Le choix du moment est primordial. Bien deviner la tendance de la valeur d'une action n'est pas suffisant; il faut également deviner juste, lorsqu'il s'agit de déterminer à quel moment cette tendance aura lieu.

3. Bien qu'il soit en expansion, le marché canadien des options est encore petit. Cela signifie que vous ne trouvez

éventuellement pas toujours preneur, quand vous voulez vous décharger d'une option ou en acheter une. Et vous voudrez certainement vendre votre option, si vous êtes détenteur. Seul un faible pourcentage des options est vraiment utilisé. Elles ne constituent pas en soi des placements. Si les actions vous intéressaient vraiment, vous les achèteriez probablement dès le début. La plupart des détenteurs gagnent de l'argent en réalisant des opérations et des transactions, tout comme à la Bourse des valeurs.

Soit dit en passant, les options de vente sont le contraire des options d'achat. Avec une option de vente, le soumissionnaire entreprend d'acheter des actions au lieu d'en vendre.

De nombreux conseillers financiers avisés donnent les conseils suivants en matière d'options:

1. Ne jamais acheter une option.
2. Se limiter à la soumission couverte (voir ci-dessus).

Par contre, si vous voulez spéculer, vous pouvez gagner beaucoup plus d'argent, avec moins d'argent investi, en négociant des options plutôt qu'en négociant les véritables actions.

Chapitre vingt-quatre
Diversification

POURQUOI DIVERSIFIER?

Le second problème assez ardu auquel sont confrontés les investisseurs — second uniquement par rapport à celui du choix des bons placements — consiste à déterminer quelle proportion de l'ensemble des fonds il faut allouer à certains types ou à tout autre placement. La répartition des placements sur divers types de titres porte généralement le nom de diversification. Les difficultés de la diversification ne sont égalées que par l'importance de cette dernière, car la diversification des investissements est la seule façon de concilier les objectifs incompatibles de la sécurité du capital, du revenu et de la croissance.

Une politique de placement n'est saine que si la diversification en fait partie intégrante. Cela est dû au fait que tout placement sous forme de titres négociés publiquement comporte toujours un risque, et c'est donc incontestablement une bonne stragégie de répartir ce risque sur plusieurs titres différents. Si les placements sont répartis sur un certain nombre de titres et que l'un de ces titres obtienne de mauvais résultats, seule une partie du capital de l'investisseur s'en trouve affectée. De plus, dans le cas de placements diversifiés, il y a des chances pour que certains titres se comportent mieux que prévu. Cela compense les pertes subies par certains titres compris dans le portefeuille qui ne se comportent pas aussi bien que prévu, car il y a également des chances pour que de tels titres fassent aussi partie de votre portefeuille.

Il existe véritablement deux rubriques en matière de diversification: celle de la réduction des risques et celle de la convenance du placement.

Réduction des risques

C'est la réduction des riques qui pousse la plupart des investisseurs à diversifier leurs placements. Il y a essentiellement quatre façons de réduire les risques par le biais de la diversification.

La première consiste à limiter la somme d'argent investie. Lorsqu'une occasion de placement particulièrement attrayante se présente, la tentation d'investir tout son argent est souvent très forte, mais c'est une tentation à laquelle il faut savoir résister. Quel que soit le côté alléchant d'une émission donnée, il est plus sage de répartir ses capitaux sur un certain nombre d'émissions de qualité et de catégories différentes. La diversification renforce ainsi votre situation générale, sans sacrifier pour autant le revenu, la négociabilité ou un éventuel accroissement du capital. Si le revenu constitue votre objectif principal, la diversification permet de réduire sensiblement les risques courus par vos capitaux.

La seconde façon consiste à répartir des fonds, sur certaines émissions de qualité semblables, dans plusieurs entreprises de même niveau travaillant dans le même secteur d'activité. Ainsi, il vaut mieux acheter des obligations de plusieurs organismes gouvernementaux ou de services publics que d'investir tout votre argent dans les obligations d'un seul organisme. Si vos placements sont diversifiés, vous ne dépendez pas de la chance ou de la malchance d'un seul organisme ou d'une seule entreprise.

La troisième méthode permettant de réduire les risques grâce à la diversification consiste à investir dans des entreprises engagées dans différents types d'activités. L'avantage d'un tel type de diversification tient aux conditions extérieures influant souvent sur tout un secteur d'activité. Lorsqu'une récession générale affecte dans une certaine mesure la plupart des secteurs d'activité, il ne fait aucun doute que certains secteurs sont plus sévèrement touchés que d'autres. En période de récession, les organismes de service public et le secteur des produits alimentaires et des boissons ont relativement tendance à se maintenir. Par contre, les secteurs du bois de charpente, de la construction et de l'immobilier et des industries lourdes sont généralement beaucoup plus touchés. Et il y a toutes les situations intermédiaires. Dans de tels cas, les avantages de la diversification sont évidents.

N'oubliez pas non plus que des placements dans un certain nombre de secteurs d'activité opérant dans diverses régions du pays — ou même dans diverses régions du monde — vous procureront une protection encore plus importante, par le biais de la participation à toute une gamme d'activités complétée par une diversification géographique.

Une autre forme de diversification entrant dans cette catégorie consiste à consacrer une partie de ses fonds à l'obtention d'un revenu immédiat, tout en consacrant le reste à la recherche d'un accroissement du capital en investissant dans des valeurs de croissance.

Bien que la réduction des risques puisse éventuellement être l'objectif principal, le principe de la diversification vous permet d'investir dans des titres comportant un certain risque, sans sacrifier pour autant la sécurité de l'ensemble de votre portefeuille et tout en ayant la possibilité d'augmenter le revenu total de vos placements.

Une autre méthode de réduction des risques par la diversification appliquée par un grand nombre d'investisseurs consiste à investir dans des sociétés de portefeuille ou d'investissement.

Le scénario classique d'une société de portefeuille met en scène une entreprise à très forte capitalisation achetant des actions d'un certain nombre d'entreprises opérant dans divers secteurs d'activité ayant ou non des rapports entre eux. La société de portefeuille n'opère pas au sens classique du terme, mais celles qui sont vraiment très importantes participent généralement, indirectement à des degrés divers, à la gestion des entreprises dans lesquelles elles investissent, et ce, par la mise à disposition de gestionnaires et de technologie.

Une autre façon de procéder à une telle diversification consiste à acheter des actions dans un fonds commun de placement. Ces fonds communs de placement seront abordés plus en détail un petit peu plus loin. Mais revenons aux sociétés de portefeuille.

L'avantage de la diversification est évident. De plus, en investissant dans une ou plusieurs sociétés de portefeuille, un petit épargnant peut investir dans plusieurs secteurs d'activité, chose qui serait autrement impossible pour une simple raison de prix. Pour citer un exemple, en investissant uniquement dans le Canadien Pacifique, vous participez automatiquement aux secteurs d'activité des chemins de fer, du pétrole et du gaz, des mines, de l'hôtellerie, de l'immobilier, du bois de construction, de l'alimentation et de la sidérurgie. C'est là un avantage supplémentaire évident de la diversification.

En règle générale, un fonds de placement est une société dont l'activité consiste à investir son capital, obtenu grâce à la mise en circulation de ses propres actions, dans divers titres. Sa structure ressemble beaucoup à celle de toute autre société, mais au lieu de consacrer ses capitaux à la construction d'une usine, à l'achat de matières premières et à l'embauche d'employés, elle les investit dans des actions et des obligations d'autres sociétés, en vue d'obtenir un revenu sous forme de dividendes et d'intérêts et de réaliser des gains en capital en changeant en temps opportun les titres détenus. Une fois que ces bénéfices ont servi à régler les charges administratives, des dividendes sont versés aux actionnaires de la société ou bien ils sont réinvestis.

On voit ainsi très clairement en quoi un fonds de placement diffère d'une société opérant au sens classique du terme. Toutefois, ce qui ne ressort pas aussi clairement, c'est en quoi il diffère d'une société de portefeuille. La différence tient à ce que les sociétés de portefeuille, comme le Canadien Pacifique, bien que leur activité consiste à investir dans d'autres sociétés, prennent en général activement part à la gestion des sociétés dont elles détiennent des actions. Les fonds de placement n'en font rien, surtout parce qu'ils veulent pouvoir disposer rapidement et intégralement de leurs placements dans un délai très court, opération qui serait incompatible avec le concept même de la société de portefeuille.

Une autre différence entre la société de portefeuille et le fonds de placement, c'est que les placements de la société de portefeuille sont loin d'être aussi diversifiés et qu'ils ne couvrent pas une gamme aussi étendue que ceux d'un fonds de placement. Et, d'autre part, il ne faut pas oublier que le portefeuille du fonds de placement change presque quotidiennement, alors que la société de portefeuille conserve généralement ses placements pendant de très, très nombreuses années, et dans certains cas, éternellement.

Principales catégories de fonds de placement

Il existe deux catégories principales de fonds de placement: les fonds à capital fixe et les fonds à capital variable, ces dernières portant généralement le nom de fonds mutuels.

Ces deux types de fonds se procurent des capitaux en vendant leurs propres actions et obligations au public. Cependant, le fonds à capital fixe réunit un certain capital et opère à ce niveau, plus les bénéfices non distribués, pendant une période assez longue, tout comme une véritable société. Si vous voulez acheter ou vendre des actions d'un fonds à capital fixe, vous devez effectuer ces transactions avec d'autres acheteurs ou vendeurs sur le marché boursier ou sur le marché hors-cote.

Les fonds mutuels, par contre, émettent en permanence leurs propres actions de trésorerie en fonction du nombre des investisseurs et de la capacité du marché boursier. Parallèlement, les fonds mutuels remboursent leurs propres actions sur demande. C'est pourquoi les actions du fonds mutuel sont achetées et vendues à la société elle-même plutôt qu'à d'autres actionnaires.

Bien que la valeur boursière des actions d'un fonds à capital fixe soit bien évidemment influencée par la valeur boursière des titres détenus par le fonds dans son propre portefeuille, les actions d'un fonds à capital fixe ont tendance à se négocier à un niveau légèrement inférieur à leur valeur nette, car il faut trouver des acheteurs et des vendeurs sur le marché libre. Ce phénomène est également à l'opposé du comportement de la valeur boursière des actions de fonds mutuels. La valeur d'une action de fonds mutuel est en relation directe avec la valeur nette du portefeuille du fonds, car le fonds rembourse sur demande ses propres actions à un prix basé sur la valeur de l'actif net par action.

En raison du fait que les placements dans des fonds mutuels sont plus fréquents que ceux effectués dans des fonds à capital fixe, les remarques suivantes concernant la diversification par le biais de fonds de placement se limitent aux fonds mutuels.

Fonds mutuels

Il existe quatre grands types de fonds mutuels:

1. Les fonds équilibrés;
2. Les fonds de revenu;
3. les fonds de croissance;
4. les fonds spécialisés.

Les fonds équilibrés, comme leur nom l'indique, offrent une diversification maximale en matière de placements. Leurs portefeuilles comprennent des actions ordinaires, des actions privilégiées, des obligations garanties ou non garanties et autres effets de commerce. Voici un exmemple typique, suivant les conditions des marchés financiers, de répartition éventuelle: 60% d'actions ordinaires; 20% d'actions privilégiées; 7% d'obligations; 10% d'effets de commerce et 3% d'argent liquide.

Les fonds de revenu mettent davantage l'accent sur les obligations garanties ou non garanties et comprennent quelques actions privilégiées de très bonne qualité, mais très peu d'actions ordinaires. Ils ont pour objectif un revenu élevé et une sécurité du capital.

Le fonds de croissance est le type de fonds mutuel le plus courant et il contient surtout des actions ordinaires en vue d'un accroissement du capital.

Il y a enfin les fonds spécialisés. Ces fonds se concentrent sur un secteur d'activité particulier, comme le pétrole et le gaz, l'or, la chimie, l'acier, ou bien encore peut-être sur un certain secteur géographique comme les placements américains ou européens. Il existe aussi des fonds spécialisés mettant l'accent sur les hypothèques et d'autres se consacrant surtout aux marchés monétaires.

Pour que cette énumération soit complète, il ne faut pas oublier de mentionner deux autres types de fonds, bien qu'ils soient très rares et qu'ils ne représentent qu'une infime partie de l'ensemble des fonds existants.

Le premier de ces fonds est le fonds spéculatif, que certains milieux appellent par euphémisme «fonds de performance». Ces fonds investissent dans des actions ordinaires spéculatives à haut risque. Il vaut mieux se rabattre sur la table de poker et sur les champs de course ou tenter sa chance à Las Vegas.

L'autre type de fonds, autrefois populaire, mais relégué aujourd'hui au fond des oubliettes, c'est le fonds fixe. Ce fonds comprend des placements de très bonne qualité, mais ces derniers demeurent inchangés avec peu ou pas de roulement ou de modifications. On peut ainsi minimiser les frais de gestion et d'administration. L'inconvénient évident, ayant certainement été la cause de la disparition quasi totale de ce type de fonds, c'est qu'à notre époque les choses changent trop vite pour faire de cette approche une forme judicieuse de diversification.

CONVENANCE DE L'INVESTISSEUR

Si vous dépendez du revenu de vos placements pour faire face aux dépenses de la vie quotidienne, vous préférez certainement recevoir les paiements de dividendes et d'intérêts tout au long de l'année plutôt que de recevoir tout en une seule fois.

Cette procédure a généralement lieu de deux façons: soit en prenant comme référence les dates d'échéance, soit en versant des recettes de revenu tout au long de l'année.

La valeur d'une obligation au moment de son échéance correspond généralement au pair ou à sa valeur nominale. Si la valeur des obligations restait toujours au même niveau que leur pair ou valeur nominale, les dates d'échéance n'auraient aucun sens. Mais il n'en est rien. Les conditions économiques et commerciales changeantes provoquent une fluctuation des taux d'intérêt, et l'État contraint souvent un marché réticent à des changements de taux d'intérêt. Quand les taux d'intérêt augmentent, la valeur des obligations diminue, et vice versa.

Plus une obligation approche de sa date d'échéance, plus sa valeur se rapproche de sa valeur nominale, et elle suit de très près la fluctuation de sa valeur. Les prix des obligations à court terme ne connaissent généralement pas des fluctuations aussi importantes que ceux des obligations à long terme.

Étant donné qu'on ne peut pas dire avec certitude quelles seront les conditions économiques et commerciales à un moment précis du futur, c'est faire preuve de bon sens en matière de placement que de varier les dates d'échéance, de façon à ce que l'ensemble de votre portefeuille ne vienne pas à échéance au même moment.

Par ailleurs, la date d'échéance est généralement la date à laquelle vous réinvestissez votre argent. Puisque l'on sait que le marché boursier peut être extrêmement favorable à un moment donné et particulièrement défavorable à un autre, l'idéal serait de n'avoir qu'une petite portion de portefeuille venant à échéance en même temps.

Bien que beaucoup d'investisseurs n'y attachent pas beaucoup d'importance, la répartition des paiements de dividendes et d'intérêt de façon aussi uniforme que possible tout au long de l'année revêt pour certains une importance toute particulière. C'est notamment le cas des investisseurs qui se servent du revenu de leurs placements pour faire face à leurs dépenses personnelles et quotidiennes, tout comme s'il s'agissait d'un salaire. Il est capital pour eux de disposer d'un flux régulier de revenu.

Étant donné que les paiements d'intérêt sur les obligations ont généralement lieu de façon semestrielle et que les paiements de dividendes sur les actions ordinaires et privilégiées ont lieu de diverses façons, depuis les paiements trimestriels jusqu'aux paiements annuels, il est tout à fait possible, en sélectionnant avec soin ses titres, de répartir les recettes de revenu assez uniformément tout au long de l'année.

EXCÈS DE DIVERSIFICATION

Comme il en va de toutes les bonnes choses, on peut aussi abuser de la diversification. Il faut maintenir celle-ci dans des limites raisonnables et ce qui est raisonnable dans ce domaine, comme dans le cas de tant d'autres décisions en matière de placements, est entièrement fonction de la situation personnelle de l'investisseur. Mais il y a toutefois quelques remarques générales qu'il est utile de faire.

Un élément important dont il faut toujours se rappeler, c'est de négocier surtout, dans la mesure du possible, des lots irréguliers lors de l'achat ou de la vente d'actions. En cas de lots irréguliers (dont le nombre d'actions ne correspond pas au lot régulier), l'investisseur paie généralement plus cher (sans compter la commission, qui, elle aussi, est souvent plus élevée). Et c'est une situation qui ne rapporte rien. Un investisseur reçoit paradoxalement moins d'argent pour un lot irrégulier, lorsqu'il le vend. Ce paradoxe s'explique par le fait qu'il est assez improbable de trouver un acheteur de lots irréguliers au moment même où se présente un vendeur de lots irréguliers et que le prix doit donc augmenter ou diminuer suivant celui ou celle qui se trouve obligé de vendre ou d'acheter.

Il faut également tenir compte du fait que le nombre d'actions que l'on peut bien connaître et dont on peut suivre l'évolution intelligemment est limité, à moins de faire de la gestion de ses placements une occupation à temps plein. Peu de gens disposent du temps et des ressources nécessaires pour réaliser un objectif aussi vaste et ambitieux.

Une bonne règle pratique consiste à limiter tout placement dans un titre quel qu'il soit à 10% du portefeuille total.

Il y a également l'aspect administratif. De nombreux capitaux répartis sur un grand nombre de petits placements nécessitent une étroite surveillance et c'est un procédé qui se révèle souvent inefficace à long terme.

Pour l'investisseur moyen — disons jusqu'à 50 000 $ — dix titres différents représentent un programme de diversification adéquat et administrable. Il est difficile d'imaginer qu'un investissement de moins de 1000 $ dans un titre ait un sens quelconque. Cette règle pratique, bien sûr, ne concerne pas les achats spéculatifs.

Bien que les gros investisseurs gérant leurs propres affaires soient tout à fait en mesure d'investir dans 20 titres différents ou même plus, la règle des 10% est valable et pertinente pour les investisseurs de toute taille.

Il faut surtout se garder de faire ressembler son portefeuille à une petite Bourse des valeurs. Dans de tels cas, les placements ne se comporteront jamais guère mieux à long terme que la moyenne boursière, et ce n'est généralement pas suffisamment bon.

Équilibre

Comme il en a été fait mention précédemment, il est impossible d'avoir un maximum de sécurité du capital, de recettes de revenu et d'accroissement du capital dans un seul et même portefeuille. Il est, par contre, possible d'équilibrer un portefeuille et de mettre l'accent sur un objectif particulier, sans pour autant sacrifier complètement les deux autres.

La composition d'un portefeuille peut, et doit, changer de temps en temps en fonction des modifications des besoins personnels et des conditions économiques.

Il existe de nombreux exemples de portefeuilles dits modèles. Ils sont utiles comme point de départ — mais uniquement comme point de départ — pour déterminer l'aspect et la composition de votre propre portefeuille. Il est absolument indispensable d'adapter soigneusement votre portefeuille à vos propres besoins et à la situation économique.

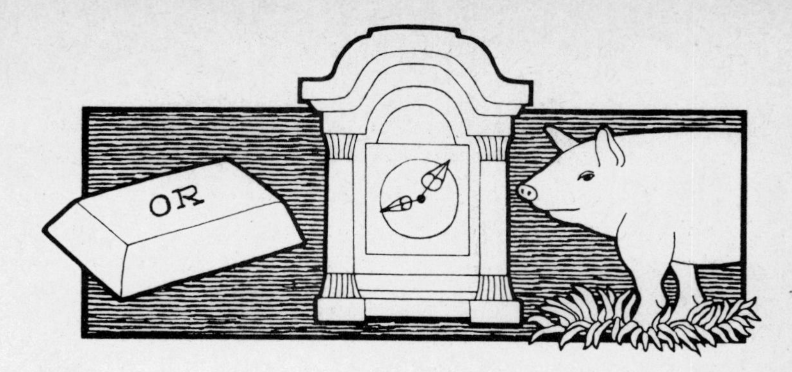

Chapitre vingt-cinq
Marchandises, objets de collection et métaux précieux

TRANSACTIONS DE MARCHANDISES

La Bourse de marchandises — qu'il s'agisse de métaux précieux ou de denrées courantes telles que café, pommes de terre et céréales ou de denrées sortant un peu plus de l'ordinaire dans ce domaine, tels les filets de porc — n'est pas un endroit pour l'amateur ou pour le timide.

Avant de s'engager dans cette voie, les gens doivent prendre conscience du fait que les transactions sur les denrées sont les opérations boursières les plus spéculatives et qu'elles ne sont nullement des opérations de placement. La Bourse de marchandises est dominée par des experts dans tous les divers domaines et c'est un jeu où le joueur occasionnel peut être anéanti très rapidement.

Dans les passages de ce livre abordant les placements sous forme de titres, il est souligné que l'un des facteurs importants influant sur la Bourse des valeurs est la psychologie de l'investisseur. Dans le domaine des marchandises, la psychologie du spéculateur est un facteur majeur — à peu près sur un même pied d'égalité avec les bénéfices par action dans le domaine de la Bourse des valeurs. Ajoutez à cela le fait que les prix de nombreuses marchandises sont soumis, entre autres choses, aux conditions météorologiques de diverses régions du monde et vous aurez une petite idée des difficultés qui vous attendent. Êtes-vous vraiment capable de supporter la tension inhérente au fait que la sécurité de votre argent dépend du temps qu'il fera au Brésil l'automne prochain?

Est-ce à dire que personne ne peut jamais placer de l'argent à la Bourse de marchandises? Bien sûr que non. Mais personne ne devrait se livrer à des transactions sur les denrées avant d'avoir acquis une bonne connaissance des marchandises choisies et du fonctionnement de la Bourse concernant ces mêmes marchandises. Comme vous le voyez, le marché de marchandises n'est pas un marché unique. Il couvre plusieurs marchés. Chaque marchandise a son propre marché et ses propres influences boursières.

Revenons-en aux conditions météorologiques du Brésil. Si vous décidez de procéder à des transactions sur le marché du café, il s'agit là d'une denrée précise et d'un marché bien déterminé. Vous n'achetez ni ne vendez vraiment du café. Ce que vous achetez et vendez, ce sont les contrats engageant à acheter ou à vendre du café à une date ultérieure. Vous pouvez, par exemple, acheter un contrat autorisant le détenteur à acheter ou à vendre une certaine quantité de café d'ici quelques mois. Le prix que vous paierez pour ce contrat repose sur votre aptitude et celle des autres joueurs à bien deviner ce que vaudra le café à cette date. Vous espérez, bien sûr, que le prix du café ira dans une direction propice à rehausser la valeur de votre contrat (qu'il s'agisse d'achat ou de vente). Voici deux choses dont il faut se rappeler: les autres «joueurs» sur le marché du café se répartissent en deux catégories: les spéculateurs, comme vous et moi, qui jouent vraiment à la devinette, et les marchands de café, achetant et vendant véritablement du café tout en négociant comme nous des morceaux de papier, qui ont probablement une bien meilleure idée de ce que sera le prix du café que vous et moi. La deuxième chose qu'il faut se rappeler, c'est que toute l'opération peut réussir ou échouer suivant les résultats de la récolte de café au Brésil.

Les résultats de cette récolte dépendent à leur tour uniquement des conditions météorologiques locales. Ou de l'attitude du gouvernement brésilien.

Il en va de même si vous négociez des pommes de terre ou du blé. Même les climatologistes professionnels ont du mal à prévoir le temps qu'il fera sur l'Île-du-Prince-Édouard et en Saskatchewan. Sans parler de l'Idaho, du Maine et de la Russie.

Ce qu'il faut néanmoins bien comprendre dans le domaine des transactions de marchandises, c'est qu'on ne négocie pas les véritables marchandises. On négocie des contrats engageant à acheter ou à vendre ces marchandises à terme. C'est pourquoi on parle souvent de marché «à terme». Ce marché fonctionne un peu comme celui des options d'actions décrit aux pages 251-256. On imagine difficilement quelle erreur devrait se produire pour que vous vous retrouviez avec un camion déversant plusieurs tonnes de filets de porc sur votre pelouse.

Ce qui n'est pas difficile à imaginer, c'est la complexité des marchés et les paris énormes que le joueur amateur doit faire à chaque fois.

La seule certitude en matière de transactions de marchandises, c'est qu'il ne faut s'y livrer qu'avec de l'argent qu'on peut vraiment se permettre de perdre. C'est un domaine qu'il vaut mieux laisser aux experts. Et il n'y a pas que moi à être de cet avis. Le *Wall Street Journal* a rapporté les propos d'un président de la commission américaine dite Commodity Futures Trading Commission, au moment de quitter son poste: «Je n'ai jamais pris part personnellement au marché à terme; je ne suis pas assez compétent pour cela.»

OBJETS DE COLLECTION

Au cours de ces dernières années, on a beaucoup écrit et parlé au sujet des placements dans des objets de collection, comme les œuvres d'art, les collections de timbres et de pièces de monnaie, les tapis persans et les figurines en porcelaine.

La première chose à savoir dans ce domaine, c'est qu'il ne s'agit nullement de placement. Il peut s'agir d'une activité commerciale, de spéculation ou de dépenser de l'argent pour le simple plaisir de posséder de tels objets, mais il ne saurait s'agir de placement.

Il n'y a absolument aucun inconvénient à acheter de tels objets en vue de réaliser un bénéfice un jour ou l'autre, tant que vous avez conscience qu'il s'agit là de spéculation. Et il n'y a, bien sûr, aucune raison de ne pas acheter de tels objets pour le plaisir, et si vous gagnez plus tard de l'argent grâce à eux, tant mieux.

Voici pourquoi de tels objets n'entrent pas dans le cadre des placements évoqués par cet ouvrage: ils ne procurent tout d'abord aucun revenu régulier. Les obligations rapportent des intérêts et de nombreuses actions rapportent des dividendes. Les biens immobiliers peuvent procurer un revenu sous forme de loyer. Mais les œuvres d'art et les collections de toutes sortes ne procurent pas de revenu régulier. En fait, elles coûtent de l'argent sous forme de frais d'assurances, d'entreposage et de renoncement à un revenu. De plus, elles sont très peu disponibles et très difficiles à vendre avec un bénéfice quand vous souhaitez vendre. Quand il s'agit d'objets de collection, il est presque toujours impossible d'obtenir le prix que vous souhaitez au moment voulu, à moins d'être un négociant. Un autre inconvénient dans le domaine des objets de collection, ce sont les très fortes commissions à payer, qu'il s'agisse d'achat ou de vente.

Les objets de collection présentent également l'inconvénient d'être extrêmement sensibles aux tendances. L'estampe très recherchée ou le livre à tirage limité d'aujourd'hui peuvent très bien se vendre demain à un prix dérisoire.

Cependant, ces commentaires négatifs n'ont pas pour but de vous dissuader à jamais d'acheter une œuvre d'art ou de collectionner des objets que vous appréciez. Ne vous en privez surtout pas si vous avez suffisamment d'argent et si vous vous intéressez suffisamment aux objets que vous collectionnez pour les comprendre et les apprécier. Mais ne considérez pas cette activité comme faisant partie de votre programme de placements. Il s'agit au mieux de spéculation.

MÉTAUX PRÉCIEUX

Tout comme les objets de collection évoqués au paragraphe précédent, on a également beaucoup parlé et écrit au sujet des possibilités de gagner de l'argent en investissant dans des métaux précieux comme l'or ou l'argent ou dans des pierres précieuses comme le diamant. C'est un fait que certaines personnes ont fait fortune dans ce domaine. Mais on en compte beaucoup plus qui ont fait faillite.

Tout comme le marché des objets de collection et des marchandises, le marché des métaux et pierres précieuses est plutôt réservé à la spéculation qu'aux véritables placements, exception faite bien sûr du cas des négociants professionnels, mais il s'agit alors d'une activité commerciale et non d'un placement.

Prendre part au marché des métaux précieux est absolument déconseillé aux «joueurs» non expérimentés. Ce n'est pas non plus une activité conseillée à ceux qui jouent avec de l'argent qu'ils ne peuvent se permettre de perdre. Pour pouvoir gagner de l'argent en faisant des transactions sur des métaux précieux, il faut disposer d'une somme d'argent assez importante pouvant être économisée, car vous ne pouvez pas vous permettre d'être obligé de vendre à un moment autre que celui de votre propre choix. Les fluctuations du marché des métaux précieux sont si importantes et imprévisibles qu'il faut tout simplement pouvoir attendre que les périodes défavorables prennent fin, sinon vous perdez votre chemise.

Ceux qui ont acheté de l'or à 60 $ l'once ont été fous de joie lorsque ce prix a atteint 400 $. Mais les pauvres bougres ayant acheté de l'or à 500 $ l'once ne partagèrent absolument pas les mêmes sentiments lorsqu'il leur fallut revendre à 400 $ l'once.

Encore une fois, mieux vaut laisser ce domaine aux professionnels.

Chapitre vingt-six
Bons du Trésor

En mars 1980, la Banque du Canada a instauré l'indexation de son taux d'escompte (ce dernier dictant les taux d'intérêt de tous les établissements financiers canadiens) sur le taux moyen des bons du Trésor à 91 jours émis par le gouvernement fédéral, ce taux ayant été établi lors de la soumission hebdomadaire de ces bons du Trésor. La Banque du Canada n'a plus besoin d'annoncer de temps à autre le montant du taux d'escompte, car depuis le 13 mars 1980, ce taux est fixé à un quart de point au-dessus du taux moyen des bons du Trésor. Le nouveau taux d'escompte est annoncé tous les jeudis à 2 heures de l'après-midi, heure de l'Est.

En 1980, les Canadiens ont soudain pris conscience du fait qu'il existait des titres mystérieux répondant au nom de bons du Trésor et qu'ils étaient vendus aux enchères tous les jeudis, probablement dans quelque chambre-forte bien gardée dont les murs ont plus de deux mètres d'épaisseur et dont le sol est jonché de billets de banque, le tout au milieu des coups de marteau du commissaire-priseur et des enchères frénétiques émanant de hordes de financiers hystériques. De nombreux Canadiens croient, aujourd'hui encore, que c'est ainsi que cela se passe.

C'est dommage de faire disparaître le mythe, mais les bons du Trésor du Gouvernement du Canada ne sont ni plus ni moins que de simples billets à ordre au porteur et négociables qui sont émis par le gouvernement fédéral pour se procurer des fonds de roulement. La vente aux enchères a lieu au siège de la Banque du Canada à Ottawa. Non seulement il n'y a pas de billets de banque jonchant le sol, mais il n'y a pas non plus de coups de marteaux et de commissaire-priseur, et les enchérisseurs ne sont même pas présents.

Voici comment cela se passe vraiment. Quelques mots tout d'abord à propos des bons du Trésor. Comme il en a déjà été fait mention, ce sont des billets à ordre émis à des valeurs nominales de 1000 $, 5000 $, 25 000 $, 100 000 $ et 1 000 000 $. Deux types de bons du Trésor sont émis toutes les semaines, les uns ayant un terme de 91 jours et les autres ayant un terme de 182 jours. Les bons du Trésor avec un terme d'une année sont émis toutes les quatre semaines.

Les bons du Trésor ne rapportent pas en soi un taux d'intérêt spécifique. Ils sont vendus au-dessous du pair, le rendement perçu par l'acheteur étant déterminé par la différence entre le prix d'achat et la valeur nominale qui sera perçue lors de l'échéance.

Pour prendre un exemple très simple, supposons qu'un soumissionnaire achète un bon du Trésor de 1000 $ à 91 jours pour 970 $. Il paie les 970 $ pour ce bon du Trésor le 17 juillet. Le bon du Trésor sera remboursé le 15 octobre et il recevra 1000 $. Il aura donc gagné 30 $ en 91 jours pour un investissement de 970 $. Cela représente un rendement annuel de 12,4%.

Si ces 12,4% avaient représenté le taux moyen établi lors de la soumission hebdomadaire des bons du Trésor le 17 juillet, cet après-midi-là, la Banque du Canada aurait fixé son taux d'escompte à environ 12¾%.

Les montants et les dates d'échéance des bons du Trésor faisant l'objet d'une soumission sont annoncés une semaine à l'avance, et la Banque du Canada, faisant office d'agent pour le compte du gouvernement fédéral, lance un appel d'offres.

Les banques à charte, environ une douzaine des plus grands négociants en placements du pays, et la Banque du Canada elle-même soumissionnent régulièrement lors de la vente aux enchères hebdomadaire. Toutefois, toute banque ou tout négociant en placements figurant sur la liste des «premiers distributeurs» (on part du principe qu'une liste comprend environ 100 noms) peut faire une soumission.

Les acheteurs éventuels soumettent leurs offres, généralenent par soumission scellée, à la banque du Canada à Ottawa. Cela ne peut avoir lieu avant midi, heure de l'Est, le jour de la vente aux enchères. Des représentants du ministère des Finances et de la Banque du Canada reçoivent les offres. Certains soumissionnaires font des offres pour un seul montant et d'autres font des offres couvrant toute une gamme de prix.

Le plus offrant reçoit alors tous les bons du Trésor qu'il a soumissionnés à un prix donné, puis c'est au tour du plus offrant suivant, et ainsi de suite, jusqu'à ce que toute l'émission ait été écoulée. Bien qu'un acheteur éventuel puisse soumettre plus d'une offre, c'est l'offre la plus élevée dont il est d'abord tenu compte. Il est possible que toutes les offres d'un soumissionnaire soient acceptées et qu'il puisse ainsi acheter plusieurs bons du Trésor ayant la même date d'échéance à des prix différents. Si le nombre des offres au prix le plus bas dépasse ce qui reste de l'émission, ce restant est réparti au prorata parmi les participants ayant fait des offres à ce prix-là.

Le règlement, paiement et remise, doit être réalisé d'ici le lendemain à 3 heures de l'après-midi.

Le ministre des Finances se réserve toujours le droit d'accepter ou de rejeter toute soumission intégralement ou partiellement. De plus, outre le fait de pouvoir soumissionner pour des bons du Trésor qu'elle veut acheter, la Banque du Canada peut également, si elle le désire, soumissionner pour l'ensemble de l'émission. Bien qu'un tel procédé permette au gouvernement de contrôler effectivement le taux d'intérêt de la Banque centrale, cela permet aussi d'assurer un marché pour la totalité de l'émission et d'empêcher tout groupement d'imposer une réduction sensible du prix des bons du Trésor, soit en boycottant l'émission, soit en formant une entente pour soumettre des offres peu élevées.

Il ne faut néanmoins jamais perdre de vue qu'une telle procédure fournit au gouvernement fédéral un instrument efficace pour exercer une énorme influence sur tous les taux d'intérêt. C'est surtout le cas quand le taux de la Banque du Canada est indexé sur la vente aux enchères hebdomadaire, mais même sans cela, la vente aux enchères hebdomadaire des bons du Trésor a été, est et continuera probablement à être le facteur d'influence le plus important en ce qui concerne tous les taux d'intérêt à court terme.

Nous savons maintenant que les bons du Trésor sont généralement achetés par les banques à charte et les grands négociants en placements. Mais où est-ce que je me situe dans ce domaine?

Les banques à charte ont pour règle de garder les bons du Trésor jusqu'à leur remboursement à la date d'échéance. Ceci s'explique par le fait que ces bons du Trésor constituent une partie très importante des réserves légales obligatoires des banques à charte.

Les négociants en placements, par contre, achètent surtout les bons du Trésor pour les revendre sur le second marché à des investisseurs disposant de trop d'argent et voulant l'investir à court terme. Parmi ces investisseurs, on trouve des institutions commerciales et financières, des municipalités et des gouvernements provinciaux, des investisseurs étrangers, d'autres négociants, des entreprises et la Banque du Canada en personne. Les soumissionnaires malchanceux lors de la vente aux enchères hebdomadaire se rabattent généralement immédiatement sur ce second marché pour satisfaire leurs besoins particuliers. Cette seconde phase de la vente aux enchères hebdomadaire est souvent plus animée et plus intéressante que la phase initiale.

Outre les banques à charte, les grandes entreprises représentent probablement les investisseurs les plus actifs en matière de bons du Trésor. Elles se procurent des bons du Trésor sur le second marché auprès des négociants en placements et trouvent que ces bons constituent des placements à court terme particulièrement attrayants. Il est non seulement possible d'en acquérir suivant ses besoins et ses possibilités financières, mais il est également tout à fait possible d'avoir des dates d'échéance (allant d'un jour ou deux jusqu'à un an) s'harmonisant parfaitement avec toute date à laquelle une entreprise a besoin de récupérer son argent. De plus, les bons du Trésor sont ce qui se rapproche le plus d'un placement sans risque. Et ils sont entièrement disponibles.

C'est là une autre raison expliquant pourquoi ils jouent un rôle si important sur le marché monétaire canadien. Ils permettent de procéder rapidement et facilement à une libre circulation de l'argent en le transférant de lieux où il n'est pas utile et nécessaire pour l'instant à des lieux où il peut rapporter de façon efficace.

Mais seuls les très gros investisseurs individuels peuvent investir directement dans des bons du Trésor. Comme nous l'avons vu précédemment, les particuliers ne prennent pas part à la vente aux enchères hebdomadaire. Pour investir dans des bons du Trésor, ils sont donc obligés de traiter avec un courtier sur le second marché. En règle générale, les courtiers préfèrent négocier des unités de 250 000 $. Il peut leur arriver de descendre à 100 000 $, mais à ce niveau-là le rendement dont bénéficie l'investisseur n'est pas nécessairement meilleur que celui dont il peut bénéficier avec d'autres types de placements. On peut donc voir que le seul facteur important et direct des bons du Trésor qui concerne la grande majorité des Canadiens, c'est que c'est le taux des bons du Trésor qui détermine le niveau de la plupart des autres taux d'intérêt du pays. Mais ce seul fait est suffisamment important pour justifier le bien-fondé de la compréhension du fonctionnement des bons du Trésor.

Les rendements des nouveaux bons du Trésor varient, bien sur d'une semaine à l'autre et ils sont extrêmement sensibles à tous les changements en matière de crédit. Cependant, le rendement perçu par l'investisseur est déterminé au moment de l'achat, car, bien que l'achat s'effectue au-dessous du pair, l'échéance a lieu avec la valeur nominale intégrale. Par conséquent, cette sensibilité n'est pas synonyme d'incertitude.

L'importance du rôle des bons du Trésor sur l'ensemble du marché monétaire canadien est incontestable, et bien qu'ils ne soient entrés dans le langage courant que vers les années 1980 (en raison de l'indexation du taux d'intérêt de la Banque du Canada sur les bons du Trésor), ils existent néanmoins depuis longtemps.

Des bons du Trésor canadiens, payables en livres sterling, étaient vendus à la Bourse de Londres et en Europe continentale au début des années 1900. En 1914, ils commencèrent à être vendus à des banques à charte canadiennes, mais il n'y avait alors pas de second marché. Puis l'émission des bons du Trésor fut interrompue vers le milieu des années 1920.

En mars 1934, ils réapparurent sur le marché national et la vente aux enchères fit son apparition.

Bien que des ventes aux enchères aient eu lieu régulièrement deux fois par semaine dès 1937, l'activité du deuxième marché fut quasi inexistante, les bons du Trésor étant achetés presque exclusivement par les banques à charte. Des changements commencèrent à se produire vers le début et le milieu des années 1950, lorsque des mesures délibérées furent prises par les autorités monétaires pour créer un marché monétaire purement canadien, entraînant ainsi une augmentation du montant des bons du Trésor en circulation et l'introduction d'une vente aux enchères hebdomadaire.

L'année 1954 vit l'apparition des prêts au jour le jour accordés par les banques à charte aux négociants en placements, ce qui permit notamment de fournir aux négociants en placements une autre source de fonds pour financer, entre autres placements, les stocks de bons du Trésor fédéraux. À la même date, on assista à une augmentation de la demande de bons du Trésor en raison d'une modification de la Loi sur les banques autorisant les banques à investir davantage sur le marché monétaire à court terme, ce qui renforça encore l'importance des bons du Trésor, ces derniers représentant le type de placement le plus intéressant sur ce marché.

Puis en 1955, les banques à charte consentirent à maintenir une réserve secondaire de 7% de leurs dépôts réglementaires, et les bons du Trésor purent faire partie de cette réserve.

Au cours des dernières années, la différence de rendement entre les bons du Trésor et les autres placements à court terme a considérablement diminué, ce qui a entraîné le développement d'un deuxième marché très important en matière de bons du Trésor, à tel point que ces derniers constituent désormais la pierre angulaire du marché monétaire canadien à court terme. Le rendement des bons du Trésor n'est plus sensiblement inférieur à celui d'autres placements à court terme. Mais, essayer de déterminer si ce sont les rendements des bons du Trésor qui ont augmenté ou si ce sont les autres rendements qui ont diminué, revient à essayer de résoudre la vieille controverse de la poule et de l'œuf.

Postface

Vous voilà arrivé au bout. Que votre revenu soit important ou non, que vos avoirs soient dérisoires ou substantiels, votre situation financière sera forcément meilleure s'ils sont bien gérés. L'endroit où se trouve la virgule n'a pas grande importance. Il vous faut prendre en charge vos finances et utiliser au mieux votre argent.

En appliquant les règles de base évoquées tout au long de cet ouvrage, en faisant preuve de beaucoup de bon sens et en acceptant de ne pas vivre au-dessus de vos moyens, vous pouvez faire rapporter votre argent bien plus que vous ne l'auriez jamais imaginé.

Faire rapporter son argent est une tâche régulière et quotidienne. Il vous faudra, bien sûr, faire appel de temps à autre à des spécialistes, mais plus vous saurez faire rapporter votre argent, moins ces conseils de spécialistes vous coûteront cher et plus il vous seront bénéfiques.

En dernier ressort, la responsabilité d'utiliser au mieux votre argent et de le faire fructifier le plus possible vous incombe entièrement. N'oubliez pas que vous êtes tout à fait capable de faire face à une telle responsabilité. Nul besoin d'être un financier ou un expert-comptable pour utilser au mieux votre dollar. Il suffit de bien le gérer. Ne lisez pas ce livre pour le ranger ensuite dans un coin. Consultez-le de temps en temps quand vous devez prendre des décisions d'ordre financier.

ANALYSE DE GESTION FINANCIÈRE PERSONNELLE

POUR ______________________________

Ce document est la première étape d'une bonne gestion financière personnelle; il peut servir aussi bien de liste de contrôle au gestionnaire que de questionnaire à quiconque désire passer en revue son état financier. Si certaines questions personnelles ont été omises, c'est qu'on peut mieux y répondre de bien d'autres façons. Prière d'y annexer listes, tableaux et tout autre document pertinent.

COMPLÉTÉ PAR ______________________________

DATE ______________________________

RENSEIGNEMENTS GÉNÉRAUX

Nom et prénom: ______________________________

Domicile — adresse et no de téléphone: ______________________________

____

____

Travail — adresse et no de téléphone: ______________________________

____

____

Date de naissance: ______________ Lieu de naissance: ______________

Citoyenneté: ______________________________

Domicile: à la naissance ______________________________

au mariage ______________________________

actuellement ______________________________

État civil: ______________ Date du mariage: ______________

Avez-vous un contrat de mariage? ______________ (si oui, annexez une copie)

État de santé: ______________ Assurable? ______________

Avez-vous fait un testament? ______________ (si oui, annexez une copie)

Exécuteurs:

Nom et prénom	Lien de parenté avec vous
______________	______________
______________	______________
______________	______________
______________	______________

Adresse

CONJOINT

Nom et prénom: ______________________________

Domicile — adresse et no de téléphone si différents des vôtres: ______________________________

____

____

Date de naissance: ______________ Lieu de naissance: ______________

Citoyenneté: ______________ Domicile au mariage: ______________

Profession et adresse au travail: ______________________________

____

____

Êtes-vous, vous ou votre conjoint, divorcé ou séparé légalement? Spécifiez: ______

____

____

Avez-vous eu, vous ou votre conjoint, des enfants d'un mariage antérieur? Spécifiez: ______________________________

____

____

État de santé: ______________________________

Valeur estimative et description générale des biens immobiliers du conjoint, y compris leur source: ______________________________

____

____

____

Votre conjoint a-t-il(elle) fait un testament? ________ (si oui, annexez une copie)

CONJOINT (suite)

Exécuteurs:

Nom et prénom	Lien de parenté avec vous

Adresse

Votre conjoint est-il(elle) en mesure de:

— administrer une entreprise?

— gérer ses propres affaires?

— investir du capital?

Autres commentaires:

HÉRITIERS

Complétez le Tableau II.

Y a-t-il parmi les héritiers mentionnés ci-dessus des personnes handicapées physiquement ou mentalement? Si oui, spécifiez toute assistance particulière que vous voudriez leur offrir.

____

____

Désirez-vous accorder quelque assistance particulière à un ou à plusieurs enfants (pour leurs études, pour les établir dans un commerce, etc.)? Si oui, spécifiez.

____

____

Désirez-vous en faire bénéficier d'autres individus (associés, employés, oeuvres de charité, beaux-parents, parents, etc.)? Si oui, spécifiez.

____

____

Y a-t-il parmi vos enfants qui soient en mesure de prendre la relève dans votre entreprise? ________________________________

____

____

Quel revenu jugez-vous nécessaire pour subvenir aux besoins de votre conjoint et de vos enfants après votre mort, si vous mourez:

avant que les enfants deviennent autonomes: ________________

après que les enfants deviennent autonomes mais avant votre retraite: ______

____

après avoir pris votre retraite: ________________________

Vos enfants ont-ils des biens immobiliers ou un revenu? Si oui, spécifiez: _____

____

____

____

REVENUS

Annexez une liste de vos revenus durant les cinq dernières années (en y mentionnant la source, le type et le montant), ou la copie des déclarations d'impôt (aussi bien les vôtres que celles de votre conjoint) des cinq dernières années.

____

Indiquez tout changement important dans le revenu de l'année en cours ou des années ultérieures:

____

____

____

Quel revenu annuel vous faut-il pour maintenir votre niveau de vie actuel?

____

____

____

Êtes-vous une des parties dans un règlement, une fiducie, etc.? Si oui, spécifiez:

____

____

____

____

____

Avez-vous déjà fait d'importants dons ou virements de biens? Si oui, spécifiez:

____

____

____

____

ASSURANCES, PENSIONS ET AUTRES BÉNÉFICES

Complétez les Tableaux III et IV.

Expliquez en détail toute autre question pertinente: ______________________

ACTIF ET PASSIF

Complétez les Tableaux V à VII. (Il n'est pas nécessaire, au tableau VI, de spécifier les valeurs Jour-V des actifs acquis après 1971).

Avez-vous choisi d'utiliser les valeurs Jour-V pour l'impôt sur les gains de capital?

____

Complétez le Tableau VIII. Toutes les obligations doivent y paraître, y compris les dettes d'affaires et personnelles, prêts bancaires, impôts sur le revenu, impôts fonciers, hypothèques, billets, etc.

Expliquez en détail tout aval ou endossement:

____

____

____

____

Complétez le relevé ci-dessous en utilisant les tableaux détaillés:

	Valeur actuelle	Prêt sur titres
VSC de l'assurance-vie	________	________
Valeur actuelle du régime de retraite	________	________
Valeur actuelle des biens immeubles	________	________
Valeur actuelle des actions, etc.	________	________
Autres actifs	________	________
Autres passifs	________	________
TOTAL	________	________

OBJECTIFS

À quel âge aimeriez-vous prendre votre retraite? ______________________

Où vivrez-vous à votre retraite? ______________________

Quel revenu vous faudra-t-il à votre retraite? ______________________

Le legs sera-t-il exempt de taxes successorales? ______________________

Désirez-vous prendre certaines dispositions dans le cas où votre conjoint se remariera?

____

____

Prévoyez-vous d'autres legs éventuels? Si oui, spécifiez.

____

____

Désirez-vous que vos légataires détiennent le contrôle de vos affaires?

____

Désirez-vous que le contrôle d'une entreprise quelconque soit transféré à une personne en particulier?

____

Désirez-vous que vos enfants aient:

un revenu? ______________________

un capital? ______________________

un capital, mais à un certain âge (à 21 ans, à 25, etc.)? ______________________

Vous intéressez-vous à un type particulier d'investissement, d'entreprise ou de passe-temps (exploitation agricole, propriétés immobilières, etc.)?

____

____

____

AUTRES COMMENTAIRES

DOCUMENTS

		Annexés	**À venir**	**Inapplicables**
Tableau I	Liste des conseillers	( )	( )	( )
Tableau II	Liste des héritiers	( )	( )	( )
Tableau III	Relevé de l'assurance-vie	( )	( )	( )
Tableau IV	Relevé des pensions, etc.	( )	( )	( )
Tableau V	Relevé des biens immeubles	( )	( )	( )
Tableau VI	Relevé des actions, etc.	( )	( )	( )
Tableau VII	Autres actifs	( )	( )	( )
Tableau VIII	Passif	( )	( )	( )
Déclaration d'impôt sur le revenu des 1 2 3 4 5 dernières années (encerclez)		( )	( )	( )
Testament	— le vôtre	( )	( )	( )
	— du conjoint	( )	( )	( )

Où se trouvent les testaments?

____

À quand remonte la dernière révision?

____

Actes d'association ou d'achat/vente	( )	( )	( )

Contrat de mariage	( )	( )	( )
Autres (indiquez)			
______________________	( )	( )	( )
______________________	( )	( )	( )
______________________	( )	( )	( )
______________________	( )	( )	( )
______________________	( )	( )	( )
______________________	( )	( )	( )

CONSEILLERS PROFESSIONNELS

TABLEAU I

	NOM	RAISON SOCIALE	ADRESSE	No de téléphone
COMPTABLE				
AVOCAT				
GÉRANT DE BANQUE				
SOUSCRIPTEUR ASSURANCE-VIE				
COMPAGNIE DE FIDUCIE				
CONSEILLER EN PLACEMENT				

HÉRITIERS (si nécessaire, annexez d'autres listes)

TABLEAU II

Nom & adresse	Lien avec vous	Date de naissance	État civil	Nature du legs

RELEVÉ DE L'ASSURANCE-VIE

TABLEAU III

No de police	Compagnie	Type	Montant nominal	Proprié-taire	Bénéficiaire	Primes annuelles	Valeur actuelle au comptant	Prêt sur police
Total								

COMMENTAIRES: ______________________________

____

PENSIONS, RENTES, ASSURANCE-INCAPACITÉ, ETC.

TABLEAU IV

Description	Primes	Prestations	Prestations-Âge commencement	Valeur actuelle
Total				

COMMENTAIRES: ______________________________

RELEVÉ DES BIENS IMMEUBLES

TABLEAU V

Description	Date d'achat	Coût	Valeur Jour-V	Valeur actuelle	Type de propriété	Détails de l'hypothèque
Total						

RELEVÉ DES ACTIONS, OBLIGATIONS ET FONDS MUTUELS

TABLEAU VI

Description	Date d'achat	Coût	Valeur Jour-V	Valeur actuelle	Dividende
Total					

COMMENTAIRES: ______________________________

____

AUTRES ACTIFS

TABLEAU VII

Description date d'achat	Coût	Valeur Jour-V	Valeur actuelle	Commentaires
Total				

PASSIF

TABLEAU VIII

Description	Terme	Solde actuel	Taux d'intérêt	Versements annuels (intérêt & principal)	Cmmentaires (si assurés, etc.)
Total					

Glossaire des placements

Action conjoncturelle:
Action d'une entreprise travaillant dans un secteur d'activité particulièrement sensible aux fluctuations économiques.

Action ordinaire:
Titres de propriété d'une entreprise comportant un droit de vote. Voir aussi «Action privilégiée».

Action participative:
Catégorie d'actions privilégiées assurant le paiement d'un dividende n'étant pas inférieur à celui versé dans le cas des actions ordinaires d'une entreprise. Il peut arriver parfois que les actions participatives prennent également part à la distribution de l'actif restant, lors de la liquidation d'une entreprise.

Action privilégiée:
Catégorie de capital-actions accordant certains privilèges aux actionnaires privilégiés par rapport aux actionnaires ordinaires, par exemple un taux de dividende fixe ou le remboursement de la valeur nominale des actions en cas de liquidation, ou même les deux. En général, les actions privilégiées n'ont un droit de vote que lorsque leurs dividendes sont arriérés.

Action privilégiée à dividende cumulatif:
Action privilégiée comportant une clause spitulant que si un ou plusieurs dividendes restent impayés, ils s'accumulent et s'ajoutent aux dividendes auxquels a droit ultérieurement l'actionnaire privilégié.

Actions cotées en cents:
Émissions spéculatives à bas prix dont les actions se vendent à moins de 1 $ par action. Cette expression est souvent dépréciative, bien que certaines de ces actions deviennent parfois des placements valables.

Action sans valeur nominale:
La plupart des actions ordinaires sont émises sans valeur nominale, car elles sont généralement achetées et vendues sur la base de leur valeur boursière, qui reflète l'offre et la demande; si l'entreprise est mise en liquidation, les détenteurs d'actions ordinaires touchent ce qui reste après que toutes les dettes et tous les détenteurs d'actions privilégiées aient été remboursés. Voir aussi «Pair».

Actions entiercées:
Actions en circulation d'une entreprise qui, bien que comportant un droit de vote et donnant droit à des dividendes, ne peuvent être ni achetées ni vendues sans consentement spécial préalable. Des actions ne peuvent être «libérées» que sur autorisation des autorités compétentes telles que la Bourse ou une commission des titres. C'est une procédure couramment utilisée par des entreprises des secteurs miniers, pétroliers et gaziers lorsque des actions autodétenues sont émises pour de nouveaux biens.

Actions de croissance:
Actions d'une entreprise ayant d'excellentes perspectives en matière de croissance future de leur valeur.

Au-dessous du pair:
Indique qu'un titre a été vendu ou acheté à un prix inférieur à sa valeur nominale.

Avec droits:
Action détenue à partir du moment où il est annoncé que des droits préférentiels de souscription vont être émis, jusqu'au moment où les actions sont négociées «sans droits préférentiels de souscription» (c'est-à-dire quand les droits et les actions se négocient séparément). Le pro-

priétaire des actions durant cette période bénéficie de ces droits. Voir aussi «Droits préférentiels de souscription».

Baissier:
Personne qui croit que les cours vont tomber.

Banque centrale:
Banque instaurée par un gouvernement national pour recommander et mettre en œuvre une politique monétaire sur un plan national et international. Au Canada, c'est la Banque du Canada; aux États- Unis, la Federal Reserve Board; au Royaume-Uni, la Bank of England.

Bénéfice fictif:
Bénéfice non réalisé. C'est par exemple, le cas d'une action achetée 10 $ qui monte à 15 $, mais qui n'a pas été vendue.

Bénéfices par action:
Les bénéfices d'une entreprise réalisés au cours d'un exercice fiscal et divisés par le nombre d'actions en circulation à la fin de ce même exercice donnant pleinement droit à participer à ces bénéfices.

Bilans consolidés:
Bilans combinés d'une maison mère et de ses filiales présentant la situation financière du groupe comme s'il s'agissait d'une seule entité.

«Blue Sky Law»:
Terme argotique désignant des lois destinées à protéger le public des fraudes en matière de titres.

Capital-actions:
La participation à la propriété d'une entreprise prouvée et matérialisée par l'émission de titres d'actions.

Capitaux propres:
Propriété participative des actionnaires ordinaires et privilégiés dans une entreprise qui correspond à la différence entre l'actif et le passif de cette entreprise. S'il n'y a que des actions ordinaires en circulation, le «capital par action» correspond à l'actif moins le passif divisé par le nombre d'actions en circulation. Si ce sont des actions

privilégiées qui sont en circulation, le «capital par action» correspond à l'actif moins l'ensemble du passif et la valeur nominale des actions privilégiées divisée par le nombre d'actions ordinaires en circulation.

Certificat:
: Morceau de papier prouvant la possession d'une action ou d'une obligation. On dit aussi titre.

Charges d'intérêt:
: Désigne généralement les versements d'intérêt.

Compte carte blanche:
: Compte ouvert par un client auprès d'un courtier pour lequel un représentant de l'établissement de courtage a reçu l'autorisation écrite du client d'exercer son propre jugement lors de l'achat ou de la vente de titres au nom et pour le compte du client.

Conglomérat:
: Entreprise opérant directement ou indirectement dans un certain nombre de secteurs d'activité n'ayant généralement aucun rapport entre eux.

Conseiller en placements:
: Personne dont la profession consiste à donner des conseils en matière de placements moyennant une rémunération.

Consortium:
: Association d'entreprises indépendantes constituées généralement pour entreprendre un projet spécifique nécessitant des compétences spéciales et des ressources que les différents participants ne possèdent pas individuellement.

Convertible:
: Obligation garantie ou non garantie ou action privilégiée pouvant être échangée par son propriétaire contre des actions ordinaires de la même entreprise, conformément aux conditions spécifiques du privilège de conversion.

Coupon:
Partie d'un titre d'obligation donnant droit au détenteur à un paiement d'intérêt d'un montant spécifique, lorsqu'il est attaché et présenté à un agent de paiement (une banque, par exemple) à la date d'échéance ou après.

Cours acheteur et vendeur:
Le cours acheteur correspond au prix qu'un acheteur éventuel est prêt à payer, et le cours vendeur correspond au prix qu'un vendeur accepte.

Cours d'achat ferme:
Engagement d'acheter une certaine quantité de titres à un prix déterminé et pour une période donnée, à moins de ne plus avoir à respecter cet engagement du fait d'une décision du vendeur éventuel.

Course aux procurations:
Lutte entre deux ou plusieurs factions au sein d'une entreprise, au cours de laquelle chaque faction cherche à contrôler le plus de procurations possible pour lui permettre de faire élire ses propres candidats au conseil d'administration ou de remporter une décision lors d'un vote de l'assemblée des actionnaires.

Courtier:
Agent servant d'intermédiaire aux deux parties lors d'une transaction.

Déclaration d'initié:
Déclaration concernant toutes les transactions portant sur les actions d'une entreprise. Cette déclaration est rédigée par les initiés de l'entreprise et elle est soumise périodiquement à la commission des titres compétente.

Dividende:
Bénéfices distribués aux actionnaires d'une entreprise.

Dividende attaché:
Sans droits préférentiels de souscription: le contraire d'avec droits préférentiels de souscription. Voir cette dernière expression. Le prix indiqué comprend un divi-

dende déclaré, mais impayé. La personne achetant une action avec dividende touchera le dividende déjà déclaré à la date de paiement de ce dividende. Voir aussi «Dividende détaché».

Dividende détaché:
Le prix indiqué ne comprend pas un dividende déclaré, mais impayé. Quand une personne achète une action «dividende détaché», elle n'a pas droit au dividende déclaré, mais impayé. C'est le vendeur de l'action qui touchera le dividende. Voir aussi «Dividende attaché»

Dividende supplémentaire:
Dividence versé en sus d'un dividende habituel.

Effet de commerce:
Billets à ordre cessibles, à court terme et rapportant des intérêts qui sont émis par des entreprises et qui assurent le paiement d'une certaine somme d'argent à un moment déterminé.

Effet de levier:
Fait d'emprunter et de réinvestir de l'argent pour obtenir un rendement supérieur aux frais d'emprunt.

Entreprise diversifiée:
Entreprise engagée dans plusieurs branches d'activité différentes, soit directement, soit par le biais de filiales.

Établissement, fonds ou société de placement:
Organisme investissant son capital dans d'autres organismes. Dans ce domaine, on distingue deux catégories principales, à savoir celle des organismes à capital fixe et celle des organismes à capital variable, ces derniers étant plus connus sous le nom de fonds mutuels. Voir aussi «Fonds à capital fixe» et «Fonds à capital variable».

«Étaler vers le bas»
Acheter un titre en plus grande quantité à un prix moins élevé que votre investissement initial, afin de réduire le coût moyen par unité.

Être propriétaire:
Si vous «êtes propriétaire de 100 actions ordinaires Bell», cela signifie que vous détenez effectivement 100 actions

ordinaires de l'entreprise Bell. Voir aussi «À découvert».

Fonds à capital fixe:
Société de placement ayant un capital fixe et ne prévoyant pas le remboursement d'actions au choix de l'actionnaire. Il faut acheter ou vendre les actions sur le marché libre et non pas par le biais du fonds. Voir «Fonds de placement à capital variable».

Fonds à capital variable:
Synonyme de fonds mutuel. L'inverse d'un fonds à capital fixe. Les fonds à capital variable vendent leurs propres actions à des investisseurs, rachètent leurs propres actions et ne sont pas cotés en bourse. La capitalisation d'un fonds à capital variable n'est pas fixe. Il peut vendre autant d'actions qu'il y a d'acheteurs. Voir aussi «Fonds à capital fixe» et «Fonds mutuel».

Fonds mutuel:
Société de placement à capital variable vendant des unités ou des actions à des investisseurs, le fonds mutuel se sert des recettes de telles ventes pour investir dans des titres de diverses entreprises et de divers gouvernements. Voir aussi «Fonds à capital variable»

Forfaitaire:
Adjectif signifiant que le prix indiqué d'une obligation garantie ou non garantie correspond à son coût total.

Groupe bancaire:
Groupe d'établissements de placement dont chacun assume individuellement la responsabilité financière d'une partie de la garantie d'émission. Voir aussi «Prospectus».

Haussier:
Personne qui croit que les cours vont monter.

Hors cote:
Transactions portant sur des titres non cotés en bourse.

Hypothèque conventionnelle:
Hypothèque non couverte par un régime d'assurance gouvernemental.

Indicateurs de tendance:
Sélection de données statistiques reflétant les tendances économiques globales. On peut citer comme exemple la situation de l'emploi, les investissements, les créations et faillites d'entreprises, les bénéfices, les cours des actions, les stocks, les mises en chantier et les prix de certains produits.

Indice Dow Jones:
Moyenne des cours des actions calculées par la Dow Jones & Company, publiant également le *Wall Street Journal,* et indiquant les cours moyens des actions par catégorie, en se basant sur les cours moyens les plus élevés et les plus bas, et sur ceux de l'ouverture et de la clôture concernant des émissions d'actions représentatives. L'indice le plus courant est celui de trente valeurs industrielles cotées à la Bourse de New York, et connu sous le nom d'indice Dow Jones des valeurs industrielles.

Initié:
Directeur ou cadre d'une entreprise, ou bien encore toute personne susceptible d'avoir accès à des informations confidentielles concernant l'entreprise. Toute personne détenant plus de 10% des actions avec droit de vote dans une entreprise est considérée par la plupart des juridictions comme un «initié».

Investisseur institutionnel:
Institution, comme une caisse de retraite, une société de fiducie ou une compagnie d'assurances, investissant de fortes sommes d'argent dans des titres.

Jour ouvrable:
Tous les jours sauf samedi, dimanche et jours fériés légaux.

Livraison régulière:
Sauf indications contraires, ceux qui vendent des titres doivent les remettre au plus tard le cinquième jour ouvrable après la transaction.

Lot irrégulier:
Nombre d'actions inférieur au lot régulier. Voir aussi «Lot régulier».

Lot régulier:
Lot de transactions (équivalant généralement à cent actions) dont ont convenu uniformément les Bourses des valeurs.

Marché acheteur:
Quand l'offre est supérieure à la demande.

Marché vendeur:
Quand la demande est supérieure à l'offre.

Marge:
Somme versée par un client à un courtier lorsqu'il achète des titres à crédit, le solde étant avancé par le courtier en échange d'un nantissement acceptable.

Moyennes et indices:
Instruments statistiques mesurant de façon théorique la situation de la Bourse des valeurs ou de l'économie à partir du comportement des actions ou d'autres critères sélectionnés. Parmi les moyennes et les indices les plus connus, on trouve l'indice Dow Jones des valeurs industrielles, l'indice des valeurs industrielles de la Bourse de Toronto et l'indice des prix à la consommation.

Nantir:
Donner des gages pour garantir un prêt.

Négociateur en Bourse:
Employé d'un établissement membre d'une place boursière exécutant des ordres d'achat et de vente à la corbeille (lieu où ont lieu les transactions) de la Bourse, et ce, pour le compte de son établissement et de ses clients.

Obligation à échéance reportable:
Obligation émise avec une certaine date d'échéance, mais permettant à l'obligataire de conserver cette obligation pendant une durée supplémentaire déterminée.

Obligation garantie:
Reconnaissance de dette en vertu de laquelle l'émetteur s'engage à payer à l'obligataire un certain intérêt pendant un certain temps et à rembourser le prêt à la date d'échéance convenue. L'obligation garantie implique que des actifs ont été mis en gage pour garantir le prêt. Voir aussi «Obligation garantie».

Obligation garantie par nantissement de titres:
Obligation garantie par un nantissement déposé auprès d'un mandataire. Ce nantissement est souvent constitué d'actions et d'obligations d'entreprises contrôlées par l'entreprise émettrice, mais il peut également s'agir d'autres titres.

Obligation hypothécaire générale:
Obligation garantie par une hypothèque générale sur les biens de l'émetteur, mais ne bénéficiant pas du même traitement préférentiel accordé à une ou plusieurs autres hypothèques.

Obligation non garantie:
Reconnaissance de dette d'un gouvernement ou d'une entreprise n'étant généralement pas garantie. Voir aussi «Obligation garantie».

Obligation ou débenture à intérêt conditionnel:
Obligation garantissant le remboursement du principal, mais ne garantissant le paiement d'un intérêt que si les bénéfices sont suffisants.

Offre de rachat:
Offre d'acheter des actions d'une entreprise en vue de prendre le contrôle de cette entreprise.

Option:
Droit d'acheter ou de vendre des titres bien déterminés à un prix et pendant une période déterminée.

Option d'achat:
Option cessible permettant d'acheter un certain nombre d'actions à un prix bien déterminé et dont il peut être fait

usage pendant une période elle aussi bien déterminée. Seuls ceux qui croient que les actions concernées vont monter achètent, bien entendu, des options d'achat. Voir aussi «Option de vente» et «Option».

Option d'action:
Droit d'acheter un nombre déterminé d'actions provenant du capital-actions d'une entreprise, et ce, à un prix déterminé et pendant une période donnée. De tels droits sont généralement attribués aux cadres et aux employés d'une entreprise.

Option de vente:
Option cessible permettant de vendre un certain nombre d'actions à un prix bien déterminé et dont il peut être fait usage pendant une période elle aussi bien déterminée. Ces options de vente sont achetées par ceux qui croient qu'une action va baisser. Voir aussi «Option d'achat».

Ordre à cours limité:
Ordre donné par un client à un courtier d'acheter ou de vendre à un prix déterminé ou à un prix plus élevé que ce prix limite. L'ordre ne peut être exécuté qu'au prix déterminé ou à un prix supérieur à ce prix limite déterminé.

Ordre au mieux:
Ordre d'acheter ou de vendre un titre immédiatement au meilleur prix possible.

Ordre stop:
Ordre de vente de titres destiné à prendre effet dès que la valeur boursière des titres en question atteint un certain niveau.

Ordre sujet à appréciation:
Ordre donné par un client à un courtier spécifiant le type et la quantité des titres à vendre ou à acheter, mais laissant entièrement au courtier le soin de décider du choix du moment et du prix de la transaction.

Ordre valable jour:
Ordre d'achat ou de vente de titres n'étant valable que le jour où cet ordre a été donné.

Ordre VJR (valable jusqu'à révocation)
Ordre valable jusqu'à annulation. Identique à un ordre ouvert.

Pair:
Correspond à la valeur nominale d'un titre. C'est la somme d'argent à laquelle le détenteur du titre a droit lors du remboursement de ce titre par l'émetteur. Ce terme est surtout employé en liaison avec les actions privilégiées et les obligations. Une action privilégiée ou une obligation ayant une valeur nominale de 100 $ donnent droit à leur détenteur à un remboursement de 100 $. La valeur nominale n'est pas représentative de la valeur boursière d'un titre, sauf lorsque le remboursement est imminent. Certaines actions ordinaires comportent une valeur nominale, mais la valeur nominale d'une action ordinaire ne signifie rien, comme nous venons de le voir précédemment au paragraphe intitulé «Sans valeur nominale».

Placements de portefeuille:
Placements à long terme dans des entreprises n'étant ni des filiales ni contrôlées par l'investisseur.

Point:
Dans le contexte du cours des actions, cela signifie 1 $ par action. Dans le cas des obligations, cela représente généralement 1% de la valeur nominale. Si une action monte ou descend de 2,5 points, cela signifie que son cours a augmenté ou diminué de 2,50 $ par action. Une obligation de 1000 $ ayant perdu 23 points voit sa valeur baisser de 20 $.

Première distribution ou offre:
Vente initiale de toute émission de titres d'entreprise.

Prime:
Dans le cas d'une nouvelle émission d'obligations ou d'actions, la prime correspond à la valeur boursière plus élevée que le prix de vente initial. L'expression désigne aussi la portion du prix de remboursement d'une obligation ou d'une action privilégiée supérieure à la valeur nominale.

Prise de bénéfices:
Procédé consistant à transformer les profits fictifs en argent, et ce, en vendant les titres.

Procuration:
Autorisation écrite donnée par un actionnaire à une autre personne (pas nécessairement un actionnaire) en vertu de laquelle cette personne représente l'actionnaire et vote à sa place et en son nom lors de l'assemblée des actionnaires.

Pro forma:
À titre d'exemple.

Prospectus:
Document juridique décrivant les titres mis en vente auprès du public. Un tel document doit être conçu en conformité avec les règlements des commissions de titres dans les juridictions où ces titres sont mis en vente.

Rachetable:
Remboursable après avis en bonne et due forme de l'émetteur des titres. Une entreprise peut, par exemple, émettre des obligations pouvant être remboursées et retirées de la circulation en prévenant les obligataires trois mois avant.

Ratio cours-bénéfice:
Valeur boursière d'une action ordinaire divisée par les bénéfices annuels par action lors de l'exercice fiscal précédent.

«Red Herring»:
Prospectus d'émission préliminaire ainsi nommé, car certaines informations sont imprimées en rouge sur le pourtour de la page de couverture: Un «Red Herring» ne

contient pas toutes les infirmations que l'on retrouve dans le prospectus d'émission final. Il a pour but de déterminer l'ampleur de l'intérêt du public concernant une nouvelle émission de titres tout en étant révisé par la commission des titres concernée.

Reprise:
Une brusque hausse intervenant après un déclin des valeurs boursières en général ou d'une action particulière.

Salle du conseil d'administration:
Endroit dans le bureau d'un courtier où les clients peuvent voir les cours et les ventes des actions cotées sur un tableau à affichage électronique.

Seconde distribution ou seconde offre:
Redistribution au public d'un grand nombre d'actions ayant déjà été vendues au préalable par l'entreprise émettrice.

Secteur privé:
Secteur d'une économie regroupant les particuliers, les entreprises, les sociétés et autres institutions non contrôlés par l'État.

Secteur public:
Secteur d'une économie regroupant les organismes et les établissements détenus et contrôlés par l'État.

Société ouverte:
Entreprise dont les actions sont accessibles au grand public.

Taux de rendement courant:
Revenu annuel d'un placement donné exprimé sous forme de pourcentage de la valeur courante du placement. Si un placement d'une valeur de 1000 $ rapporte, par exemple, un revenu annuel de 100 $, le taux de rendement courant est de 10%.

Rapport annuel:
Bilan officiel et compte rendu d'activités présentés tous les ans par une entreprise à ses actionnaires, à la fin de l'exercice fiscal.

Titre de rang inférieur:
Titre ayant un droit de priorité moins important qu'un autre titre du même émetteur.

Titre immatriculé au nom d'un courtier:
Titre d'action inscrit au nom d'un négociant en placements plutôt qu'au nom du propriétaire effectif. Cette procédure facilite les transations en matière de vente et d'achat des actions concernées.

Titre négociable:
Titre facilement vendable.

Titre prioritaire:
Titre ayant un droit de priorité plus important que d'autres.

Titres cotés:
Titres cotés en Bourse.

Valeur de liquidation:
Montant net réalisé suite à la liquidation d'une entreprise, qu'il s'agisse d'une liquidation volontaire ou forcée.

Valeur de premier ordre:
Actions ordinaires confirmées et de renommée nationale, ayant généralement de longs et bons antécédents en matière de dividendes et présentant toutes les qualités d'un placement sûr.

Valeur nette:
Synonyme d'avoir des actionnaires.

Valeur nominale:
Valeur d'une obligation ou d'une action privilégiée figurant au recto du titre et représentant généralement le montant que l'entreprise s'engage à payer à la date d'échéance. Cette valeur ne correspond pas à la valeur boursière.

Vente à découvert:
Vente d'un titre que le vendeur ne possède pas. C'est une transaction hautement spéculative à laquelle procèdent ceux qui croient que le prix d'une action va baisser

et qu'ils pourront ainsi être en mesure d'assurer la vente en achetant cette action plus tard à un prix moins élevé et en réalisant par la même occasion un bénéfice sur cette transaction. Le vendeur commet une infraction en n'informant pas son courtier qu'une vente est «à découvert».

Vente fictive:

Vente immédiatement contrebalancée par un achat identique.

Achevé d'imprimer
en février mil neuf cent quatre-vingt-quatre
sur les presses de l'Imprimerie Gagné Ltée
Louiseville - Montréal.
Imprimé au Canada